천년미소

(千年微笑)개정판

천년미소(개정판)

발 행 | 2024년 03월 06일
저 자 | 조성삼
펴낸이 | 한건희
펴낸곳 | 주식회사 부크크
출판사등록 | 2014.07.15.(제2014-16호)
주 소 | 서울시 금천구 가산디지털1로 119 SK트윈타워 A동 305호
전 화 | 1670-8316
이메일 | info@bookk.co.kr

ISBN | 979-11-410-7525-5

www.bookk.co.kr

千年微笑

(천년미소)개정판

趙 誠三 지음

차례

머리말

이 책을 세상의 어머니에게 바칩니다.

道可道 非常道 名可名 非常名

(도가도 비상도, 명가명 비상명.)

노자 도덕경.

(도는 가를 도라는데 늘 나는 도이고, 이름을 가라한 건 늘 나는 이름이다.)

어머니는 새벽에 일어나 콩나물시루에 물을 주셨다.
새벽잠을 자는 아들을 깨우지 않으려 했지만 물소리는 새벽을 갈랐다. 그러나 그녀에게는 생사가 걸린 문제라 멈출 수 없었다. 그리고 검은 보자기를 콩나물 위에 덮어주었다.
콩나물은 어둠속에서 빨리도 자랐다. 연하고 부드러운 몸매에 발뿌리도 나지 않았다.
어머니는 다자란 콩나물을 이고 집집마다 팔러 다니셨다. 고됨도 부끄러움도 없이 늦잠 자는 아들을 생각하면서.

이제 늙은 자식은 어머니를 그리워하고,
어머니는 이 땅을 소리 없이 날아가셨다.
그런 고생을 하면서도 누구를 위한다고도 하지 않았고,
자신이 할 일이라고만 말을 하셨다.

세월은 유수와 같아 삼십 육년을 넘었다. 그래도 기억은 세월을 붙잡는다. 이젠 나도 예전 어머니의 자리에 오래지 않아 다가설 터이다. 그리고 긴 그림자도 지울 일이다. 하지만 그래도 그것이 아쉽지 않은 건 그분의 모습을 닮아가기 때문이다. 그리고 아직도 할 수 있는 일이 남아있다면 그분의 모습을 그려보는 일일 것이다.

세상만사 티끌 하나까지 그 무엇이라도 사랑이 아닌 것이 있으랴.

2023, 계묘년 동짓날.

제1편 철새는 날아가고

1,낙강

강둑에서 바라본 금정의 고당은 하늘에 닿았고, 북에서 남으로 비단을 깔은 듯 흐르는 낙강은 바다로 흘렀다. 강의 수면은 고당의 봉우리를 그렸는데 바람은 이내 심술을 터트렸다. 그러나 바람이 가고나면 어느새 수면은 예전처럼 그림을 토했다.

주민보다 새들이 먼저 그것을 보았고, 강변의 갈대들과 버들은 손을 흔들어대었다. 그런 강가의 널찍한 곳에 마을이 자리했는데 사람들은 안막이라 이름 지었다. 안막의 대부분 사람들은 대개 농사를 짓거나 고기를 잡아 살았지만 일부는 가게도 차렸다.

지금은 퇴색된 마을이지만 예전 한때는 호황을 누린 적도 있었다. 논에는 벼이삭이 황금 알을 달았고 마당은 붉은 고추가 노을을 닮았다. 그런데 그것은 오래지 않았는데 모여 살던 사람들이 하나 둘 철새처럼 떠나가 버리는 것이었다. 그것은 모진 태풍이 쉬지 않았고 폭우까지 농작물을 흙탕물로 덮어버렸다.

애써지은 결실은 호수에 잠기었고 애를 태우는 농민들은 발만 동동거렸다. 까만 속은 허무가 가득하고 손은 주름만 깊어졌다. 그러니 다시 둥지를 다듬기보다 다른 곳을 찾는 일로 눈을 돌렸다.

태풍만 몰아치지 않았다면 논밭은 황금빛 낟알로 선물을 주었을 일이었다. 거기에 은빛 비닐속의 채소도 수풀처럼 자라며 꽃까지 안개처럼 향기를 뿌릴 순간이었다. 그러나 태풍을 맞은 처지는 전쟁터와 다르지 않았다.

다시 올 태풍은 걱정을 불렀고 미래의 시야는 어둠이 가득 내렸다. 독 속에서도 피할 수 없는 것은 운명이었다. 고생을 이기고 행복을 이루는 일은 시소이지 않았다. 허무가 존재하지 않는 곳을 찾아 나서지 않을 수 없었다.
강 건너 빌딩이 그들의 눈에 먼저 들어왔다. 외형의 변모는 계절보다 빨랐고 건물은 흙벽보다 철옹성이었다. 안막은 백여 호가 옹기종기 사는데 비해 고층의 집은 수도 헤아릴 수 없었다. 모여든 사람들은 벌집 같은 건물의 입구를 수시로 드나들었다.
마을의 이름도 안막처럼 촌스럽지 않았다. 개벽을 이룬 그곳과 달리 안막의 외모는 고래의 잔재를 털지 못했다. 강물처럼 깊고 먼 하늘처럼 마을의 지붕은 현현하게 탈색만 지켜보았다.
어둠을 대하는 눈길은 밝은 곳을 찾았다. 그러나 그곳은 안막을 두른 깊은 강물을 건넌 곳이었다. 그래서 언젠가는 강을 건너리란 생각만 했었다. 하지만 생활의 곤고함은 너그러움도 사흘을 지킬 수 없었다.
빠듯한 살림을 꾸려가면서 새처럼 날리란 꿈은 그저 물거품일 뿐이었다. 비록 부질없는 환상이라도 미련의 꼬리를 잡을 수밖에 없었다. 비록 희미한 방에서 새어나오는 불빛처럼 미약하지만.
비단 그런 모습은 순애만이 아니었다. 시장에서 미장원을 하는 명자도 다르지 않았다. 시골의 사정은 푼돈벌이 정도였기에 기구도 고물처럼 낡았다. 하지만 내일의 희망은 녹이 슬지 않았다.
꿈과 현실은 반대라고 하지 않던가? 그래서 세월이 강물처럼 흘러가도 미련은 초지일관이었다. 하지만 뿌리를 내린 가난은 틈을 갈랐고 팔의 힘으로는 뽑아낼 수 없었다. 그런 상황을 알아차린 명자도 철새를 반기기 시작했다.
순애는 그럴 처지도 아닌지라 비닐 지갑을 살피고 있었다. 비록 낮의 사정은 고단하지만 밤은 내일을 꿈꾸는 꿈으로 채웠다. 하지만 고백을 들은 명자는 꿈이 부럽다며 웃음을 지었다.

비난을 감내할 수 없어 방법을 찾아 나섰다. 매번 변함없는 농사보다 장사라면 그나마 나을 것 같았다. 결행할 시기가 언제인지 모르지만 조만간이라는 단서는 벌써부터 심장을 두드렸다.

하지만 순애의 집은 안막에서도 오리쯤 서북쪽에 자리한 백두산의 비탈진 곳이었다. 뒷산은 그리 높지 않았지만 백두산이란 이름탓으로 명성을 날렸다.

산세가 좋으면 물도 맑은 듯 팽나무와 마을은 인심까지 좋았다. 그래서 마을의 이름도 괴정이라 불렸다. 오백년을 넘은 팽나무는 마을의 초석이며 당목이었다. 그래서 주민은 당산을 대할 때마다 경건함을 보였고 그것은 안막이나 시내와 다른 점이었다. 경건함은 경주댁을 보아도 다르지 않았다.

경주댁은 당산을 신주단지처럼 모셨다. 혁을 키우면서 순애도 경주댁의 모습을 닮아갔다. 혁은 그녀의 유일한 아들이자 생손이었다.

그녀의 집은 어려서부터 농사로 업으로 삼았으나 부농은 아니었다. 물려받은 토지도 없었을 뿐만 아니라 산비탈의 밭도 어느 날 날려버렸다. 그래서 낮에는 이웃의 비닐하우스에서 품을 팔았고 밤에는 집안일을 도왔다. 농사일은 몸을 곤고하게 만들었지만 지갑은 좀처럼 두터워지지 않았다. 살림을 유리처럼 투명하게 하여도 사정은 다르지 않았다. 강변의 갈대처럼 뿌리를 내린 가난을 이제 농사로서는 불가하다는 것이 결론이었다.

장사는 산비탈의 괴정에서 할 수 있는 일은 아니었다. 예전부터 선착장을 끼고 자리한 안막은 그나마 나았다. 강가서 물고기도 잡고 배도 건너는 곳이었다. 강가를 찾는 새들처럼 사람들도 모여들었다.

처음 장사를 생각했을 때 다리 건너 도시를 그려보았었다. 반듯한 빌딩에 화려한 가게는 사람을 빨아들이는 블랙홀이었다. 거리의 학교도 빌딩처럼 높았고, 교실도 길을 따라 선 상가처럼 층층이 자리를 지켰다.

하지만 그곳은 안막과 비교가 되지 않을 정도의 자금을 원했다. 도시는 솟은 빌딩만큼 세도 높았고 변화도 물결처럼 가치를 바꾸었다. 그에 비해 안막은 도로는 좁고 촌집뿐이어서 학교도 이층으로 족했다.

그런 까닭으로 세가 싼 안막을 고려하지 않을 수 없었다. 변화는 물결 따라 밀려오는 법이고 길목을 지키면 토끼는 걸려드는 법이었다. 다행인 것은 안막도 예전에 비해 변화를 받아들인다는 사실이었다.

예전에 학생 때만 해도 안막은 촌티를 벗어나지 못했었다. 제일로 잘산다는 기학의 집도 기와를 올린 것이 고작이었다. 지금은 흉물처럼 남았지만 머지않아 재건축할 집이었다.

바람처럼 그는 가족과 떠났고 쑥대만 무성했던 집을 건축업자는 이층의 상가로 탈바꿈 시킬 것이라 구입했다. 변화는 예전과 미래를 가르는 이정표였다.

변화의 흐름은 시장도 자애롭지 않았다. 그늘진 곳일수록 암영은 그림자처럼 늘어졌다. 어릴 적부터 경주댁과 다녔던 시장의 건물들이었다. 겉은 고색창연한 빛이 아직도 완연했고 점포도 반쯤은 문을 닫은 상태였다. 페인트로 위장을 하고 천막을 둘렀으나 상품까지 그럴 수 없었다.

그런 사정을 아는 촌로들도 이제는 찾지 않았다. 간혹 길을 건너오는 사람들이 보였지만 그들은 구경꾼일 뿐이었다. 차의 경적소리가 울린 것은 머지않아 이곳도 달라지리란 경고와 같았다.

그녀의 시선도 그것을 놓치지 않았다. 하지만 가게를 얻고 장사를 하려니 자금이 여유롭지 못했다. 그러니 경제적인 사정을 먼저 걱정하지 않을 수 없었다.

예전에 기학 집도 어려운 장사이지 않았지만 재미를 보지 않았는지 어느 날 장사를 접었다. 더 나은 시내로 갔다는 소문과 부도란 것이 자리를 다투었다. 그러나 순애는 전자를 믿었다.

한동안 그가 철새처럼 돌아오지 않아 아쉬움이 남았다. 갸름한 얼굴에 키가 남달리 큰 그는 깊은 인상을 남긴 친구였다. 사정은 다 알 수 없지만 잘 되리라는 생각에 미래를 걸었다. 그가 떠나간지 벌써 칠년도 넘었다.

기학의 경우를 봐도 장사란 양면을 가진 동전이었다. 과욕을 부리지 않는다면 자리는 지키겠지만 결실은 미지였다. 하긴 이익을 잡고자하는 짓이니 과욕을 이기기란 목숨을 버리는 일보다 쉽지 않을 터였다.

기학의 가게도 아마 이 점을 이기지 못한 것 같았다. 그러나 순애는 그러하지 않을 각오이었다. 아직 가게를 펼치지는 않았지만 미리 경계하는 마음이었다. 그녀는 여고까지 나왔고 대학의 물도 일 년을 맛본 지식인이었다. 기학은 그녀와 다르지 않았겠지만 한계를 지키기란 쉽지 않았던지 이곳을 떠났어도 소식까지 날렸다.

한때 철새와 함께 돌아오리란 기대는 지나간 구름이었다. 아마도 안막을 떠난 사람들도 다르지 않았을 터였다. 다만 그러하지 않은 것은 철새뿐이었다. 철새는 강과 갈대를 기억하고 해가 바뀌어도 어김없이 돌아왔다. 그래서 그녀는 철새처럼 그가 찾기를 기다렸는지 몰랐다. 그런데 그 기대가 그르지 않았다는 듯 이듬해 소식이 날아들었다.

시내로 미용 경연대회에 나갔던 명자가 기학을 보았다는 말이었다. 반가운 나머지 손이라도 잡으려했으나 얼굴만 스쳤을 뿐이었다. 대회의 일로 시간도 없었지만 그도 바빴던지 행사장에서 안개처럼 사라졌다. 예전 친구의 소문이라도 전하려는 기대의 잔영이 어둠처럼 날았다. 그간의 모습이 변해 대춧빛의 신사란 말이었다.

그녀의 고민을 바라보던 명자는 갈등이 무엇을 뜻하는 지 알 것 같다고 말했다. 친구의 핀잔을 듣고서야 그를 잊지 않았다는 사실이 부끄러웠다. 이젠 헤어져 산 세월만큼이나 우정도 강의 폭만큼 멀어졌을 터였다. 그렇지만 얘기를 들었다는 것만으로도 박동은 쉼 없이 뛰었다.

혁의 성장을 모르지 않는 명자는 그녀를 더는 꼬집지 않았다. 그렇다면 적극적으로 찾으라는 말도 던졌다. 그런 수다를 즐긴 명자는 침묵하는 그녀의 속내를 다시 할퀴었다. 그것은 악몽을 지우려는 그녀의 이율배반이었다.

'다 잊었었다더니 딴 생각을 했던 모양이제?'

그러나 순애는 그 말이 귀에 들어오지 않았다. 침묵을 지키는 순간에도 기학의 얼굴은 구름에서 나오는 달처럼 머릿속을 밝히었다. 그녀는 그를 생각하는 것만으로도 지난 세월의 고통까지 가벼워지는 것 같았다.

명자는 그런 순애를 알다가도 모르겠다고 갈퀴를 긁었다. 자신도 실연을 겪어 본 탓이겠지만 상처를 보듬는다는 것은 쉬운 일이 아니었다. 타인의 불행을 자신의 위안으로 삼는 것이 오히려 쉬운 법이었다.

명자는 생각만으로 그칠 것이 아니고 재도전도 사랑이라며 거들었다. 싫은 말은 아니지만 그럴 이유가 없다며 이대로가 좋다고 물러났다. 기학의 뜻도 아직 모르거니와 건널 강도 멀고 깊어서였다.

기학이 나타났을 때 경주댁이 뜻밖에 한동안 몸살을 앓았다. 우연이겠지만 그녀의 우환은 집안의 살림까지 흔들었다. 일도 그만 둔 막장은 술로 위로를 삼았고 잔소리도 반겼다. 사정이 그러하니 비탈의 토지가 남의 손으로 넘어가는 것은 당연했다.

경주댁의 강단은 그때부터 더욱 거세졌고 방향을 틀었다. 그러나 여자의 강단으로 재기한다는 것은 말처럼 쉽지 않았다. 욕심과 무리가 뒤따르면 환상을 맹목적으로 믿게 되는 법이었다. 그런 모습을 순애는 한동안 이해할 수 없었다.

고개를 가로저으며 떠나간 철새의 간 곳을 생각해보았다. 그곳은 괴정의 농사꾼들도 찾아갈 곳만 같았다. 물이 넘치고 꽃이 만발한 곳이란 환영은 한 생각까지 불렀다. 경주댁과 동생인 경순이 소원한 것은 그것이었다.

꿈속의 기대를 머릿속에서 지우며 살아가는 일이란 누구의 조언도 외면한 사실이었다. 이웃도 그 조언이 고생을 끝냈단 말을 전했다. 그날도 미장원에서 들은 이야기도 사실 그러한 속내를 가진 것이었다. 그것은 장사를 한다면 경험이 없다는 것과 다르지 않았다. 장사는 자금뿐만이 아니라 혜안이 우물 속처럼 깊지 않을 수 없었다. 하지만 고생한 세월은 십년을 지났지만 아직도 천박함뿐이었다.

명자의 미장원에서 가까운 곳에 새로 단장한 은행이 문을 열었다. 은행을 평소 적극적으로 이용하는 명자는 이제 은행 없이는 못산다는 말도 전했다. 하지만 순애는 그 말에 반신반의하며 안팎을 살폈다.

안막의 네거리 중앙에 있는 은행은 이제 목마른 자의 샘이지 않을 수 없었다. 은행의 이마와 옆구리에 자리한 전광판이 눈길을 잡았다. 아직은 장사를 하기 전이지만 은행의 신용을 믿지 않을 수 없었다. 하지만 선뜻 안으로 들어서지 못하고 살피는 것은 돌다리의 두드림이었다. 도로의 폭만큼 아직도 은행은 서민에게 소원하다는 걸 모르지 않았다.

하지만 이 짓 말고는 달리 방법이 떠오르지 않았다. 쇠뿔도 단김에 빼라고 명자의 조언에 은행을 찾았지만 사정은 녹록하지 않았다. 돌아보니 미장원과 은행은 백여 보를 넘지 않았다.

하지만 은행의 앞에 다다른 발은 더는 내딛을 수 없었다. 미리 준비한 것도 없거니와 상담만 듣다가는 영락없이 홀리는 법이었다.

삼월 초순의 쌀쌀한 날씨는 목을 자라목으로 만들었다. 살은 추운 닭살이 되었고 얼굴은 까칠해졌다. 겉보다 위축이 더 되는 것은 속내였다. 마음까지 긴 치마와 풀색의 재킷으로 가릴 수 없었다. 조그만 소리에도 풀잎처럼 흔들렸다.

잠시 서서 진정시킨 후 사슴의 눈망울로 벽의 전광판을 다시 살폈다. 창구에 들기 전에 확인할 정보이었다. 그것을 눈으로 재차 확인한 후에야 얼굴에 확신의 미소를 지었다.

'손님을 왕처럼 모십니다.'

은행의 창구는 직원이 여럿 있었는데 대출의 창구는 제일 구석의 자리란 것을 알았다. 삼십 전후의 직원이 열심히 서류를 뒤적이다가 빈자리로 접근하는 그녀를 보았다. 자리에서 일어서며 그녀에게 정중히 고개를 숙이었다. 그는 손길로 앞의 빈자리를 권했다. 그는 친절하게도 그녀가 머뭇거리는 까닭을 모르지 않았다. 어렵게 꺼내지 못하는 용건의 수고를 덜어주는 아량까지 베풀었다.

"대출은 까다롭지 않지만 약간의 절차가 있다는 것을 알고 있지 않능교?"

"그럼요, 그런 것까지 모르고 왔겠어요?"

"네. 안다고 하싱 게 거짓이 아니라는 것을 보여줘야지요. 여러 가지 방법 중에 가장 선호하는 것이 이곳은 촌이니 토지가 조금이라도 있냐는 말입죠."

"땅이요?"

"이곳은 대부분 농사를 짓고 있으니 전답은 있지 않겠능교?"

"…."

"아, 인상을 구기실 필요까지는 없지요. 그것이 아니라고 하더라도 다른 방법이 또 있거든요. 요즘은 집도 인기잖능교. 그러니 편하게 마음을 가지고 들어 주세요. 도시라면 아파트가 금상첨화이겠지만 꿩 대신 닭이라고 시골집도 나쁘지 않잖겠능교."

"그 외는 또 없을까요?"

"성미가 아직도 불같군요. 번갯불에 콩을 볶을 수는 없지 않겠능교? 은행은 자상하게 그런 고객을 위해 또 다른 배려를 해 두는 곳이에요. 보아하니 결혼은 한 나이 같은데 남편의 직장도 이에 못지않답니다."

"남편이라고요?"

순애는 안색이 저녁놀처럼 물들며 모기만한 소리로 겨우 대답했다. 창구의 너머로 눈알을 굴리는 직원의 얼굴은 영문을 모르겠다는 듯 호기심까지 띠었다. 자신은 어렵지 않은 것으로 권하는데 그녀가 조건을 소화하지 못하는 표정을 이해할 수 없다는 것 같았다.

이내 얼굴이 묵 빛이 되며 내심 불쾌한 안색을 드러내지 않을 수 없었다. 얼른 시선을 은행의 출구로 바라보았다. 다행히 출구에는 사람이 보이지 않았다.

그녀는 앉은 자세가 불편하다는 듯 일어나며 억지로 미소를 지었다. 그러며 내심 전광판의 글귀에 기만당했다는 분노감을 지울 수 없었다. 그러며 아직 그녀의 처지는 백척간두라는 사실을 인정하지 않을 수 없었다. 그녀가 일어서자 창구의 직원은 그녀의 치맛자락을 잡듯이 나직이 속삭였다.

"잠깐만, 그렇다고 빈손으로 돌려보낸다면 은행이 매정한 곳이라고 소문이 나지 않겠능교? 은행은 이런 경우를 대비하고 다른 방법도 준비해 두었지요. 부인을 자신처럼 믿을 사람만 있으면 가능하지요. 남이지만, 둘이 아닌 하나라는 사실을 인정한란 말이지 않겠능교."

"둘이 아닌 하나라고요?"

순간 순애는 절망의 어두운 동굴에서 한 줄기 빛을 보는 기분이었다. 마지막으로 내민 은행의 자선에 감사하지 않을 수 없었다. 초라한 얼굴은 비를 맞은 장미처럼 생기를 되찾았다. 그러며 자리에 눌러앉아 상체를 앞으로 들이대었다. 빙그레 미소를 짓는 직원의 입술은 탐스런 아귀이지 않을 수 없었다.

"보증을 설 사람은 있지 않겠능교?"

"하지만 보증은 누구나 꺼리지 않나요?"

"그럴수록 세상은 살맛이 나는 법이 아니겠능교? 나같이 남을 믿어주는 것은 쉬운 일이 아니지만 불가능하지만도 않잖아요. 그래야 사회도 희망적이고 은행도 봉사하는 일이 되고 손님도 꿈을 이룰 테니까요."

직원의 설명이 끝나는 순간 마음은 구름의 가장자리로 나오는 해이지 않을 수 없었다. 설마하니 주변에서 믿어줄 사람이 없겠냐는 만용도 넘쳤다. 그것은 창구의 직원과 같은 그녀의 평소 소신이며 결론이었다.

물론 일부 사람은 그렇지 않다고 말하겠지만 그것은 그녀가 생각하는 이웃이 아니었다. 아무리 변한 세상이라지만 끝은 하나가 되는 것이 세상이었다. 이웃과 자신이 다르다고 다투고 빼앗는 짓을 생각해본 적이 없는 그녀였다. 그래서인지 주변에서는 그녀를 좋아하는 사람이 적지 않았다. 그렇다면 기대는 것이 어려운 것도 아니고 이웃에게 되돌려줄 명분이 생기는 법이었다. 그것은 그녀가 지금까지 고난을 이기고 버티는 믿음이었다.

감사하다는 말을 끝으로 직원에게 인사를 하는 둥 마는 둥 밖으로 뛰쳐나왔다. 그가 건네는 서류에 대한 설명은 잔소리일 뿐이었다. 누가 먼저 자신을 위한 보증의 주인공이 될까하는 생각이 그녀의 발걸음을 재촉할 뿐이었다.

기대감을 풍선처럼 부풀게 한 네온의 글이 이제야 거짓이 아니었다는 생각에 분노는 미안함으로 변했다. 하지만 갈 곳을 찾는 생각에 어느덧 걸음은 이슬처럼 굴렀다.

은행에서 도로를 건너면 길옆으로 하우스 터널을 지나야했고 그곳은 연을 맺은 사람도 적지 않았다. 그 하우스의 터널을 지나면 그녀가 사는 괴정의 마을이 보였다. 그렇다면 아마도 집에 도달하기 전에 보증을 설 사람이 정해질 것도 같았다. 그렇다면 속이 허전한 감도 생길 법했다. 얼굴에 기쁨이 장미처럼 가득했다.

그런 여유는 은행 밖의 가게를 미리 살펴보려는 여유를 불렀다. 미리 가게자리를 확인하는 것은 환영이지 않았다. 은행의 옆으로 부동산과 양품점이 우선 보였다. 경기가 별반 신통치 않았던지 그릇에 먼지가 앉았다. 먼지는 길에서 뿌린 매연과 함께 그릇의 광을 죽였다. 그것을 씻어내고 살리기란 쉽지 않을 것 같았다.

그 옆의 작은 점포가 그녀가 염두에 둔 가게였다. 문에는 급매물로 주인을 찾는 쪽지가 붙어있었다. 급매물인지라 가격은 절반에 가까웠다. 불황이 휩쓴 탓으로 흔하지 않은 자리에 가격도 안성맞춤이었다. 그런 자리가 이때에 나온 것은 그녀에게 행운이지 않을 수 없었다.

그 위치에 소비가 계절을 가리지 않는 먹는장사를 한다면 성공은 떼어 놓은 당상이었다. 금강산도 식후경이라는데 먹는장사 말고 불황을 이길 길은 없었다. 더욱이 남녀노소 가리지 않는 튀김 닭은 인기가 하늘까지 날았다.

그런 확신을 가지기까지 조사와 번민을 거듭한 것이 한 두 번이 아니었다. 시장을 오가며 주변을 살피고 변화를 재어보기를 부끄러워하지 않았다. 매출과 수요는 계절처럼 오르내린다는 것도 알아내었다.

물론 그렇다고 조사가 현실로 이어지리라는 생각은 하지 않았다. 시장의 변화란 하도 돌발변수가 많아 대비를 생각해야했다. 그것이 시내와 시골이 다른 점이었다. 더욱이 시골은 주 소비층이 젊다기보다는 장년층이 많았다. 그래서 매출의 양만 따져도 우물의 안이라는 것을 부인할 수 없었다.

그렇다고 우물 속에서 두려움에만 떨고 있을 수 없는 게 그녀의 처지이었다. 어둠이 짙으면 빛은 더욱 영롱한 법이었다. 주저감을 떨치고 당당히 우물 속을 나가기로 각오를 다졌다. 그렇게 작심을 하고나자 절반의 성공은 시작이라는 말도 떠올랐다.

순간 기둥에 걸어둔 탈과 같은 미소가 얼굴에 번졌다. 이제 과거의 어둠은 강물에 버려 바다로 흘려버릴 일이었다. 그러자 가슴에 그간 응어리진 멍이 강물을 물들일 것 같았다. 물속의 어둠은 과거의 아픔이었다.

"촌닭이 남의 가게 앞에서 뭘 훔치려고 들여다보는 게야? 이렇게 한가한 처지가 아닐 텐데?"

"응, 명자구나! 누군가하고 깜짝 놀랐다. 그런데 미장원은 문을 열어두고 어디를 강아지처럼 쏘다니고 있는 게지? 금방 검은 차에서 네가 내렸지?"

"넌, 뒤통수에 눈이라도 달았나보구나. 차의 색을 다 보았다니?"
명자의 입가는 야릇한 교태를 미소 속에 숨겼다. 도둑이 제 발 저린 것처럼 겸연쩍은 내막은 색안경이 모습을 가렸다. 언제 샀는지 그간 보지 못한 안경인데, 테엔 금빛이 도는 고급 이태리제였다.
"요즘은 앞만 보고 살 수 없는 세상이잖아?"
"틀린 말은 아니다. 혼자 살다보니 그늘이 필요하다는 것을 알았고 급기야 찾아 나섰지 뭐냐. 너도 고목이라도 지켜주면 좋지 않겠어?"
"고목이라니? 설마 어머니를 두고 하는 말은 아니겠지?"
"처녀가 애를 낳더니, 이제는 내숭떠는 솜씨의 기술도 일취월장했잖아."
"그래서 넌 양상군자처럼 밤이슬을 맞는 게지?"
"장사란 규중처자가 하는 살림이 아니란 걸 알아야지. 네가 장사를 하는 나를 이해하려면 당해보지 않고는 결코 알 수 없을 게다."
"그래서 나도 장사를 해볼까 하는데?"
"아직도 넌 세상을 너무 쉽게 생각하는구나. 이곳마저도 부도를 맞고 급매물로 내놓은 곳인데 장사를 한다는 네가 용감하다 못해 존경스럽기까지 하잖니?"
순간 순애의 얼굴이 흙빛으로 변했다. 그것은 명자의 질책이 아니라 자신의 생각이 우물을 벗어나지 못했다는 생각이 앞섰다. 그렇다고 벼랑으로 몰린 그녀로서는 쉽게 물러설 수 없었다.
"아무려면 일등을 놓치지 않았던 내가 네 처지만 못할까봐!"
"호호, 아직도 그놈의 일등타령이구나. 세상은 어느 일도 마찬가지이겠지만 일등만으로는 해결할 수 없다는 것을 알아야제. 그렇다고 네 생각을 무시하는 것은 아니지만 너도 이제는 현실을 냉정한 눈으로 살펴보아야 하지 않겠냐고? 세상은 부모도 믿지 못하는 판국인데 누가 너 같은 미혼모의 말을 믿어줄까?"

"그 말은 못 들은 걸로 할게. 하지만 네가 나를 아직 모르듯 나도 너를 모르는 부분이 있다고 생각한다. 그래서 하는 말이지만 이제는 나도 많이 변했다."

"변해? 하긴 그래야하겠지만 사람은 그렇게 손바닥 뒤집듯 되는 게 아니다. 깨진 바가지로 물을 담아보지만 꿰맨다고 물이 새지 않는 것은 아니잖아?"

"그른 말은 아니다. 하지만 아무리 뭐라 해도 난 내 믿음을 믿는다. 그것이 고집이라 해도 난 포기할 수 없으니까!"

순애의 얼굴에는 일종의 비장함이 굳게 비치었다. 하지만 명자의 조언이 허황된 말은 아니었다. 첫사랑을 실패한 것도 그 충격으로 인해 가족까지 홍역을 치룬 까닭도 너무 상대를 믿은 것이 사실이었다. 그렇다고 해도 믿음은 저버릴 수 없었다.

"무슨 장사를 할 건데?"

"통닭!"

"넌 닭의 목도 비틀어본 적이 없잖아?"

"다행히 준비된 닭을 튀겨 파는 일이라서. 그래서 하는 말인데……."

순애는 시장에서 그래도 믿을 수 있는 사람은 명자뿐이었다. 그녀는 어둠을 나아갈 수 있게 도와준 충언도 적지 않았다. 그러나 순애를 바라보는 얼굴은 긍정도 부정도 아닌 미소를 보일 뿐이었다.

순애는 집으로 가는 길에 낯익은 가까운 농막에 들렸다. 농막은 비닐하우스의 곁에 마련한 임시 거처로 예전에 일을 가끔 도와주러 왔던 곳이었다. 비록 겉은 비닐과 그늘 막으로 초라했으나 속은 그렇지 않았다. 벼농사를 주로 할 적에는 소득이 미천했지만 지금은 화훼나 특용작물을 하는 까닭으로 금알을 낳는 곳이었다.

순애는 장미를 좋아하는 탓으로 부업을 왔었고 그 까닭으로 주인과도 일면식도 있었다. 꽃 속에서 일하던 오십대 후반의 주인은 장미를 한 아름 안고서 웃음을 지으며 그간 안부를 물었다. 순애는 염려해 준 덕분으로 안녕하다고 말을 건넸다.

농부도 가까이 와서 꽃을 놓더니 두 손을 잡았다. 농막의 안은 열기로 꽃을 활짝 피웠고 굴뚝은 향기를 뿜어내었다. 얼굴은 땀을 금방 쏟아냈지만 반가움은 열기에 미치지 못했다.

잠시 안부가 끝나고 찾아온 속내를 드러내려하자 농부가 먼저 한숨을 뿜었다. 안았던 장미꽃을 바라보며 그녀의 말이 무엇인지를 알았다는 듯 고개를 가로저었다.

"열흘 가는 꽃이 없듯 농사도 일 년을 내다보지 못한 다니께. 그러니 꽃만 보아도 남은 것은 골병이요, 고슴도치 오이 걸머지듯 빚만 남은 신세로 장미꽃도 안개였던가 봐."

순애의 기대는 안개꽃처럼 흩어지고 인사를 하는 둥 마는 둥 농막을 나서지 않을 수 없었다. 비닐 밖의 공기는 실내와 달리 차가왔다. 길을 따라 한동안 걸으니, 비닐의 터널에서 나오는 열기는 사라지고 답답한 호흡도 편해졌다. 하긴 경기가 예전만은 못한 것이 거짓은 아니었다.

하우스의 마지막 모퉁이를 돌 때 두 여자가 그녀를 보더니 미소를 지으며 다가왔다. 교차하는 방향으로 지나가다 순애의 모습을 본 것이었다. 어깨에 긴 끈의 명품가방을 메고 머리는 파마를 한 사십대의 부인들이었다. 그녀와 초면인데도 얼굴에 미소와 말씨는 꽃보다 고왔다.

"꽃보다 더 아름다운 것이 있다는 것을 아능교?"
"사람이지요."
"하지만 그것만으로는 조금 부족하다고 생각이 들지 않아? 보다 귀하고 성스런 것이 필요하다는 말이지만."
순애는 그들의 대화가 자신의 처지와 다르다는 것을 알았다. 겸연쩍은 미소를 지으며 아쉬워하는 그들의 눈길을 등 뒤로 받으며 그녀는 재빨리 발걸음을 옮겨 집으로 향하지 않을 수 없었다.
걸음을 옮기는 심정도 편안하지는 않았다. 혼자의 힘보다 가족의 도움이 더 효과적일지 모른다는 생각이 앞섰다. 도움을 바라는 마음이 한결 걸음을 가볍게 하였다.

2,당산

집이 보이는 동구에 닿자 그녀의 생각은 고목의 껍질처럼 어두운 색을 감추지 못했다. 집안의 일상은 하루가 다르지 않게 판을 박은 듯 했다.
술 취한 막장의 얼굴과 허름한 옷차림의 경주댁이 얼굴에 주름을 잡았다. 방에 누워있는 남편에게 경주댁의 투정은 칼날처럼 상처를 가했다.
"언제까지 이런 모습으로 빈둥거릴 셈이요? 건강까지 팽개치면서까지 이리 취해야 되겠능교?"
"이게 내 팔자이고 길인 걸 어쩌란 말이지?"
그런 작태는 어제 오늘이 아니었다. 그런 경주댁의 닦달질도 막장에게는 언제나 쇠귀에 경 읽기였다. 뭔가 고쳐보려는 노력보다도 차라리 은폐하려들었다. 그런 술수를 순애는 도저히 용납할 수 없었다. 그런 집을 벗어나는 일은 장사 말고는 달리 방법이 없었다.

긴 숨을 몰아쉰 후 대문에 들어섰을 때 이상하게도 아들의 모습이 보이지 않았다. 방문이 반쯤 열려있는데 경주댁 혼자서 마루에서 옷을 수선하고 있었다.

순애가 몰래 다가가자 경주댁은 그녀를 보고 짐짓 놀라며 옷을 황급히 등 뒤로 감추었다. 무엇인지 은폐하려는 짓임을 그녀는 놓치지 않았다.

"뭘 숨기려 드는 게요?"

"숨기다니 아무 것도 아니다."

경주댁의 치마 뒤에 숨긴 옷의 끝자락이 보였다. 그 옷은 아침에 혁에게 입혀 보낸 체크무늬셔츠가 분명했다. 그녀는 옷을 보는 순간 눈에서 불꽃이 튀었다. 순애의 시선은 좁은 방안을 노려보며 이내 숨어있는 혁을 찾아내었다.

방에서 끌려 나오지 않으려는 듯 혁은 황소처럼 버티었다. 그녀도 힘에 밀리지 않기 위해 문지방을 잡았다. 그제야 혁은 어쩔 수 없이 마루로 끌려나왔다. 하지만 두 사람의 싸움을 바라보는 경주댁의 시선은 말리지도 않고 입술도 닫아버렸다.

"누구와 또 싸웠냐고? 옷이 찢어지도록 말이다."

그녀는 불같은 눈길로 혁을 쏘아보았다. 그러나 평소와 달리 혁은 상체를 드러낸 모습으로 지지 않겠다는 듯 맞섰다. 씩씩거리는 콧바람을 황소처럼 내뿜으며 그녀를 노려보기까지 했다.

순애는 짐짓 분노를 억누르며 탈의 미소를 바라보았다. 속내의 분기는 봄눈처럼 사라지고 없었다. 그러나 혁은 본능적으로 자신의 분기를 참아내지 못했다. 순애는 변명이 필요하지 않았으나 혁은 멈추지 않았다.

얼굴은 멍이 들고 몸은 떨었으나 눈빛은 별처럼 영롱했고 음성도 크지 않았으나 끝까지 대찼다.
"수업시간이 시작된다는 벨소리가 울리면 친구들은 자리에 앉아야하는데 장난에 정신이 팔려 아무런 준비를 하지 않는 거야. 반장인 나는 수업준비를 하라고 탁자를 지시봉으로 두어 번 두들기며 외쳤지.
'동작 그만!'
해찰에 빠진 친구들이 그런 소리를 귀담아 듣겠어? 화가 난 나는 더 큰 목소리로 '자리로 돌아가라는 말 안 들려?' 하고 다그쳤지. 그런데 언제나 순종하던 칠석마저 '흐흐, 반장이라고 이젠 유세까지 떠는 군?' 하는 거야. 다른 애들도 그 말에 '맞는 말이지.' 하고 웃음까지 터트렸지. 졸지에 칠석의 저항에 무시를 당한 기분이어서 그를 노려보았지.
그런데 오늘따라 칠석은 뭘 믿고 그러던지 버티는 거야. 친구들의 앞에서 반장의 책무를 다해야했고 불의에 꺾이지 않으려는 투지가 일어났지. 일촉즉발의 긴장이 둘의 사이에 벌어졌고 뒤에 그림자가 드리웠거든.
'서열은 공부만으로 가리는 것이 아니잖아?'
얼마 전에 전학 온 영국이었는데 덩치는 곰처럼 우람하고 키는 전봇대처럼 큰 애였지. 그는 평소 성적이 오르지 않자 불평을 그렇게 드러내더군. 이번에도 성적을 기대할 수 없었던지 표정까지 썩 좋지 않았다고. 그런데 게의 집은 우리와 달리 외제차도 있는 거야. 애들은 그 차를 한번이라도 탔으면 하는 마음이 있었거든.
영국은 입가에 야릇한 웃음을 지으며 칠석에게 눈짓을 하더군. 그제야 칠석은 제자리로 돌아갔고 이를 본 나는 칠석의 앞을 가로막았어. 애들은 숨을 죽여 그 모습을 바라보았고 칠석은 영국의 눈치를 보는 거야.
영국이 고개를 끄덕이며 다가오더니 침착하게 말을 던지더군.
'우위를 결정내자는 것으로 받아들여도 되겠지?'
'소견을 보니 우물 안 개구리였군. 칠석은 어제의 내 친구였다는 것을 몰라?'
'그럼 난 오늘과 미래이겠지.'
손가락을 가로 젓는 영국의 부정에 어이가 없어 물러서지 않았어. 물론 그도 내 말뜻을 모를 리 없었고. 이 기회에 확실한 우위를 확인하려는 모습이었거든. 말싸움은 여자애들이나 하는 짓이라는 거야.
그러니 싸움은 피할 수 없는 필수가 되었고 친구들에겐 게임의 승부에 흥미를 가지게 되었지. 싸움은 누구나 흥미롭지 않겠어? 그러나 아침에 들은 부탁도 있고 해서 싸움만은 피하고 싶었거든.
더욱이 같은 교실에서 공부를 같이 하는 친구와 싸움은 할 짓이 아니잖아? 하지만 결정은 활을 떠난 화살처럼 되돌릴 수 없는 일이 되고 말았잖아.
'장소를 강가로 정하면 좋겠지?'
'왜, 하필이면 그곳이야?'
새들이 언제나 날아오고 갈대가 춤을 추며 강물이 흐르는 곳에서 싸움을 버린다는 것이 안타까웠거든. 그러나 영국은 그곳이야말로 둘도 없는 장소라는 거야.
이내 수업이 시작되었지만 싸움이 집중을 포로로 잡았어. 경우의 수를 헤아리며 전략을 짜곤 했지만 그런데 오늘따라 굴 안처럼 시야가 캄캄한 거야. 아름다운 곳을 휩쓸어지나가는 태풍과 같았거든. 오늘의 수업은 그렇게 끝났고.
강가로 향하려고 교문을 막 빠져나가는 데 고함이 등 뒤에서 터지며 목덜미를 잡더군. 영국이 미소를 지었는데 그 얼굴은 오만으로 넘쳤다고.

'뛰어가다 지치면 정작 싸울 때 힘이 남아있겠니?'

'길고 짧은 것은 대봐야 드러나지.'

'아직도 뭔가 네 눈엔 보이지 않는 것이 아니고?'

'뭐라니?'

그는 자신이 타고 온 차를 자랑하고 싶었던 거야. 보란 듯이 차는 뛰어가는 나를 앞질러 달려갔지. 그래서 지쳐가는 나보다 영국은 신바람을 내였지. 지쳐서 헐떡이는 모습에 그의 시선은 이제 결정이 난 표정이었거든. 하지만 난 숨이 턱밑까지 올라도 입을 다물 수 없었어. 비웃음이 될 수 없다는 것과 지지 않으려는 오기 때문이었거든.

이슬이 구르는 눈으로 앞만 바라보았지. 어미를 닮겠다는 것은 아니지만 그런 생각이 드는 것은 마음도 국화빵이 아니겠어?

강가는 그가 먼저 도착했고 나는 한 참 후에야 강변에 이르렀지. 그는 장승처럼 나를 기다리고 있는 거야. 강변은 오늘도 꿈을 꾸는 개구리가 노래를 부르고 있었지. 그러다가 우리의 출현에 입을 다물었고 새들은 날아갔지. 그것을 모르는 애들만 그곳으로 모여들었어. 그러니 물색까지 어둡지 않을 수 없었던 거야.

그런데 애들은 그런 것에 관심도 없다는 눈길이었지. 승부만이 그들의 눈망울을 빛나게 붙잡았거든. 이내 아이들은 원을 그리며 둘러앉았어. 다시 상황은 긴장을 불렀고 영국은 이 모든 것이 그를 위한 잔치로 여기며 거드름을 피우며 등장했지.

내가 방심은 기회이다 싶어 약점을 보고 급소를 찌르려는 순간 그의 방심을 일깨우는 외마디의 외침이 뒤에서 터지지 않았겠어?

'애비도 없는 자식한테 당할 순 없잖아?'

'애비가 없어?'
그 말이 허공에 퍼지는 순간 내 심장은 멎었고 아이들도 여기저기서 웅성대며 손가락질을 하는 거야. 그러니 공격이고 뭐고 손발은 이내 족쇄에 묶인 처지이지 않을 수 없었다고. 시야에 뿌연 안개가 내리고 전의는 상실된 채 주먹은 낙엽이 되어 떨어졌어.
그러자 영국은 기회를 찾았다는 듯 전광석화 같은 주먹을 화살처럼 날리더군.
얼굴은 방망이에 두들겨 맞은 두더지처럼 붓고 터지며 버티려는 오기뿐이었지. 피할 생각도 들지 않고 까닭도 모르겠는 거야. 그런데 이상한 것은 번갯불에 콩 튀듯 퍼붓는 주먹이 오히려 시원하지 않겠어?"
순간 순애의 울화는 서리가 햇살에 사라지듯 녹아버렸고 아픔은 굴속의 연기처럼 분노를 흩어버렸다. 그 모든 것이 자신의 과보라 생각을 하지 않을 수 없었다. 이런 순간이 조금만 지속되었어도 차라리 칠성판에 누울 판이었다.
애들의 싸움이란 항다반사로 있을 수 있는 일이지만 그 사실에 쥐구멍을 찾고픈 심정이었다. 그간 모조리 지우고 묻으려했던 과거가 되살아나며 그녀를 족쇄로 채웠다.
싸움에 진 것은 혁만이 아니었다. 순애는 엷은 미소를 지으며 가까이 다가가 귀에 대고 나직이 속삭이지 않을 수 없었다. 작은 지푸라기라도 잡는 심정이었다.
"아직도 알지 못하는 것도 있잖아?"
"뭐야? 그럼 죽었다는 사람이 살아 돌아오기라도 한다는 거야?"
그녀는 그렇다고 대답하지 못했다. 혁의 몸을 양팔로 안으며 숨겨둔 마지막 비기를 꺼내었다. 그러나 혁은 그런 그녀의 행동에 기대를 갖지 않겠다는 듯 아픈 다리를 앞으로 내밀었다. 다리는 부르르 떨렸고 이를 참으려 이를 악물었다.
"다리까지 떨잖아?"
"상관하지 말라고!"
"희망은 그래도 아직 남아 있잖아?"
"그런 게 이제 무슨 소용이지?"
순애는 간직했던 소망이 빙산처럼 드러나며 밝은 것을 보여주고 싶었다. 그러나 속으로는 주체할 수 없는 비애와 허탈감에 가슴을 떨었다. 더는 견딜 수 없다는 듯 경주댁에게 응원을 청하는 눈길이었다. 그러나 경주댁은 아랑곳하지 않고 옷만 바라보았다.
그때 옷을 상체에 걸치던 혁이 단추를 만지작거리더니 불만의 표정을 지었다. 첫 단추는 빠트린 채 한 칸 씩 내려달아 옷이 기울었다. 그것을 보자 순애는 어이가 없어 웃음이 터져 나왔다. 혁이 못마땅한 얼굴로 경주댁을 돌아보며 고함을 꽥 질러댔다.
"애꾸라 단추도 제대로 못 달았능교?"
순애는 그 말에 망치가 정수리를 친 듯 망연자실하지 않을 수 없었다. 민망한 마음을 어찌할 바 몰라 눈길이 허둥대었다. 경주댁을 쳐다볼 면목도 없었지만 반응을 살피지 않을 수 없었다. 그런데 경주댁은 화를 내기는커녕 눈가에 엷은 미소를 지어 보였다.
밤새 잠이 들 수 없었다. 여명이 채 밝기도 전에 눈이 알고 번쩍 떠졌다. 은행의 조건에 대답을 할 적만 해도 어려울 것 같지 않았던 보증은 막상 그렇지 않았다. 자신이 너무 현실에 낙관적이었다는 생각마저 들었다. 희망을 놓치지 않았지만 그것을 응하는 사람은 그리 많지 않았다.
생각다 못한 그녀는 생각을 바꾸어 가장 확실한 친척을 찾아내었다. 피는 물보다 진하다는 말은 거짓일 수 없었다. 더욱이 쌀독에서 인심이 난다는 말은 진리와 같았다.

경순은 잘사는 정도가 아니라 쌀독을 넘쳤다. 그는 이웃의 마을에 사는 경주댁의 유일한 동생이었다. 그가 사는 감천은 괴정과 그리 멀지 않았다.

남으로 흐르는 강을 거슬러 올라가다보면 왼편으로 있는 동산의 아래 마을이었다. 뒤로는 안산이 포근하게 감쌌고 앞으로 펼친 들판을 황금의 낟알을 주었다. 그래서 그런지 그곳의 사람들은 하나같이 풍족하다는 사실이었다.

감천의 중앙에 자리한 경순의 집은 그녀의 집과 대어볼 수 없을 정도였다. 울로 심은 편백나무는 집을 향기로 채웠고 담도 철조망을 이중으로 둘렀다. 담에 담쟁이를 키워 멀리서 보면 숲속의 궁전을 연상케 했다.

그것은 근근득생하는 그녀의 사정을 좌절케 만들었다. 경주댁은 게으르지 않았으나 결과는 천양의 차이를 내었다. 막장은 그런 것을 보고도 그것만이 능사가 아니라는 말로 변명할 뿐이었다.

경순은 그런 막장을 술주정뱅이가 하는 망언이라는 말도 숨기지 않았다. 경순을 이웃 사람들은 인색하다 했지만 순애는 그렇게 여기지 않았다. 소문이란 대개 안개요 햇살에 물러가는 어둠과 다르지 않은 탓이었다. 그보다 더 혐오스런 것은 소문을 믿고 해대는 억지였다.

화급한 보증의 압박감으로 일찍 집을 나서지 않을 수 없었다. 예전 같았으면 아침을 먹고 화장도 하고 선물도 준비했겠지만 지금은 그렇게 한가하지 못했다. 특히 경순은 부지런한 탓으로 밭으로 나가기라도 한다면 낭패를 면키 어려울 일이었다.

마음이 화급해지자 하체에서부터 신호를 보냈다. 술도 마시지 않았는데 화장실을 거듭 다녀왔고 걸음도 내닫기 전에 다리에 쥐까지 났다. 눈치 빠른 경주댁은 방문을 열고 그녀의 뒷모습을 예사롭지 않게 바라보았다.
순애는 사정을 토로하고 싶었으나 기밀은 새면 그르치는 법이었다. 시선을 회피하며 관심을 두지 말라고 손사래만 쳤다. 어둠속에 잠든 혁의 잠을 깨우지 말라는 짓이었다. 혁은 상관하지 않는다며 평화로운 잠에 빠져있었다.
그러나 경주댁의 간섭은 갈대처럼 쉬 꺾이지 않았다. 문을 닫고 나가는 순애의 옷자락을 끝까지 따라오며 잡아당겼다. 경순을 만나지 말라는 눈길에 화들짝 놀라며 시치미를 떼지 않을 수 없었다.
경주댁은 기대가 크면 실망도 큰 법이라는 말을 던졌다. 그녀의 말에 순애는 고개를 가로젓지 않을 수 없었다. 어려운 일에 가족까지 부정한다면 그것은 도리가 아니었다. 그래서 경주댁의 오산을 이번 기회에 깨트리고 싶었다. 분명 경순도 경주댁을 믿고 사랑할 사람이었다.
그래서 이번의 일로 둘의 관계가 더욱 돈독해지기를 기대했다. 사실 경주댁도 어이가 없는 고집을 부리는 것을 순애도 모르지 않았다. 그런 탓으로 경순에게 오해를 사고 마음도 멀어졌다고 생각했다. 경순의 도움은 그런 일까지 해결할 기회였다. 그렇게 생각이 드니 무거웠던 기분도 한결 가벼워졌다. 그런 번민을 가늠하느라 시간이 지체 되었다.
발걸음을 분주히 옮기어 잠시 후에 동구의 고목에 다다랐다. 고목을 바라보면 강인해지는 것은 자신의 마음만은 아니었다. 경주댁에게도 관심을 받지 못하고 살았지만 그것은 되레 약이 되었다. 햇빛은 고통이지만 튼실하게 만드는 법이란 것을 하늘을 덮은 고목이 그것을 증명해주었다.
그런 경주댁의 삶을 몰랐다면 고목도 이런 시련에 고비를 넘기지 못했을 것 같았다. 마을을 지키는 수호신은 고목이 아니라 고목같이 그녀를 지키는 경주댁인지도 몰랐다. 그녀는 고목과 멀어지며 경주댁에게 투정만 부린 자신을 돌아보았다. 그래서 이번만은 자신이 지고 싶지 않았다.
'형제란 고목의 가지와 같지 않겠능교?'
마을의 입구는 버스정류장이 자리하고 있었다. 버스정류장은 어둠에 우뚝 서서 그녀를 반기고 있었다. 아직도 뒤의 마을은 고요에 잠겼고 고목은 그 어둠을 휘감고 있었다. 다만 그 아래에 전등불만이 어둠을 허용하지 않았다.
구판장은 마을의 생필품과 주점을 겸하는 곳이었다. 장사는 별반 신통치 않았지만 문을 닫은 적은 없었다. 지금도 지난밤의 흔적을 고스란히 토해내었는데 문은 반만 열려있었다.
정류장의 자리는 비어있었는데 벽보는 어둠이 가리고 있었다. 보이는 것은 흔들리는 벽보의 그림이었다. 먼지로 글씨는 뚜렷하지 않았으나 절규는 지우지 못했다. 무엇을 외치는지는 모르겠으나 외침은 절박해보였다.
그런 포스터를 보자 불현 듯 떠오르는 것이 있었다. 대학시절 학교에서 보았던 대자보의 모습이었다. 외침의 목소리는 오늘도 쉬지 않고 급박함을 외쳐대었다.
'독재 타도!'
정류장에는 아직 어둠이 다 걷히지 않았다. 버스가 올 시간도 이른 감이 있었다. 어둠이 지워지는 논길을 걸어가며 드러나는 강둑을 만났다. 강둑에서 뒤돌아 보이는 모습은 언제나 영상보다 아름다운 신비를 드러내었다.
강둑의 아래로 논이 줄을 지었고 지난 해 농사를 지은 흔적의 그루터기를 남겼다. 옆의 골은 비닐이 터널을 이룬 곳으로 계절을 잊은 곳이었다. 경순의 논밭을 그녀는 대충 알고 있었다. 손가락으로 세어보니 한 손의 다섯 손가락이 모자랐다.

그녀의 집과 비교를 해보니 기분은 하늘과 땅이 시소를 탔다. 이웃에 같이 살면서 살림은 이웃이지 않다는 생각이었다. 그렇듯 살림의 차이가 난 것은 뭐니 해도 술로만 산 막장의 역할이 절대적이지 않을 수 없었다.

하지만 그 짓을 누구도 막을 수 없었다. 술을 미워하는 심증은 가지고 있었지만 불만을 터트리기에는 너무도 가련한 탓이었다. 또 터트린다고 고집을 꺾을 그도 아니었지만 경주댁의 분노를 원하지 않았기 때문이었다.

바쁜 마음은 급한 숨을 몰아쳤어도 걸음은 나아지지 않았다. 경순의 집 앞에 다다랐을 때 숨과 다리가 풀어져 호흡을 조절하지 않으면 안 되었다. 하지만 육중한 철문을 올려보니 급한 숨은 대번에 바닥으로 떨어져 내렸다. 잠시 다시 긴 호흡을 조절하지 않을 수 없었다.

경순의 집은 가까이서 보니 더욱 성처럼 견고해 보였다. 건물의 주위로 높은 철망은 해자 같았고 안의 편백나무는 철벽처럼 장막을 둘렀다. 울은 잣나무, 소나무, 동백이 섞였는데 향기도 숨통을 조였다.

숨을 돌린 후 더는 지체할 수 없다는 듯 대문을 살며시 밀었다. 그런데 잠겨있을 것으로 믿었던 대문이 미끄러지듯 열렸다. 누가 금방이라도 나간 듯 열려있는 것이 아닌가하는 생각이 들었다. 경순이 나갔다면 큰일이라는 생각으로 재빨리 안으로 들어섰다.

마당이 이어지는 안은 눈어림으로 보아도 오백 평은 넘었다. 돌을 쌓아 층계를 이룬 마당에 주변은 분재가 줄을 이었다. 보니 소나무, 단풍, 떡갈나무가 형형색색이었다. 열을 지어 그녀를 향해 팔을 내민 것 같았다. 그녀는 서둘러 경순의 행방을 찾아 현관으로 눈길을 돌렸다.
현관은 철문이 굳게 닫혀 있었는데 인기척도 나지 않았다. 그녀는 헛기침을 내며 자신의 존재를 드러내었다. 그런데 긴장한 탓인지 목도 시원하게 터지지 않고 겨우 헛기침만 거듭했다.
긴장을 먼저 깬 것은 분재를 다듬고 있었던 경순의 어른기침이었다. 그는 손에 가위를 들고 쉼 없이 가지를 만지며 방향을 잡아주고 있었다. 그녀를 노려보는 눈길이 일을 중지시킨 불만이 가득한 것 모양이었다.
무뚝뚝한 얼굴은 예전보다 늙어 보였다. 그녀의 엷은 미소가 대수롭지 않다는 듯 고개를 끄덕이지도 않았다. 하지만 순애의 얼굴은 오랜만에 만나서 반갑다는 미소를 건네었다. 그 목소리 또한 고왔다.
"이 분재는 고목을 빼어 닮았지요? 인형 같아요."
"인형? 고목이 이 분재를 닮은 것은 아니고?"
"네? 그런 억지가 어디에 있어요, 천년을 살지도 않잖아요."
"오래 사는 것보다 멋지게 사는 게 낫지 않나?"
"그렇기는 하지만, 이 분재는 그래도 인형일 뿐이에요."
"그런 안목이니 아직도 그런 꼴을 면치 못하고 있는 게지."
"그래서 하는 말인데요. 이제는 저도 도전해보려고요."
"도전을 해? 그게 어디 말처럼 쉽겠냐? 한 번 타고난 운명은 그렇게 손바닥처럼 뒤집어지는 게 아니다. 네 아버지를 보고도 그런 소리가 나오느냐?"
경순은 못마땅한 가지를 자르며 그녀의 심정도 사정없이 잘라버렸다. 순애의 심정도 찌푸려지며 가지가 잘린 분재를 측은히 바라보았다. 분명 분재는 고목을 닮았지만 고목일 수 없었다.

그런데 경순은 오히려 고목이 분재를 닮았다는 말로 억지를 부렸다. 그러나 그것이 불만의 핵심은 아니었다. 또 그녀에게 진품과 모조의 차이를 말하려는 생각도 없었다. 그의 생각이 계산적이었다면 그녀는 답변을 고려했었어야했다. 그저 무작정 호의적인 말로 경순을 대한 것은 자신의 실수라는 생각을 하지 않을 수 없었다.

사과하는 뜻으로 바쁘게 움직이는 경순의 손길을 도와주고 싶었다. 철사를 들어서 가지를 둘러 주었고 가지를 비틀어주기도 했다. 이를 보자 경순의 눈길이 잠시 버들가지처럼 부드러워졌다.

일을 돕는다는 것은 상대의 사정을 이해하는 일이었다. 마음이 한결 가벼워지자 그녀는 신이 나서 말을 던졌다.

“백지장도 맞들면 낫다는 말을 이제야 알 것 같아요.”

“그렇지. 오른 손이 있으면 왼 손이 필요한 까닭이다.”

경순의 대답이 옳다는 듯 고개를 끄덕이며 철사에 뒤틀린 가지를 보았다. 모양이 덜 잡힌 것과 철사에 매여 휘어진 모습이 고통을 참는 것 같았다. 그것은 모양을 잡기 위한 불가피한 과정이었다.

그녀는 분재를 잡아주며 경순의 옆얼굴을 얼른 살폈다. 그의 꼭 다문 입이나 눈빛은 고집스런 경주댁과 하나도 다르지 않았다. 누가 형제라 하지 않아도 사진과 같은 모습이었다. 그녀는 웃음을 참지 못하겠다는 듯 말문을 열었다.

“장사를 해보면 어떨까 하고 고민하는 중이에요.”

“네가 장사를 한다고, 무슨 장사를?”

“닭을 튀겨 팔 생각인데 어렵지도 않고 자금도 많이 필요하지 않아요. 또 요즘은 인기가 좋아 굽기가 바쁘다고 하더라고요. 그러니 이때다 싶어 해 보려는 중이에요. 기회는 언제나 오는 것이 아니잖아요?”

"그른 말은 아니다만, 장사란 아무나 하는 게 아니거든. 더군다나 넌 경험도 없고 장사를 하기에는 너무 처지가 어렵지 않더냐?"
그의 대답은 사정을 걱정해주는 것인지 아니면 거절을 하는 말이지 구분이 쉽지 않았다. 그녀는 휘이지 않으려는 가지처럼 버티는 마음이었다.
경순의 성격상 쉽지 않을 것이라고 생각은 했지만 그렇다고 빈손으로 물러나기에는 허전하였다. 그녀는 물에 빠진 사람이 지푸라기라도 잡으려는 심정으로 대답했다.
"누구라도 처음부터 잘하겠어요? 열심히 하다보면 성공하겠지요."
"그렇다면 막지는 않겠지만 안 될 가지는 애초에 자르는 법이다."
그에게 더 이상 말을 한다는 것은 부질없었다. 공허함이 가슴을 채우며 다리의 힘을 빼어버렸다. 비 맞은 닭의 꼴처럼 처량한 기분이었다.
순간, 자신이 휘어주려고 가지를 잡고 있다는 것도 잊은 채 다리를 옮겼다. 그러자 나뭇가지는 견디지 못하고 허무하게 뚝 하고 부러져버렸다.
경순의 돌아보는 눈길이 얼음장처럼 차가왔다. 전정을 하는 가지의 아픔은 생각하지도 않고 부러진 가지의 미련이 컸다. 필요한 가지가 없는 분재는 이제 버려진 것이나 다름없었다.
도우려는 뜻은 간곳없고 일만 그르친 꼴이었다. 겸연쩍은 미소를 지우지도 못한 체 인사를 하는 둥 마는 둥, 꽁무니를 빼지 않을 수 없었다. 집을 향해 돌아오는 발걸음은 도살 막에 걸어 들어가는 소걸음이지 않을 수 없었다.

3,중독

마을의 회관 앞에 다다랐을 때, 사람들이 많이 모여 웅성대고 있었다. 그런 모습은 가끔 술판을 벌릴 때 모습인데 막장은 보이지 않았다. 그래서 그를 찾으려 걸음을 멈추고 눈길을 돌렸는데 그의 모습은 보이지 않았다.

술판에 모인 마을 사람들은 웃으며 떠들었다. 문수, 덕대, 이웃의 친구들로 술을 권하거니 마시기를 거듭했다. 그들은 서로 웃음꽃을 피우며 술잔을 돌렸다. 그런 자리에 빠질 막장이 아니란 허탈감까지 들었다. 그래서 기쁜 마음을 숨기지 못하고 집으로 발걸음을 옮기려는 순간이었다.

그녀의 뒤쪽에서 개짓는 소리가 낫는데 주의를 잡은 것은 개소리가 야릇한 것이었다. 분명 들린 소리는 개의 음성이었지만 개가 아니었다.

"멍, 멍, 멍, 멍."

"하하, 그만. 이제 개처럼 짖었으니 술을 한잔 더 받아야지. 소리가 크면 두 잔을 주겠다고 약속했으니 마시고 또 마시게. 오늘 같이 즐겁고 유쾌한 날은 없을 거야. 술을 마시면 다 개가 된다고 하잖아? 그것을 오늘 증명해낸 걸세."

"그렇지. 개가 되었으니 개처럼 소리를 내야지, 멍, 멍 ,멍."

"좋아, 그런데 거듭 술을 마시려고 일부러 또 짖은 것은 아니겠제? 멍, 멍아?"

"이까짓 개소리가 뭐 대수라고. 술만 준다면 이보다 더한 짓이라도 하지 못할 까닭이 없지. 돈이 없으니 이런 짓이라도 하지 않는다면 어떻게 이리 실컷 취할 수 있겠냐고?"

술에 이미 쩐 사내의 목소리는 흐리고 몸은 중심을 잃었다. 덕대가 내민 술잔을 손으로 받아 들더니 쉬지도 않고 단숨에 마셔버렸다. 그의 목에서는 도랑물이 흐르는 소리를 냈다.
"취하면 이렇게 세상이 아름다운 것을 왜 그렇게 싸우고 죽이고 하느냐고?"
곁에 사람들은 그 같은 소리에 손뼉을 쳐댔고 사내는 술을 주는데 고마워하기까지 했다. 사내는 혀가 기능을 잃은 듯 그 목소리는 무척 부자유스러웠다. 그러자 사내의 주변 사람들은 오락을 즐기듯 쾌감을 더하여 껄껄 웃어대었다. 이제 웃음거리가 된 사내도 그들을 쳐다보면서 만족한 미소를 지었다. 그런데 그 얼굴을 들때 이를 확인한 순애의 얼굴은 사색이 되지 않을 수 없었다.
술판에서 김씨가 빠진다는 것은 약방에 감초가 없는 일이었다. 그는 어디로 튈지도 모르는 럭비공처럼 항상 술판을 그렇게 튀고 다녔다. 순애는 한동안 충격에서 벗어날 수 없었다. 그것은 경주댁의 심정도 다르지 않을 터였다. 그녀도 경주댁처럼 터져 나오는 독백을 뇌이지 않을 수 없었다. 그것은 어둠에 묻힌 절규와 다르지 않았다.
'도대체 왜 이러는 거예요?'
그러나 아비는 명쾌한 대답을 하지 않았다. 단호한 순애의 손길도 무 자르는 칼날처럼 내려칠 뿐이었다. 다만 그를 측은한 눈길로 바라보는 경주댁만이 안타까움을 희석할 뿐이었다. 그러면 그는 후회대신 독백을 토했다.
"취하지 않을 수 없으니 마시고, 취하니 즐거워 춤을 추고 싶어지거든. 술을 다시 찾는 까닭은 그 뿐인 걸?"
"술에 취하니 세상을 가진 듯 도취해 그런 것은 아니고요?"
순애의 의문을 경주댁이 풀었다.
"즐거워? 한 평의 땅도 가지지 못하고 가진 것도 없으니 그럴 까닭도 없잖아? 다만 속마음은 보이지 않으니 알 수 없을 뿐이지."

"속마음이요? 그럴지도 모르죠. 술보다 안주가 더욱 맛이 나야하는 법이니까요."

"술을 마시는 사람 치고 귀신 씨 나락 까먹는 소리를 하지 않는 사람이 없다더니 너도 자식이라 닮았구나. 자식이 그것을 보았으니 충격이지 않을 수 없겠지만. 그런 얘기는 살 의욕도 떨어뜨리는 법이니 이제 그만 두잔께."

빨래 바구니에 담겨있는 옷을 잡더니 열려있는 세탁기에 쑤셔 넣었다. 하우스로 일을 나간 경주댁이 미처 하지 못한 옷들이 방에도 있었다. 흙이 묻은 혁의 옷을 가져 나와 세탁기에 넣으며 생각에 잠겼다.

돌아가는 세탁기의 소리는 그녀를 다시 다그치는 것 같았다. 얼룩을 세탁하는 일처럼 더부살이를 정리하지 않고는 마음이 정리될 것 같지 않았다.

그러기 위해서는 지금까지 생활은 과거의 그림자일 뿐이었다. 다급한 일과 그르친 일을 다잡으려는 마음은 그간의 잔재를 지우는 일이었다.

은행의 조건은 생각처럼 낙관적일 수만은 없었다. 사소한 집안일을 대하는 안일함이 아니라 긴장의 촉수가 필요했다. 머릿속의 생각이 세탁기의 빨래처럼 이리저리 돌기 시작했다. 빨래는 이리저리 뭉쳐지며 소용돌이를 치고 있었다.

집안은 경주댁이 일을 나간 탓으로 조용했다. 아직도 방에 있는 아비는 말이 없다는 것이 다소 위안이 되었다. 새벽에 돌아온 순명은 잠들어 있는지 콧소리도 들리지 않았다. 일자리를 언제나 찾을지 기약도 없었다. 이제는 직장을 찾는 것보다 아비를 닮아가는 것이 더 쉽다는 것을 보는 것만 같았다.

경주댁만이 일을 유독 가리지 않는 탓으로 생활이 그나마 원만하게 돌아갔다. 그런 처지에 순애까지 생활을 빌붙기란 미래는 참혹이었다. 거울 속의 짙어진 화장한 얼굴을 들여다보며 미소를 지었다. 기둥의 탈을 보는 것 같았다.

그 조롱이 싫어 표정을 찡그려보았다. 그것은 아름다운 모습에 더 어울리지 않았다. 그런 표정이 되지 않기 위해서는 이번의 일을 속전속결로 처리를 해야 할 것 같았다. 학교에서 돌아오는 혁에게 희망을 쥐여 주는 일이었다. 이제는 결단적인 행동이 필요한 순간이었다.

명자의 조언도 결단의 행동을 다그쳤다. 한동안 그녀의 말이 머릿속을 떠나지 않았다. 그러고 보니 며칠 전 미장원을 들렀을 때 명자의 말이 사내의 인연을 드리우게 만들었다. 명자가 추천한 사내의 사진은 아직 미래처럼 드러나지 않았다.

처음은 그냥 웃어넘기며 사내를 만날 뜻이 없다며 펄쩍 뛰었다. 그러자 의아한 표정의 명자는 장사를 하는데 남자라고 손님에서 제외를 하겠냐는 말이었다. 당황한 표정을 짓지 않을 수 없을 때 소개하는 사람은 장사로 일가를 이룬 사람이라는 말을 더했다.

성공이라는 말에 그녀의 마음은 사양할 처지가 아니란 판단이었다. 그런 사내라면 도움은 물론이고 조언도 마다할 사람이 아니었다. 처음으로 접하는 그녀에게 조언은 이정표와 다르지 않기 때문이었다. 그래서 솔깃한 마음에 정보가 더 없냐고 물었다. 그러자 명자는 웃으며 앞의 장식 집을 가리켰다. 뚱보의 주인과 먼 일가라고도 말했다.

뚱보는 한두 번 만난 적이 있는 여자로 친밀하지는 않지만 모르는 여자는 아니었다. 또 들은 소문을 다 믿는 것은 아니지만 그녀는 시샘도 뚱보라는 말이었다. 망설임을 바라보던 명자는 웃으며 잘못은 인연에 있고 결과로 자신의 뺨은 때리지 말라고 했다. 명자는 사면초가를 당할 적에 도움을 준 친구였기에 이번도 수호신을 불러들인 것 같았다.

미장원으로 일찍 자립을 이룩한 그녀는 사람을 보는 눈은 탁월했다. 영업적인 수완도 있었고 대인관계도 마당발이었다. 그래서 시간이 있을 적마다 자주 찾았고 그럴 때는 우물을 마시는 기분을 얻었다.

그래서 갈 때는 텃밭의 푸성귀를 다듬어다 주었다. 시장에 처박힌 그녀는 열어젖힌 창문으로만 푸른색을 나눌 뿐이었다. 변하고 바뀐 입맛을 복원시키는 것은 푸성귀만한 것도 없었다. 명자도 푸성귀는 입맛과 청춘을 예전으로 돌린다고 좋아했다.

순애는 그 말에 웃으며 이제 자신도 변할 방법을 찾았다고 말했다. 변신은 여자에게 무죄라고 하지 않던가. 내친 김에 머리도 짧게 잘랐고 얼굴의 화장도 색칠을 덧발랐다.

이튿날 아침, 만남을 위해 미장원을 다시 들렀을 때 파머를 하는 연로한 노파가 있었다. 얼굴을 보니 경주댁보다 십년의 연상은 되었다. 노파의 곁으로 다가 앉아서 파머를 마는 일을 돕고자 종이를 들었다. 도움은 잡념을 몰아낼 수 있고 상대의 기분을 바꾸게 만드는 법이었다.

명자는 웃으며 눈치가 절에가 젓국을 얻어먹을 것 같다고 눈을 찡그려보였다. 머리를 쉽게 말도록 일을 도와주자 노파의 얼굴도 덩달아 환해졌다. 그러며 누구냐고 묻자 명자가 얼른 대답했다.

"개구리가 우물을 이제야 벗어났지 않았겠어요?"

"개구리? 그 소리를 듣고 보니 이 젊은이보다 내가 그런 소리를 들어야제. 일로 평생을 지내다보니 이젠 아무리 후회해도 소용이 없잖는 가베?"

"후회를 하다니요, 이렇게 파머도 하고 예쁘게 화장도 했는데 후

회뿐인 인생이었겠어요? 이왕 말이 나왔으니 그런 후회를 하지 않으려면 어떻게 살아야 할까요?"

"그렇제. 그래서 말하는 것은 아니지만 참고 견디고만 살아서는 안 된다는 게지. 요즘 사람들은 그래서 그런지 참지만도 않잖아? 사랑도 쉽게 하고 이별도 축제로 여기니 복이 덩굴 채 굴러온 세상을 산단 말이거든."

비닐봉지를 머리에 뒤집어쓴 노파의 알 수 없는 말에 순애는 놀라지 않을 수 없었다. 순애의 도움을 받고 그냥 지나치기 어려웠던지 조언을 다시 던졌다. 다시 젊어질 기회가 온다면 지난 실수를 반복하지 않겠다는 말이었다. 그러며 순애의 안색을 살피더니 복이 머지않아 굴러들어올 인상이란 말도 빠트리지 않았다.

노파의 얘기를 듣자 예감이 나쁘지 않아 흥분이 되었다. 마을을 벗어나 미장원에만 와도 답답한 마음을 잊을 수 있었다. 원기를 회복하자 주변을 살펴보았다.

탁자위에 잡지와 사진이 눈길에 들어왔다. 얼핏 보니 요즘 떠도는 염문을 뿌린 화제의 연예인의 사진이었다. 그녀에게 이혼은 아팠겠지만 염문은 장미처럼 화려하고 아름다운 향기였다. 이혼은 사랑의 끝이 아니라 시작이라는 말을 전하는 것 같았다. 그들이 아름답다면 순애도 다르지 않을 일이었다.

파머를 마친 노인의 변신도 세월을 거꾸로 돌려놓았다. 거기에 마음까지도 젊어진 것을 보면 변신은 선덕이지 않을 수 없었다. 순애도 노파의 허름하고 주름졌던 얼굴처럼 인생을 되돌리고 싶은 마음이 들었다.

세월의 역행을 기술로 연출하는 명자의 솜씨는 순애의 인생도 노파처럼 역전시킬 것 같았다. 지난 이별을 쉽게 받아들이지 못하고 우물에 들어 산지 십여 년을 참아왔다. 안주하리란 기대는 사라지고 허무만 그간 뿌리를 깊이 내렸다. 이제는 노인의 변신처럼 지난 세월을 되찾을 생각을 하지 않을 수 없었다.

그러나 그것은 혼자의 힘으로는 상상을 벗어날 길이 없었다. 변신의 의욕이 없어서가 아니라 아직 결행을 두려워하는 마음이 있기 때문이었다. 그런 무기력한 모습을 보고 명자는 우유부단이라 지적했다.

하긴 성인도 시속을 따른다는데 변하지 않으려는 것은 어리석음일 뿐이었다. 생각은 상대적일 수 있지만 그것은 억지이지 않을 수 없었다. 이제는 그것을 버리고 아픔을 연예인처럼 사랑하고 자랑을 할 생각이었다.

그런 분위기에 명자는 바람을 불렀고 고소함을 더했다. 강물처럼 흘러간 세월을 돌아보니 허무만 크게 보였고 기다림의 아픔도 사라졌지만 가버린 철새는 그것으로 끝이었다.

어차피 이루어질 수 없는 사랑이라면 이별을 인정하는 것은 순리였다. 이별은 결코 받아들이지 못하거나 추한 것은 아니었다. 그러니 변신은 새로운 시작이고 고통의 전주곡이었다.

배신하고 떠난 사람이 철새처럼 돌아오지 않는다하여도 비난받을 일이 아니란 것을 알았다. 설혹 돌아온다 해도 그것은 원망할 사안도 아니었다.

단발로 머리를 잘라버린 순애를 보는 명자의 눈길은 탄성 그 자체였다. 우물을 벗어난 개구리치고는 너무도 매력의 덩어리라는 감탄을 연발했다. 사라진 노파가 그녀처럼 다시 젊어진다 해도 그녀에게는 비할 바가 아니라 했다. 그러며 다가오는 어둠을 두려워하지 말라고도 했다. 노파도 그 말을 반복할 것 같았다.

그런 격려에 용기를 얻은 순애는 명자의 또 다른 선물도 받았다. 중이 제 머리는 깎을 수 없지만 도우는 일은 어렵지 않다는 사실이었다. 명자가 소개소도 한다는 말에 사실 놀라기도 했지만 내심 흥분을 감출 수 없었다. 벌은 꽃의 향기를 찾아 스스로 날아오는 법이었다.

명자가 시장을 밝힌다는 소리를 듣고 사내들이 늘어났다. 그러자 뚱보도 사내를 추스르며 닦달까지 했다는 말이었다. 순애는 마지못해 나섰고 미장원에서 장사의 비기를 엿 눈질할 참이었다.

하지만 낙지라는 별명을 가진 사내는 호락호락하지 않았다. 아마 장사도 별명처럼 기회를 놓치지 않은 것 같았다. 하지만 사랑만은 젬병이었다. 원숭이도 나무에서 떨어진다는 말은 그르지 않았다. 그러니 그 성공처럼 사랑을 이루지 못했으니 얼굴은 소댕을 보는 심정이었다. 순애도 불 덴 기억은 잊을 수 없었다.

하지만 그것은 장사와 다른 경우였다. 사랑은 순수를 나누지만 장사는 이익을 나누고 따질 뿐이었다. 그러니 분명 그녀와 낙지는 분별을 가릴 관계였다. 그래서인지 잠시 낙지의 얼굴은 쉬 나타나지 않았다. 그러나 운명은 피할 수 없는 일이었던지 쪽지가 다시 날아왔다. 명자의 설득을 듣더니 장사를 하려한다면 더욱 인연이라며 반기더라는 말이었다. 그러니 낙지와 만남은 도랑치고 가재를 잡는 일이 되겠다고 웃었다.

남의 말을 다 믿는 것은 아니지만 장사는 신용을 우선으로 하는 일이었다. 신용이 없다면 누구라도 장사는 할 수 없었다. 그것은 물에 빠져놓고 보따리를 내놓으라고 하는 일이 아니었다. 혼자의 힘보다 둘이 돕는다면 그것은 무겁지 않았다.

그날따라 명자의 가게에 멍멍이도 반겼다. 미장원에 개는 어울리지 않는다는 순애의 지적과 달리 멍멍이는 애교덩어리였다. 오는 손님까지 반갑다고 애교를 떨었고 가는 손님에게도 꼬리를 흔들었다. 그러다보니 손님은 물론이요 온 동네의 개들까지 미장원의 앞으로 불러들었다.
 순애는 궁금함을 참을 수 없다는 듯 낙지의 외모까지 조심스레 물었다. 사실 마음이 흔들리지 않았던 것은 아니지만 돌다리도 두 들겨보고 건너는 것이 불 덴 이후의 버릇이었다. 사내는 외모도 그런대로 잘 빠졌다는 말에 노파의 덕담까지 믿었다.
 복이 덩굴 채 굴러들었다는 말에 명자도 이내 웃었다. 하지만 결혼할 사람이 아니라고 하더라도 호남은 여자에게 향기이지 않을 수 없었다. 다만 그의 속내는 겪어보지 않고는 알 수 없는 일이었다. 그런 걱정은 옛말처럼 김칫국을 먼저 먹는 짓이지 않을 수 없었다.
 그녀는 우선 장사가 목적이었다. 상대를 만나는 것은 그 다음이라는 생각에 만남을 허락했다. 그를 만난 이후로 다음의 사정을 판단하는 게 순리였다.
 단발로 머리를 자른 것처럼 과거의 불 덴 기억도 잘라버렸다. 더는 미련의 어리석음과 미래의 암초는 필요하지 않았다. 장사를 시작한다면 그런 과정은 필수와 다르지 않았다.
 한가한 시간도 없을뿐더러 생각도 변화될 것이 분명했다. 파를 다듬거나 청소도 그녀가 직접 할 요량이고 보면 구판장의 여자처럼 나태할 수 없었다. 가게도 처지를 일신하며 손님의 기분을 도울 일이었다. 이제 닥쳐온 기회를 놓칠 수 없었다.
 “이제 보니 숨은 진주였구나!”
 “애 딸린 과부라고 또 놀리려는 말이제?”
 “애가 있는 것은 사실이지만 호적은 깨끗하잖아?”
 “친구의 도리를 지킬 생각이면 그만 되었다. 나도 이제 시장의 사람이 되었다는 기분까지 드는 걸?”
 “그렇게 생각한다면 기회를 놓치지 말아야지. 네가 이정도로 변했다고 생각이 드니 이젠 상대의 대응에 관심이 간다. 눈뜬장님이 아니라면 너를 한눈에 알아보지 않겠어?"

"외면하고 싶은 말이지만 기분만은 나쁘지 않다."

"술독에 빠진 아버지의 딸이 아니랄까봐 벌써부터 취했구나. 하지만 그것을 나무랄 생각은 없다. 그 나이에 적지 않은 고생도 했고 힘든 부모의 밑에서 눈총을 받아가며 사랑을 키웠으니 목마르지 않다면 그것도 이상하잖아?"

명자의 말이 민망하여 붉어진 얼굴빛은 숨기려 창가로 시선을 돌렸다. 그러나 여우같은 명자가 까닭을 모를 리 없었다. 뭔가 허무한 마음을 채워주기라도 하려는 듯 자신의 깊은 속내를 내비치었다.

"급할수록 체하는 것 알제?"

이제는 그런 말을 들어도 들리지 않았다. 미장원을 하는 명자의 마음도 파마한 머리처럼 꼬불탕하게 꼬인 것을 알았다. 지난 과거를 위로하려는 듯 그녀의 곁으로 다가가 부드러운 봄바람처럼 속삭였다.

"사내란 다 늑대잖아?"

그 말에 명자는 그르지 않다는 듯 고개를 끄덕였다. 눈을 찌푸리며 떠오르는 모습을 한동안 또 생각하더니 이번엔 고개를 흔들어 부정했다. 오랜 세월의 검은 그림자가 그녀의 마음을 덮었어도 긍정하는 것 같았다. 그런 모습을 바라보는 순애는 일종의 분노감도 느꼈다.

"그렇지도 않다는 거야? 그래?"

"응. 예전에 널 우물 안의 개구리라고 말했었지만 그것은 단견이었던 것 같다. 지난 세월동안 시장이서 구르다보니 그것만이 아니란 생각이 들거든. 여자란 사내의 갈비가 아니었더냐?"

"하긴. 우리에게 갈비뼈를 준 은혜를 모른 체 할 수 없겠지."
그 말에 명자도 어이가 없었던지 실소를 터트리며 모처럼 깔깔 웃었다. 가늘게 손이 떨리며 책장을 넘기던 순애도 같은 생각이었다. 더는 경계를 한다거나 망설일 까닭도 없었다.
그녀는 거울에 비친 자신의 변신한 모양을 다시 살폈다. 달라진 것은 없지만 분위기는 시원하고 성숙한 여자이지 않을 수 없었다. 이제 미장원을 나가면 사내를 만날 일이었다. 화원의 꽃향기를 맡는 것이 아니라 들판을 거칠게 누비는 늑대와 마주할 일이었다. 그러니 더는 안일하고 지고만 고집할 수 없었다.
새 술은 새 부대를 생각한 그녀에게 낙지는 새로운 사람이었다. 강가의 갈대처럼 새순을 희망하며 만나려는 사람이 아니었다. 그러니 사랑보다는 장사를 하기 위한 목적이 우선이었다.
"자, 이제 준비가 다 되었다. 네 마음도 다졌겠지?"
"당연하지!"
"그런데 과연 생각한대로 될지 몰라? 상처는 싸매기는 쉽지만 지우기는 쉽지 않아서."
"상처라니?"
"언제까지 그렇게 과거에 매여 살려는 것이지? 여자의 무기가 뭐겠어? 오뉴월에 서리도 내리치지만 빙산도 녹이는 법이지. 이젠 지난 얄궂은 사랑에 현혹될 수는 없잖아?"
"그른 말은 아닌데, 천성이 여우가 아니라 오는 떨림이 문제이지."
"호호, 언제까지 널 개구리로만 여기지는 않는다. 하지만 한번 맺은 인연을 바꾼다는 것은 차라리 죽음이 더 쉬운 법이지. 지금까지 움츠리고만 살았으니 이제는 전신도 펴야하지 않겠어? 그게 독안을 뛰쳐나오는 까닭이지. 다시 후회를 반복할 수 없으니까!"

조언을 마친 명자를 바라보는 순애의 반응은 변신 그 자체였다. 물론 얼마 전까지 배신을 하고 떠난 사내를 한으로 뭉쳐진 그녀였다. 용서할 까닭도 찾지 못했다. 그로인해 사내라면 늑대로 싸잡아 오물을 뿌렸다. 헌 짚신처럼 팽개치고 가버린 사람을 용서한다는 것은 자기기만이었다.

그래서 명자도 안색을 살피며 그녀의 말에 호응을 던졌다. 용서란 아픔을 이해하는 요식행위와 다르지 않았다. 차라리 증오한다는 것이 거짓이 아니었다. 그것만이 진실한 모습이고 미래라 여겼다. 그렇게 지난 아픔은 바위로 등을 눌렀었다. 그것은 견고하고 어두워서 함부로 접근하기까지 어려운 계곡 같았다.

하지만 그것이 생각처럼 편안함만은 아니었다. 어둠과 기억은 흔적을 지우지 않았다. 더욱 암영만을 안길 뿐이었다.

그러다가 나중은 더 참을 수 없는 갈증을 안겼다. 그녀의 십여 년의 세월은 그것이었다. 강산도 변할 시간은 흘렀지만 생각의 정체는 제자리만 맴돌았다. 더욱이 생활의 곤고함은 더욱 그녀를 나락으로 밀었다.

그러한 사정은 경주댁도 다르지 않았다. 아니 이혼한 연예인도 같을 일이었다. 사실 명자의 생각도 그런 점을 지적하고 있었다. 명자가 앞에서 분노로 흥분을 하는 것도 자신을 위로하는 배려보다 동질감을 느끼는 것 같았다.

하지만 이제 혼자의 집착을 벗어나야 한다는 사정은 그르지 않았다. 아무리 독한 마음을 가지고 산다 해도 생활에 적응은 쉽지 않았다. 그러기 위해서는 새로운 일과 마음의 전환이 필요했다.

더는 비분이나 복수보다 더 높은 곳을 올라야했다. 이대로 매달려 있을 수 없을뿐더러 버틸 수도 없었다. 그녀의 양 어깨에 매달린 짐과 세월을 인식하지 않을 수 없었다. 그것은 장사만이 새로운 길이고 단비를 맞는 일이었다.

그동안 누구의 말도 외면했지만 이번의 경우는 달랐다. 우정을 넘어 신의는 깔깔 댈 수만 없었다. 그리고 조언도 가슴에 못으로 박았다. 그녀의 말이 옳아서가 아니라 그럴 수밖에 없는 처지가 한몫했다. 미장원을 나서는 그녀에게 명자는 손을 흔들며 잘하라고 격려까지 했다. 거기에 우환은 이제 약이 되리란 덕담도 잊지 않았다.

순애는 걸어 나오며 미장원의 벽에 걸어둔 현판의 글을 혼자 응얼거렸다.

'사랑은 오래 참고, 오래 견디며…….'

소개받은 낙지와의 만남은 인근의 다방으로 이름도 아름다웠다. 꽃을 수레로 실어가라는 꽃수레 다방이었다. 눈길에 다방의 간판이 한눈에 들어왔다. 전에는 피하고 꺼리었던 곳이지만 지금은 달랐다. 사람을 만나고 고민을 해결하려는 장소로 이만한 것도 곳도 없었다.

만나는 목적과 모양은 다를지라도 아직도 살아남은 곳이었다. 장사를 잘하는 비결이 궁금했으나 마담에게도 물을 수 없었다.

다만 이제 시장에서 살게 된다면 그 까닭을 이어가고 싶었다. 하지만 다방도 경기가 예전만 못한 것도 사실이었다. 종이 위에 낙서처럼 고무로 지울 수도 없었다. 빛바랜 다방의 벽이 그것을 말했다. 흔적을 지우려 새로 칠한 부분이 있었지만 다 때우지는 못했다.

예전 한 때 꽃수레다방은 많은 사람들로 붐빈 적이 있었다. 강둑에서 내려다보면 시장의 초입에 있어 이층의 건물에 숨겨진 곳이었다. 하지만 사람들은 그 숨은 곳을 용케도 찾아들었다. 오가는 정과 관계를 맺고 밀담을 나누는 곳이었다.

강에 배가 다닐 적만 해도 사람들을 포구까지 넘쳤던 곳이었다. 그래서 이 동네에서 금싸라기 땅이란 소문도 들렸다. 그러나 세월의 변화를 이긴 것은 그 무엇도 존재하지 않았다. 흘러가는 세월을 강물만이 아는 것 같았다. 그래서 지금은 흘러간 흔적만 요란하게 울려댈 뿐이었다.

하지만 추억을 떠올리며 찾아드는 노인들이나 소일을 구하는 사람들이 기웃거리는 곳으로 전락했다. 그래서 처음 꽃수레란 소리를 들었을 때 내심 당황하지 않을 수 없었다.

하지만 다방도 시장의 일부분이고 살아가는 방법도 다르지 않았다. 그래서 추억을 하나 남긴다는 생각에 고개를 끄덕이었다. 그런 생각이 없었다면 시골의 다방은 살아남을 길이 없을 터였다. 하지만 도시의 다방도 사정은 다르지 않았다. 계절적으로 반복하는 변화를 따르기에는 힘이 부쳤다. 다방은 변화를 따르지 못하면 살아남을 수 없는 수레이었다.

붉은 재킷에 고운 자수가 놓인 치마의 차림으로 반 지하의 다방에 들어섰다. 어둠과 빛이 공존하는 다방은 일시에 시선을 그녀에게 쏟아 부었다.

감미로운 음악이 안개처럼 감싸고 불빛과 어둠이 번갈아 흘렀지만 고기떼처럼 모인 사람들의 시선은 그녀를 놓치지 않았다. 어둠이 조금은 거북스러웠지만 실내에 들어섰고 여기저기서 환영하는 조명과 선율이 물결처럼 손을 흔들었다. 그녀는 이에 관심이 없다는 듯 주변을 살펴보니 거개 중년을 넘어선 사내들뿐이었다.

겉모습도 허름한 차림에 촌티만 튀었다. 자신이 찾아온 사람이 없다는 눈길로 빈자리를 찾아 발걸음을 옮겼다.

통로를 지나는데 등을 보인 사내가 흘깃 눈에 띄었다. 혹시 그 사람은 아닌가하고 기대하였으나 관심을 보내지 않았다. 그녀를 찾을 사람이라면 그런 행동을 보일 까닭이 없었다. 창가의 빈자리로 다시 발걸음을 옮기지 않을 수 없었다.

그때 등진 젊은이의 앞으로 마담이 걸어오며 첫마디부터 수작을 걸었다. 마담은 순애가 있는 것도 외면한 채 그 사내에게만 열중했다.

뱁새눈길로 바라보니 더부룩한 차림의 사내는 이곳 농부들의 냄새가 풍기지 않았다. 사십 초반으로 보이는 마담이 봉긋한 가슴을 움직이며 그 사내에게 시선을 쏟았다.

"돌아온 모습이 환향인지 아니면 유배지로 추방된 것인지 모르겠는 걸?"

"고향이잖아."

"고향? 나만 청맹과니인줄 알았더니 또 여기에 그런 사람이 있었군. 난 이제 고향이란 말을 들어도 진절머리가 나지 않겠어? 처음은 그렇지 않았지만 이곳이 그리 된 후로는 반갑지 않거든. 그러니 고향의 까마귀라고 반갑게 대하지 않는다고 나를 원망하지는 않겠지?"

"아무려면 어떻겠능교. 하지만 아직도 철새는 찾아오며 기약하지 않는가베?"

"이제는 예전과 달라졌지. 예전도 그렇게 말장난만 즐기더니 버릇은 아직도 예전이구먼. 하지만 이제는 더 이상 그런 얕은 수가 통하지 않는 세상이 되었다는 것도 몰라?"

"그렇다고 세상에 거짓만 넘치는 것은 아니잖아?"

"그것은 나도 모르겠지만 낙동강 오리알 신세를 당하지는 말아야지. 그 쪽도 차라리 외국으로라도 나갔다면 이런 모습은 아니었을 테지만."

"제길! 만나는 사람마다 외국, 외국 하니 도대체 그곳에 뭐가 있어 그러는지 모르겠는 걸?”

사내는 못마땅하다는 듯 마담의 힐난을 반죽 좋게 농을 치며 혀를 휘둘렀다. 이에 마담도 상대가 능글맞다는 듯 커피 잔에 속내를 담아 검은 커피를 조금 따랐다. 향긋한 향이 그녀의 코끝에도 닿았다.

그들의 힐난이 다시 흥미를 불렀지만, 남의 말을 공연히 훔치는 것 같아 창가의 의자로 자리를 정했다. 그들의 목소리는 가늘어지며 실내의 음악이 그 자리를 메워주었다.

4,만남

그런 잠시 뒤에야 그녀의 출현을 알고 반죽 좋은 마담이 다가오며 외면을 짓이기었다.

“천사가 지옥에 들어와 어둠이 사라졌는데도 나만 그것을 몰랐잖아?”

“마귀만 아니라면 그나마 다행이지요.”

마담은 물 잔을 건네며 하얀 손에 들었던 쟁반을 탁자 위에 놓았다. 그녀는 나이에 비해 미소가 매력적이었는데 흰 피부는 나이를 감추었다. 마담의 미소는 길지 않았고 출입문이 열리는 소리에 시선은 그리로 향했다.

고개를 들이민 사내는 삼십을 갓 넘은 사내였는데 누구를 찾듯 두리번거렸다. 그녀를 찾아온 사내라는 것을 알았고 사내도 구석의 그녀를 향해 걸어왔다. 사내는 마담의 앞에 서더니 정중한 인사를 건네었다. 마담이 자리를 권하자 사내가 마담을 마주보고 앉았다. 그러며 순애의 얼굴을 훔쳤다. 어서 일어나 차를 가져오라는 눈길 같았다.
그러자 마담이 입에 폭소를 더는 참지 못하고 터트리며 다시 반죽을 이겼다.
"천사를 첫 눈에 알아내기란 쉽지 않은 법이지. 그런데 끼를 단박에 알다 채다니 예사롭지 않은 사람인데 천사가 어떻게 대할지 궁금하기까지 한 걸?"
"그럼 이분이 나를 만나자고 한 분이라고요?"
"그래. 장사로 성공을 한 사람을 모르는 눈이라면 눈 뜬 장님이지 않나? 이렇게 다방도 조용하니 타협은 짧지 않겠지?"
"아직도 살얼음판을 걷는 기분은 숨길 수 없어요. 하지만 장사나 타협이도 다 사람이 하는 일이니 뜻대로 되지 않는다고 의기소침하진 않아요. 아직 물을 제대로 찾지 못한 물고기이지만 때를 만난다면 그 어떤 일도 두렵지 않거든요."
"그럼, 뜻을 함께 하자는 말로 받아들여도 좋겠군요. 미인을 후리는 솜씨는 없지만 장사를 한다고 하니 횡재한 것 같아요. 좋은 동료를 만났으니 그것도 영광이고요."
순애의 미소에 낙지가 기대를 보이자 마담은 눈치 빠르게 차를 준비한다며 일어났다. 사내의 눈길은 태양처럼 이글거렸는데 자세히 보니 얼굴도 호남아였다. 그런 사내가 촌닭을 반기다니 믿기지 않았다.
"미안해요, 첫눈에 몰라 뵈어서."
"천만에요, 그런 말을 듣는다는 것이 미흡하지요. 사실 이곳을 찾을 적만 해도 마귀라고 쫓겨나지 않을까 걱정했는데 기다렸다니 몸 둘 바를 모르겠어요. 사실 마담의 구원이란 전언이 거짓이지 않았어요."
"그렇지 않아요. 다만 눈먼 여자는 아니었으니 이렇게 쉬 알아보았겠지만."
"그런데 다른 속셈이 있는 것은 아니겠지요? 그런 속셈에 속을 나도 아니지만. 하지만 그렇다하더라도 속은 기분은 아니니 나쁘지만도 않아요."
"하하, 좋아요. 그 정도라면 장사를 하는 조언으로 부족하지 않잖아요?"
그녀의 질책에 사내는 다시 미소를 지었지만 말을 잇지는 않았다. 낙지란 사내는 붉은 얼굴로 표정과 속내를 적당히 드러냈지만 얄미운 정도로 비위도 좋았다. 물론 장사로 잔뼈가 굵은 사실의 증명이었다.
그러한 모습은 십년 뒤의 순애도 다르지 않을 것 같았다. 자신의 변신을 예견한다는 듯 머리를 끄덕였다. 이제 낙지와 치대는 여유에 용기까지 얻은 것은 달라진 모습이었다. 그런데 낙지가 그녀의 얼굴을 살피다가 뜻밖의 제의를 던졌다.
"장사를 하겠다면 먼저 그 결실의 모습이 궁금하지 않겠어요?"
"신도 아닌데 그것을 어떻게 미리 알 수 있나요?"
"정확한 것이야 그때 가봐야 드러나겠지만 지금은 간을 보는 정도일까요? 예전에도 전쟁을 나가기 전에 점을 치곤했다 하잖아요. 그것은 불안한 마음을 잠재우는 행위이지요."
사내의 대답에 조금은 당황했지만 그 결과가 궁금한 것은 사실이었다. 처음으로 하는 장사이고 여건은 불안의 덩어리인지라 초조함을 달랠 길이 없었다. 점이라도 치고 싶은 심정이었으나 차마 그러하지 못했을 뿐이었다.
그런데 사내가 불안덩어리를 해체해준다고 의도적으로 수작을 건 것이었다. 그녀도 불신은 떨칠 수 없었지만 그렇다고 거절하기도 쉽지 않았다. 거기에 궁금증을 불러일으킨 것은 결과를 단번에 알 수 있다는 말이었다. 장사를 오래해서 그런지 역술도 드러낼 것 같았다.

"혹시, 점이라도 배운 적 있나요? 거북하면 대답하지 않아도 좋아요. 그런 일은 누구에게라도 권장할 일은 아니거든요. 하지만 장사는 실력보다 운이라고 하잖아요? 그러니 자연 그런 짓도 눈치로 때려잡겠지만요. 하지만 기술과 정확성 그리고 통찰력일 뿐이거든요."

그녀의 항변은 이내 사내의 수작에 꼬리 내렸고 수렁은 헤어나기 힘들었다. 궁금증은 차제하고서라도 돈이라도 내라할 표정이었다. 이런 일을 미리 알았더라면 점이라도 쳐보고 결과라도 알았더라면 이지경은 아니었을 터였다.

처음은 사내의 수작이 사기란 생각도 들었다. 하지만 그의 표정을 봤을 때 진지함도 깃들어 있었다. 지난 실연을 나무라는 감정이 순애를 비웃었다. 사랑의 신념은 미신과 같았다. 오만하고 믿음이라고 가졌던 사랑은 산산조각이 되어 흩어졌다. 지금의 파편이 미신을 신뢰하지 않는 까닭이었다.

낙지는 이제 간극이 없다는 듯 그녀를 대했다. 한번 목적을 둔 것은 결코 놓치지 않기에 붙여진 별호가 틀림없었다. 그는 이름대로 그녀를 잡아당겼고 사면초가의 그녀는 탈출을 떠올렸지만 그것은 마음뿐이었다.

사실은 그게 그녀의 약점으로 심장은 천 갈래 만 갈래로 갈라지는 것이었다. 더군다나 첫 만남의 사내에게 예를 벗어나는 일도 생각할 수 없었다. 그녀는 미소로 위장하며 다음의 기회도 있지 않겠냐는 핑계를 둘렀다.

그러나 사내는 동업자로 일을 함께 하고자한다면 서로 가리는 장벽은 걷어버리자고 말했다. 그러는 사이 마담은 그의 주문대로 쌍

봉차를 들고 왔다. 진한 차의 향기가 콧속을 어지럽혔지만 맛은 당귀처럼 달콤하지만은 않았다.
순애는 문득 낙지의 얘기를 증명하고 싶은 욕망이 꿈틀거렸다. 물론 자신의 미래를 점친다는 것은 불안과 기대를 가지는 것이 함께했지만. 더군다나 천기를 누설하는 일은 바람직하지 않았지만 궁금증은 아랑곳하지 않았다. 그래서 객기도 부렸다.
낙지는 그 용단이 만남을 헛되이 하지 않을 것이라고 좋아했다. 그러며 오늘의 일대사로 기억될 것이라고도 덧붙였다. 그는 철저히 장사의 계산에 몸이 익은 사람으로 헌신적이기보다는 교환을 원칙으로 삼았다.
시장에서 물든 버릇이겠지만 숙녀를 배려하는 눈치도 보이지 않았다. 반죽은 손을 내밀며 화합을 청했고 그녀는 손을 잡지 않을 수 없었다. 사내는 건넨 제의를 펼칠 준비를 마쳤다.
낙지의 눈길이 전등 빛처럼 밝아왔다. 그는 호주머니에 바른 손을 넣더니 한동안 꺼내지 않았다. 물론 그녀의 시선을 집중하기 위한 짓이었다. 그러더니 다른 손으로 슬며시 탁자 위의 빈 컵을 세 개를 엎어버렸다.
사내는 다시 웃음을 지우더니 호주머니서 거머쥔 진주알을 꺼내 보였다. 그는 그것을 하나의 컵 안으로 밀어 넣었다. 그러며 예전부터 흔하게 하던 짓으로 지금은 야바위라고 매도당한다고 항변까지 더했다.
순애는 그 말을 얼른 이해할 수 없었다. 야바위와 점의 차이를 헤아리기 어려웠다. 그녀는 갑자기 답답한 갈증을 느끼며 마름 침을 삼켰다. 목에 물을 붓고 싶은 감정을 마른 침으로 대신하였다.
낙지는 야바위를 많이 해본 사람처럼 엎은 컵을 섞어가며 돌리었다. 진주를 넣은 컵이 방향을 바꾸어가며 어느새 자리를 바꾸어버렸다. 그는 순애의 정신을 확인이라도 하듯 통까지 섞었다.
"사람들은 이 방법을 속임수라고 비난하지요. 하지만 이것은 알고 보면 정직하고 공평하며 지혜로운 방법이거든요. 속임수라고 매도하는 것은 따지고 보면 패배를 인정하지 않으려는 억지일 뿐이란 말입니다."
"그럼, 속임수가 아니란 말인가요?"
순간 그러잖아도 혼란한 시선은 낙지의 얼굴을 바라보았고 사내의 고개가 끄덕이는 것을 보았다. 그의 손놀림은 날렵하고 교묘했다. 그것은 마치 미로를 찾아가는 길을 헤아리는 기분이었다. 그녀의 십년의 기다리는 사랑이 아직도 종착점을 찾지 못한 것과는 달랐다.
"눈길만 정확하면 표적의 방향을 놓칠 까닭이 없지요. 그것이 정직하다는 것이고 진주가 든 컵을 놓치지 않을 테니까요."
"손길이 혼란스럽고 어찌나 회오리처럼 빠른지 쉽지만은 않군요. 하지만 이제 와서 그렇다고 그만둔다고도 할 수도 없고 잘못하면 봉변을 면치 못하겠어요. 허탕을 치는 것이 부끄러운 것이 아니라 그것이 장사의 미래를 결정할 것만 같아서요. 이제와 거짓된 말에 현혹되었다고 할 수도 없으니 선택은 더 어려워졌어요. 눈길은 이미 장작개비처럼 굳었고 뺑뺑이를 따라가던 청각은 멈추는 사이에 기적소리도 들을 수 없으니, 적막의 컵을 알아내기란 바늘구멍으로 낙타가 빠져나가는 것이 더 수월할 정도가 되었다고요."
"그렇다고 중단할 일은 아니잖아요? 성공과 실패를 알 수 있는 것은 지혜일진대 이 짓을 포기하겠어요?"
낙지는 말을 마치기 무섭게 나란히 세운 컵의 선택을 기다린다는 눈알을 굴렸다. 그러더니 얼굴에 회심의 여유를 보였다. 그런 그의 얼굴에 넘치는 오만을 보면서도 그것을 깨트릴 지혜가 떠오르지 않았다.

낙지의 말은 그르지 않았다. 손놀림도 민첩하고 순간적이었지만 컵은 진주를 안았으니 거짓은 아니었다. 다만 그의 입놀림이나 손길에 현혹되어 진주를 가려내지 못할 뿐이었다. 하여 넣은 컵 안의 진주는 진실로 진주와 같았다.

그녀의 얼굴은 시간이 흐를수록 창백해지고 등 뒤에는 땀도 골을 만들었다. 그렇다고 무작정 선택을 미룰 수도 없었다. 구슬을 맞추지 못하는 것은 창피한 일이 아니지만 장사의 결과가 허탕을 친다는 것은 참을 수 없는 오욕이지 않을 수 없었다. 이제는 그만두겠다는 말도 상실한지 이미 오래였다.

"미래를 점쳐보겠다는 유혹에 속은 것이 도박과 다르지 않았다는 것을 미처 헤아리지 못했어요."

"도박은 속임수이지만 그만큼 재미를 주는 것도 사실이잖아요? 어려서 도박을 하지 말라고 배웠고 또 그 짓을 하다보면 결국 낭패를 당한다는 것도 잘 알지요. 하지만 세상은 아무리 찾아도 진실은 종적을 감추고 보물은 숨어버렸으니 그런 짓이라도 하지 않고는 견딜 수 없는 것이 아니겠어요?"

"일 리가 있는 말 같지만 동의하지 않겠어요. 그것도 미처 모르고 순진하게 도전장을 내민 이 맹목을 이제야 알 것 같아요."

"꼭 그런 것은 아니에요. 다만 이 게임이 사기라고 매도하며 속임수라고 억지를 부리지는 말라는 말이지요. 그렇지 않다면 장차 다가올 어둠을 무슨 수로 벗어나겠어요. 그런데 그것을 헤아리기라도 해봐요. 절로 환호가 터져 나오지 않겠어요?"

"환호라고요? 듣기만 해도 기분이 싫지 않군요. 그런데 가만히 생각해보니 이것은 공평한 게임이 아닌데 어떻게 하면 좋을까요?"

"공평하지 않다고요? 지금까지 그런 말을 하는 사람을 만나보지 못했는데, 그런 생각까지 한다는 것을 보니 예사로운 분이 아닌 것은 확실하군요. 그렇지만 나도 장사꾼으로 일가를 이루었는데 그 지적이 어떤 것인지 모를 리가 있겠어요? 여기의 컵들이 실과 허가 기울었다는 것이지요?"

"호호, 눈치가 절에 가서도 젓국을 얻어먹고도 남겠어요. 공평한 게임이 아니라면 이것은 영원히 사기라는 비난을 면치 못할 거예요. 그래서 정의로운 경기가 되도록 조처를 취하자는 말이지요."

"좋아요. 성인도 시속을 따른다는데 불공정한 경기를 바라는 것은 바라는 바이지 않지요."

"허의 하나를 제거해 주겠어요?"

순애는 고소하다는 느낌을 가슴에 품은 채 사내를 바라보았다. 그것은 자신이 지금껏 곤란을 당한 것과 다르지 않았다. 낙지의 시선도 긴장하였고 떨리는 손길도 그녀와 다르지 않았다. 그는 망설이며 말끝을 흐렸다.

"그럼요. 천사의 지적이 그릇되지 않도록 증명을 해 드리지요. 세상에 정의를 실현한다는 것은 쉬운 일이 아니지요. 자칫 잘못하면 자살골로 봉변을 당할지도 모르겠군요."

낙지는 고개를 갸웃거리더니 확인을 하라는 듯 왼쪽 가장자리의 컵을 뒤집어보였다. 다행스럽게도 그 컵 안에는 진주가 들어있지 않았다. 그렇다면 분명 두 컵의 하나에 진주가 있을 것이었다. 하지만 그것을 맞춘다는 것도 예전보다 결코 가벼운 것은 아니었다.

"골라보라니까요? 이제는 원하던 대로 공정한 게임도 되었잖아요. 그러니 두 컵 중에서 하나를 알아맞히기란 여반장과 다르지 않겠어요? 마음을 비우고 눈을 밝히면 어렵지 않을 거예요."

낙지의 말은 거의 희롱에 가까웠으나 그녀는 고스란히 받아들일 뿐이었다. 마음의 긴장은 시간처럼 더욱 쌓여 손으로 땀을 만들었다. 눈길은 좌우를 살피었으나 마음은 확신은커녕 어려움이 가시지 않았다. 그렇다고 이제와 떼를 쓸 명분도 사라진지 이미 오래였다.

초조한 순애를 바라보는 낙지의 시선도 즐거움보다는 안타까운 인상을 주었다. 동시에 확실하게 그녀의 예봉은 꺾었지만 그것은 본의가 아니라는 표정이었다. 낙지의 그런 모습은 시장에서 몸에 밴 장사꾼치고는 괜찮다는 생각도 들었다.

다만 진퇴양난의 질곡에 그녀를 몰아놓고 여유를 부리는 모습에 분개하지 않을 수 없었다. 하지만 그것은 그녀의 잘못만은 아니었다. 자업자득의 결과로 의욕이 빚은 과보였다. 순간 그것은 그녀도 그러한 적이 많았다.

한 번 빼어든 칼을 휘두르지도 못하고 맥없이 집어넣을 수 없었다. 마지못해 오른쪽 컵을 기도하는 마음으로 손가락으로 가리켰다. 그런데 있다고 믿었던 컵에 구슬은 없고 빈 컵만 밑을 드러내었다. 순간 눈앞이 캄캄해지며 그 자리에 앉아있을 힘도 풍선처럼 빠져 달아났다. 하지만 그렇다고 해서 약한 모습을 사내에게 드러낼 수 없었다.

"아직은 실망하고 쓰러질 수 없잖아요? 아직 이 게임이 끝난 것도 아니고 확인할 일도 있잖아요?"

그러며 순애는 독기를 뿜으며 낙지를 노려보았다. 그도 컵을 들어 보이라는 눈길이었다. 그러자 낙지는 기다렸다는 듯 자신 있게 남은 컵을 들어올렸다. 그러자 낙지의 예상대로 그 컵 안에는 영롱한 진주가 빛을 뽐내고 있었다. 낙지는 자신이 승리자라는 만용을 드러내었다. 하지만 그녀의 기대는 물거품으로 사라지고 어둠만 내렸다.

환상이 사라진 자리에 더는 버티고 있을 오기까지 없었다. 자리에서 일어나려는 마음과 기력은 일치를 이루지 못했다. 그런 그녀의 옷자락을 낙지는 놓치지 않았다. 자신의 오른 포켓에서 한 장의 명함을 꺼내었다. 더는 기죽지 말고 마음이 절망할 때 찾아오라는 뜻이었다.

순애는 낙지에게 뭔가 변명을 하고 싶었지만 그런 말도 꺼낼 수 없었다. 의욕이 바닥을 드러내고 어깨는 쳐졌다. 그런 모습이 애처로웠던지 그녀의 등에 대고 사내는 나직이 속삭였다. 그것은 그녀가 아직 버리지 않은 생각이었고 배려이지 않을 수 없었다.

“진주를 찾아내지 못했다고 조금도 실망할 까닭이 없지 않아요?”

사실 그와의 만남은 기대가 실망으로 치달았지만 실제는 그렇게 추락한 것만은 아니었다. 절벽에 내몰릴수록 절망감은 깊어지겠지만 적응력은 그만큼 생겨 좌절을 넘는 법이었다. 사내의 명함이 그랬고 예전의 혁이 그랬다. 명함은 실패를 넘으라는 말과 다르지 않았다. 전전긍긍하던 그녀를 차마 더는 볼 수 없다는 듯 낙지는 밖으로 사라졌다.

대신 다방에서 만났던 낙지의 강한 인상은 머릿속에서 곳곳을 헤집고 다녔다. 흐릿한 잔영을 구석구석에서 찾아내더니 큰 입으로 삼켜버리는 것이었다. 순애는 그런 환영에 순간 놀라지 않을 수 없었다.

순애는 허상을 떨치려는 듯 다방의 입구를 바라보았다. 낙지의 모습은 사라지고 그가 놓고 간 진주의 알만이 빛을 내었다. 그녀는 진주를 보는 순간 허상의 모습이 사라지며 진주를 찾아낸 것을 알았다. 마담과 농을 쳐대던 사내는 십여 년 전에 헤어진 대학의 선배로 종래가 틀림없었다. 순애가 대학을 중퇴하고 그는 서울로 대학을 옮기면서 관계가 돈절된 사람이었다.

순애에게 대학은 흉터와 다르지 않은지라 더는 기억하기 싫은 동굴의 어둠이었다. 그런 어둠에서 그가 다시 돌아오리란 것은 기적에 가까웠다. 하지만 이제 그녀는 흥분에 잠길 수 없었다. 그것은 한 번의 실연이 병가의 상사가 아닌 탓이었다.

어둠을 반추한다는 것은 그녀로서는 거의 금기사항이었다. 한 때는 그 흔적도 사랑하려고 무진 애를 썼었다. 그러나 아픔은 사랑도 넘을 수 없는 강이었다. 생각다 못해 장막을 높이 두르기로 했다. 물결에 휩쓸린 갈대처럼 다시는 일어나지 않기를 바라는 마음이었다.

그것으로도 마음은 끝내 평안하지 않았다. 없는 것과 있는 것은 분명 같지 않았다. 있을 적에는 불편하여 견디기 어려웠지만 지운 흔적은 기억을 남겼다. 그래도 없는 것보다 있는 것이 편하다는 말을 믿을 수 없었다. 그런데 없던 것이 다시 나타났으니 놀라지 않을 수 없었다.

하지만 밤과 낮이 바뀌는 것처럼 마음은 모양을 같이하지 않았다. 바뀐 현실에서 종래의 기억은 이제 무용지물이지 않을 수 없었다. 대청소를 한 것처럼 고스란히 기억의 보따리를 강물에 버렸다. 하지만 그런 생각은 착각이었던지 마음이 쿵덕거리는 것을 진정시킬 수 없었다. 그런 심정을 다소나마 위로될지 모른다는 생각에 명자의 가게를 찾았다. 물론 만남의 결과도 귀띔하기 위함이었는데 그녀는 미장원을 비우고 없었다.

빈 의자에 앉아 몸을 이리저리 돌리며 지난날의 기억을 떠올렸다. 명자는 대학시절의 젊음을 거의 마약처럼 반응했다. 여고를 졸업하고 기술을 선택한 그녀에게 대학은 절망이요 우상이지 않을 수 없었다.

순명이 포기한 대학을 순애는 등 떼밀려 가야했고 앞날은 기대처럼 희망적이지 않았다. 물론 럭비공이 옆으로 튀는 것은 자연스럽지만 그 시절은 순애에게 황금시절임이 분명했다.
'내 꿈을 누이가 이을 것으로 믿어도 되겠제?'
순명의 강요는 불만을 잠재우며 기쁨을 선물하고 있었다. 하지만 그것이 눈물겨운 용단이고 무거운 짐이라는 사실은 후에야 알았다. 하지만 결과는 기대를 저버리고 미장원의 빗, 가위, 면도칼등 널려진 기구처럼 어지러움이었다.
감은 눈에는 들어오는 것이 아무것도 없었다. 혼자서 결정을 고민할 때 상아탑으로 밀어버린 것도 명자의 조언이었다. 그때도 명자의 결정은 옳았다.
그때 문을 열고 명자가 들어왔다. 고개를 들어 바라보니 머리가 파뿌리처럼 산발한 모습이었다. 고양이의 눈으로 흘겨보았지만 대답을 하지 않고 그녀를 오히려 노려보는 것이었다. 겸연쩍은 듯 순애는 결과를 보고하러왔다고 기분을 어루만졌다. 명자는 의자에 고목처럼 엉덩이를 털썩 앉더니 허탈한 심정을 숨기지 않았다.
"사내란 다 도둑놈인 것은 알았지만."
"도둑이라니? 사업을 같이 하자고 명함까지 주던 걸?"
"하긴 처음부터 마음에 들었다면 그 정도로 예절을 보인 것은 당연하지. 누구도 너를 본 순간 훅하고 정신이 돌아가지 않았다면 사내가 아니지."
하지만 그 말은 순애의 초점이 아니었다. 아무리 도둑이 훔쳐갈 물건이 없는 가게라하지만 문까지 열어놓고 사라진 것이 못마땅했다. 그런 명자를 탓하려는 것이 아니라 가게를 등한히 하는 명자의 나태를 지적하려는 것이었다. 명자는 아랑곳하지 않고 시큰둥하게 물었다.
"첫말이 천사라고 하지 않았어?"
"어떻게 알았지? 그것은 사실이잖아?"

"내가 이런 꼴을 당하는 걸 보고서도 그런 소리가 나오니?"

"그렇게 말하는 걸 보니, 아직도 넌 순진한 건지 아니면 교활한 것인지 묻고 싶다. 이제는 두 눈으로도 안 되는 세상이라는 것을 알잖아?"

순애의 경고에 명자는 어이가 없다는 표정이었다. 그런데 그 표정이 더욱 그녀를 당황하게 만들었다. 두 사람의 공통된 관심사가 한곳에 모였다.

"탄동의 종래가 드디어 나타났잖아?"

그 말에 순애는 눈길을 세면대로 돌리며 언제 알았냐고 물었다. 명자도 역시 그가 돌아온 사실을 어떻게 알았냐는 표정이었다. 하지만 둘의 기억은 서로 다른 곳으로 향했다. 순애의 머릿속은 백지가 되며 탄동의 모습을 그렸다.

탄동은 그녀가 사는 괴정에서 십리의 거리에 있는 외진 마을이었다. 호랑이 등처럼 휘어진 산등성이로 안기듯이 자리한 곳에 작은 서원도 자리를 잡았다. 그래서 옛적에는 안막에서도 그곳으로 공부를 하러 다니었던 곳이라 들었다.

서원은 지금은 자취로만 남았지만 옛 명성을 살려 명승지로 지정이 되었다. 본채와 곁채를 포함해 십여 채로 이루어진 곳으로 예전은 선비들로 북적이던 곳이었다. 그래서 어린 시절 순애는 그곳으로 다리가 아픈 줄도 모르고 소풍을 갔었다.

하지만 같은 소풍을 갔었어도 명자에게는 기억에 거의 없다는 것이었다. 그녀는 고서의 곰팡이 냄새보다 기술로 도시를 그리워한 탓이었다. 그래서 종래를 그녀는 기억하지 못했고 순애는 그를 기억하는 차이였다.

5,탄동

하지만 탄동은 순애에게는 꿈의 동산이었다. 소풍을 가는 날이면 기대는 맹꽁이의 배처럼 부풀었다. 그런 기분을 안다는 듯 보물은 손길을 기다렸고 종래의 부러움을 받기까지 했다. 그런 기억은 대학의 시절까지도 이어지며 돈독한 관계를 유지했다. 그런데 그가 서울로 대학을 옮기면서 차츰 틈이 벌어지기 시작했다.

그것을 명자도 모르지 않았고 탄동은 좋은 기억보다는 지세가 좋다는 말로 둘렀다. 그러며 누구에게 들었는지 모르지만 그는 순애의 인연이 아니라는 것이었다. 그러나 그런 말이 순애의 귀에 들어올 리 없었다. 그것은 명자가 혹시 시샘을 하는 말일지 모른다는 생각도 들었다.

하지만 순애는 세월을 흘리면서 그 말을 까맣게 잊어버렸다. 그런데 늦었지만 명자가 탄동에 관심을 가지는 것만으로 고마웠다. 그녀의 황량한 가슴에 산해의 푸른 소나무의 정기를 전하는 말이었다.

그런 정기가 없다면 그곳을 종래가 다시 올 까닭이 없을 일이었다. 그에게 거처할 곳의 편안은 관심이 아니었다. 명자의 짐작처럼 탄동은 황무지와 다르지 않았다.

그런데 종래는 텃밭을 경작하며 건너편의 외딴 집을 수리해 임시 거처를 마련했다. 텃밭과 아래채를 수리를 할 동안이란 단서도 달았다. 하긴 귀향이 눈총을 받는 때이니 고생까지 그를 처량하게 만들 일이었다. 그가 다방에서 부린 허세는 그런 반발이었다.

"산다는 게 황이란 생각이 들지 않아?"

"황이라니. 그럴 수 없다는 걸 보았잖아."

순애는 명자의 질문에 확신할 처지는 아니었다. 다만 한 때 문학을 사랑하고 운동을 한 자존이었다. 그러나 요즘은 삭막한 현실로 그런 것도 잊은 지 오래였다. 그래서 명자의 절망을 위로하려는 의도를 드러내지 않을 수 없었다.

“그래서 하루가 멀다고 가게를 비웠던 거야? 밤이슬을 맞으면서까지.”

학창시절의 의협적인 종래의 모습이 떠올랐다. 머리에 붉은 띠를 두르고 구호를 외치는 그는 전사였다. 그를 따르는 후배들의 구호는 대지를 울렸고 대열은 용처럼 꿈틀대었다. 누가 막아선다고 그칠 수 없고 이를 막으면 허공을 날아 승천할 태세였다.

‘군인들이 몰려온다!’

‘어서 피해라! 몽둥이만 피하면 또 뭉칠 수 있고, 태산도 넘을 수 있다. 후퇴와 전진은 물결처럼 오가는 법. 끝을 우리가 밝힐 것이다!’

앞에선 종래의 외침은 결연했고, 후위는 정어리의 떼처럼 흩어졌다. 그러다가 이내 하나로 합쳐지며 뱀처럼 움직였고 이리 저리 쫓기기를 거듭했다. 숨을 죽이고 바라보는 순애도 구호를 작은 소리로 따라 외쳤다.

‘독재타도!’

그것은 순애가 대학에서 마지막으로 배운 덕목이었다. 집안의 형편이 급전직하만 하지 않았어도 대학은 끝을 보았을 것이었다. 그러나 한 번 기운 형세는 대학을 그만두지 않을 수 없게 만들었다.

그런 파국은 종래도 사정이 다르지 않았다. 몽둥이를 든 경찰들은 그물의 고기로 신세를 정했다. 그 대열에 많은 후배들도 굴비처럼 같이 엮이었다. 그런 대열에서 미꾸라지처럼 용케 도망치는 한 사내도 있었다.
몸은 약간 허약해 보였지만 키는 컸고 얼굴은 달빛처럼 밝았다. 초면이었지만 강력한 흡인력을 바탕으로 종래보다 가슴을 떨게 만들었다. 그는 높은 담장을 뛰어넘어 자취를 그림자 속으로 숨겨버렸다.
순애는 고개를 돌려 치열한 투쟁의 현장을 바라보았다. 그러나 종래의 뒷모습을 쫓던 눈길은 이내 최루탄의 가스에 잠겨버렸고 재빨리 창문을 닫을 수밖에 없었다. 그녀는 책상에 앉아 눈을 비비며 마음을 정리하려고 따가운 눈을 감았다.
짙은 어둠이 한동안 이어졌는데 이상한 느낌에 몸이 부르르 떨렸다. 그녀가 앉은 책상 밑으로 검은 그림자가 문어처럼 기어들어와 필사적으로 숨는 것이 아닌가? 그녀는 앉은 자리에서 순간 당황하지 않을 수 없었지만 거부할 수 없는 상황이 정의감을 불렀다.
그러며 불안으로 감았던 실눈을 뜨며 반사적으로 출구를 보았다. 입구에는 무장을 한 경찰들이 철모를 쓰고 로마군처럼 몽둥이를 들고 노리고 있었다. 그녀는 몽둥이를 든 경찰을 보자 침입자를 보호하지 않을 수 없었다.
그녀는 치마 속의 다리를 자신도 모르게 넓게 벌렸다. 그러자 문어는 안도의 숨을 내쉬고 소리 없이 그늘의 어둠속에 자세를 웅크리었다. 그녀는 태연하게 책을 펼쳤다.
실내의 동태를 한순간 둘러 본 경찰들은 불만을 가진 눈길로 순애가 앉은 쪽도 노려보았다. 그녀는 굳은 입가에 입술을 지그시 물었고 고개를 숙여 흐르는 눈물로 책을 바라보자 경찰들의 관심은 다른 곳을 찾아 떠났다.
한동안 문어는 어둠의 치마 속에서 나오지 않았다. 오히려 당황한 그녀를 고통스럽게 만든 것은 흐르는 시간이었고 암탉처럼 알을 낳는 고통을 감내하지 않을 수 없었다.
상황이 일단락되자 문어는 고개를 내밀며 그녀에게 허리를 굽혀 감사를 표했다. 그런데 고개를 드는 사내를 보고 그녀는 자신의 마음을 쿵쾅거리게 만들었던 순간을 잊을 수 없었다. 그는 종래의 후배로 유학이라 소개를 했는데 만남은 운명과 다르지 않았다.
'생명을 다시 주었으니 그것은 이제 내 것이 아니지요.'
'애를 낳는 고통을 알아요?'
'새 생명이 탄생한다는 말을 이제야 알 것 같아요.'
'그런 말을 들으니 천박한 여자로 살아왔던 과거도 자랑스럽지 않을 수 없군요.'
사내는 순애의 말에 감격했고 고개를 들어 시선을 피하는 그녀를 노려보았다. 하지만 그녀는 그의 행동을 그대로 받아들일 수 없었다. 그간 자신을 그토록 괴롭혔던 결핍이 일순간 사라지는 것을 두려워했다. 그러나 다음 순간 그것은 오뉴월의 서리처럼 가슴에 자리한 아픔은 한 낱 환상이라는 것을 드러냈다.
그렇게 시작한 유학의 만남은 도끼자루 썩는 줄 몰랐다. 그는 그녀의 전부였고 그녀 또한 유학에게 영원한 비너스로 존재했다. 세상에 변하지 않는 것은 없다고 하지만 사랑은 그렇지 않은 것이었다.
그런데 영원히 자리를 지키겠다고 맹세했던 그가 얼마 지나지 않아 절망적인 얼굴로 나타났다. 인생이란 것이 허무이고 그것이 곧 사랑이었다는 말이었다. 강둑에서 만나자는 연락에 황급한 마음으로 나가지 않을 수 없었다.
순애는 제대로 얼굴도 거울로 비추지 못한 모습으로 사색이 된 유학의 얼굴을 대했다. 유학은 아무런 말도 하지 않은 채 손을 잡더니 무작정 흐느끼기 시작했다. 그의 비분은 손등을 적시었고 급기야는 대지에 이슬로 떨어졌다.

한동안 울먹이다가 울음을 잠시 멈춘 유학은 그녀의 양 손을 꼭 쥐었다. 그러며 이제부터 하는 말은 피를 토하는 진실이라며 하늘을 두고 맹세를 한다고까지 했다. 그러며 어떤 절망적인 말을 한다고 하더라도 실망하지 말라고 부탁했다.

순애는 자신도 모르게 어금니를 물었고 그것을 확인한 유학은 입술을 벌리고 누에가 실을 토하듯 하는 말에 그녀는 고치 속의 누에가 되고 말았다.

'이별은 오래가지 않을 테니까.'

'그럼. 새도 이곳을 떠나지만 이듬해는 돌아오잖아?'

'당분간은 그럴 수 없으니 문제이지. 강산이 변해도 참고 기다린다고 약속하겠어?'

그러며 하는 말이 자신은 이곳을 떠나고 싶지 않은데 시국의 상황이 그렇게 만들었다는 것이었다. 사정을 알아차린 그의 부모는 넓은 곳에서 공부도 할 겸 이곳을 당분간 피하는 것이 좋겠다고 말한 것이었다. 그녀의 은혜를 차마 잊을 수 없는 유학은 고민에 빠졌고 외국을 가지 않을 수도 없는 처지이니 십년 세월을 작정하자는 말이었다.

순애는 유학의 사정을 이해할 것 같았다. 혼란한 교내에서 데모를 하다가 감옥에 갇힌 종래를 잊을 수 없었다. 종래의 걱정도 없지는 않았지만 유학의 고통이 더 아프고 비관적이지 않을 수 없었다.

이제 자신이 물러서든지 아니면 그를 보내야할지 마음의 갈등을 느끼지 않을 수 없었다. 비록 자신의 결심은 나약하지만 사랑을 포기할 수 없다는 생각이 깊었다. 다만 그가 이곳을 떠난다면 자신을 잊을 것이 문제였다. 사람은 눈에서 멀어지면 정도 멀어지는 법이라 하지 않던가?
유학은 그녀의 우려에 그런 일은 절대 있을 수 없다고 맹세까지 하는 것이었다. 그러며 지금의 목숨은 예전의 것이 아니라고까지 했다. 그의 말에 순애는 자신의 다리사이를 나온 고통을 기억에서 영원히 지울 수 없었다.
이곳을 잊고 또 이국에 현혹되어 돌아오지 않는다 해도 생명과 비교를 할 수 없는 일이었다. 그렇다면 그가 돌아오지 않는다는 상황을 인정할 수도 없었다. 강을 다시 찾아오는 철새를 보아도 그랬다. 하물며 새로 산 그가 잊지 않겠다는 맹세를 믿지 않는다는 것은 한 생명을 낳은 어미로서는 가질 마음이 아니었다.
순애의 마음은 순간 고드름처럼 맑았고 냉정해졌다. 고목의 빈 가지는 곧 새잎이 돋아나는 것은 거역할 수 없는 일이었다. 그녀는 자신의 이 선택이 그르지 않다는 확신까지 들었다.
'사랑은 천명이라지?'
'아직 날 의심하는 거야?'
'그게 아니라, 네 대답을 다시 한 번 더 듣고 싶었을 뿐이야.'
그의 결심을 의심하는 것은 어리석음이었다. 의심을 하는 것도 실은 두려움이 있기 때문이었다. 갈등은 바람에 사라지고 확신에 찬 믿음이 열병처럼 전신으로 뻗쳤다. 순간 그렇게 열병에 떨게 했는지는 모르지만 두 사람의 하나 됨은 선택이 아니었다.
이제는 그가 다리 사이에 들어오는 고통도 나가는 자유도 아쉽지 않았다. 하늘이 검어지며 두려움이 덮치는 고통도 있지 않았다. 고통의 실체도 일고 보면 사랑일 수밖에 없다는 것을 알았다.
쓰러진 갈대의 위에 몸을 눕히자 하늘의 푸른빛이 맑아 눈을 감지 않을 수 없었다. 눈을 감은 곳에 어둠이 내렸다. 그런데 그 어둠은 끝이 아니었다. 현현한 곳에서 밝은 빛이 하나 생기더니 날아왔다. 자세히 바라보니 다가올수록 몸통이 커지며 가까이 왔을 때는 크기를 잴 수 없을 정도였다.

대붕은 하늘에서 강가로 내려오더니 그녀의 곁에서 날개를 접었다. 그녀는 자신도 모르게 새의 등에 엎드렸고 새는 그것을 신호로 허공을 향해 힘찬 날갯짓을 한 번 쳤다. 그러자 어둠이 끝이 없는 곳으로 날아올랐는데 그곳이 어디인지는 알 수 없었다.

계절이 바뀔 때, 유학은 철새처럼 바다를 건너 날아갔다. 얼굴을 보지 않으면 한시도 견디지 못할 것 같았지만 현실은 냉정하기 그지없었다. 몸이 멀어지면 마음도 멀어지는 것인지 우려는 기다림으로 바뀌었다.

철새처럼 돌아오리라는 기다림은 사탕처럼 달지 않을 수 없었다. 간간이 꿈속에서 나타난 유학은 이별을 허락한 그녀에게 고맙다고까지 했다. 하루가 지나는 마음이 나이테처럼 늘고 재회의 기쁨은 먼지처럼 켜켜이 쌓여만 갔다. 그러나 강물처럼 흐르는 시간은 검은 색을 띠며 고민까지 불러들였다.

고민이란 질병과 같아서 쉬 치료하지 않으면 뿌리를 내리는 법이었다. 그런 와중에 설상가상의 걱정까지 생겼다. 아닌 밤중에 홍두깨처럼 입맛이 살구를 찾는 입이었고 놀라지 않을 수 없었다. 눈치 빠른 경주댁이 이를 놓칠 리 없었고 일제 순사처럼 닦달을 당한 그녀는 사실을 실토하지 않을 수 없었다.

경주댁도 처음은 불쾌한 얼굴이었지만 그 사실을 더는 책망하지 않았다. 경주댁의 경륜은 그냥 쌓인 것이 아니었다. 흥분을 진정하며 내일을 고민하자는 쪽으로 정리가 되었다.

그러나 하루가 다르게 변하는 몸을 건달인 순명의 눈길을 피한다는 것은 애당초 불가한 일이었다. 그는 대학을 가서 공부를 하라했더니 연애만 배웠다고 실망의 분노를 소낙비처럼 쏟았다.

침묵을 하는 막장의 눈길을 피하며 하루를 견딘다는 것은 어둠의 터널을 지나는 것보다 두렵지 않을 수 없었다. 극단적인 결행을 하지 않고는 견딜 수 없을 때 순명이 던진 말은 거의 폭탄에 가까웠다.

'어느 놈의 씨앗이지?'

'이제와 그것을 따져 뭣 하자는 거냐? 목소리를 제발 낮추어라. 누가 들어 좋을 것 뭐 있겠냐. 결과만 따지지 말고 내일을 생각해 보자구나. 그리고 이것도 일이야 어떻든지 간에 신의 축복이 아니겠어? 누구는 처녀수태라고 신성시하며 떠받치잖아. 다만 대학을 더는 다닐 수 없으니 그것이 안타까울 뿐이지.'

경주댁의 변명은 울이 되어 주었다. 하지만 순명의 공격은 멈추지 않았다.

'그런 말이 가당키나 해요? 그러니 그 놈처럼 불륜을 저지르고 죄악을 덮으려고 도망치지 않았냐고요. 종기는 더 커지기 전에 뿌리를 뽑아내야 하잖아요.'

화가 머리끝까지 치민 순명은 순애의 손목을 잡더니 역으로 가자고 내몰았다. 끝까지 경주댁도 만류하지 않았고 그녀는 역으로 앞서지 않을 수 없었다. 걸음은 떨어지지 않았는데 눈물은 발끝을 적셨다.

순명은 혼자 보낼 수 없었던지 멈춰선 열차에 먼저 올랐다. 차창으로 지나가는 강물이 그녀의 눈물만 같아 보였다. 한편으로 생각해보면 이런 일은 한번은 겪지 않을 수 없다고 생각했다. 비분이 진정되며 곁을 지키는 순명에게 한없이 미안할 뿐이었다.

열차는 네댓 시간을 달렸고 그들은 경성의 역에 말없이 내렸다. 유학이 남긴 말을 기억하여 집을 어렵게 찾아내었다. 도시의 집이라 그런지 경순의 집도 비교를 불허했다. 집 주변을 두른 담은 차라리 금성철벽이라 해야 맞았고 건물의 창은 푸른 유리로 보석처럼 빛났다.

그녀는 유학의 집 앞에 서는 것만으로도 서리 맞은 배춧잎이지 않을 수 없었다. 하지만 순명은 씩씩거리며 대문의 벨을 눌렀고 낯선 중년의 여자가 고개를 내밀었다.

집주인을 찾는다고 하자 그녀는 고개를 갸웃거리더니 다시 안으로 들어갔다. 잠시 후 다시 나오더니 그들을 젊은 여자의 앞으로 데리고 갔다.

주인 여자는 사십도 되지 않은 얼굴인데 몸매는 제비처럼 날렵했다. 그러나 그녀의 말은 얼음장처럼 차고 투명했다. 주인여자에게 밀레의 만종처럼 고개를 숙인 순애는 처음부터 죄인이지 않을 수 없었다. 다만 곁의 순명이 낯설고 삭막하다는 느낌을 혀끝으로 털었다. 그러나 그도 기가 꺾인 것은 분명했다.

'떼쓰는 꼴이 너무 진부하지 않아?'

'그럼 이 배는 어쩌란 말이요.'

목까지 치밀어 오른 울음을 겨우 참고 있는 그녀를 대신해 순명이 저항을 마다하지 않았다. 그러나 아래를 서서 내려다보는 여자의 눈길은 화살촉처럼 예리했고 결정은 판결문처럼 간명했다. 토로한 말 속에는 어디에 발라 놓아도 정이라곤 눈곱만큼도 없었다.

'내 아들이 애비라는 증거가 있나?'

순명도 여기까지 찾아온 것은 이렇게 당하고만 있을 수 없다는 듯 그녀를 노려보았다. 시골에서 그래도 껄렁거리고 골목을 주름잡았던 그였다. 여자의 힐난에 모래 탑처럼 무너질 수 없다는 듯 깡으로 맞섰으나 그것은 새발의 피였다. 큰소리가 허공을 가르자 나이가 지긋한 사내가 고개를 내밀었다. 유학의 삼십 년 후의 얼굴이라 하더라도 그르지 않았다.

'사내의 실수란 병가의 상사이지. 그런 것으로 미래까지 그르칠 문제는 아니잖아?'
'그럼 우리 누이는 어쩌란 말이지요?'
'천박한 욕심이 불러온 결과이니 감내할 수밖에. 그래서 자고로 여자는 정절을 소중히 여기라고 하잖아? 하지만 집안의 체면도 있고 자식의 미래도 걸려있으니 조용히 그림자처럼 해결하고 물러나야 하지 않겠어?'
'그럼 뱃속의 애는 어쩌라는 거지요?'
'외국에 자선이나 하는 셈 쳐야지. 촌놈처럼 떼쓰는 버릇은 이제 집어치우고 조용히 사라지는 게 피차 상생하는 일이지. 서푼의 가치도 없는 계집과 어울렸다는 것만도 오히려 우리 집안의 치욕이란 것을 알아야지.'
말을 더 교환할 수 있는 사람이 아니라는 듯 순애는 순명의 손목을 잡았다. 순명도 더는 대화를 한다는 것이 부질없는 일이란 얼굴이었다. 축복은커녕 어처구니없는 모욕으로 치부하는 처사에 분노를 하지 않을 수 없었다.
그날 이후 하루를 견딘다는 것은 차라리 지옥의 생활보다 낫지 않았다. 그날의 충격을 견디지 못해 극한 생각을 하는 순간 경주댁이 참견하듯 끼어들었다. 그것은 누구도 선택할 수 없다는 말에 고통은 극점을 찍었다.
'네가 관여할 생명이 아니다.'
'그럼 나는 뭐지요? 이후의 천한 삶을 어떻게 견디라는 말이지요?'
'그럼, 어머니란 말이 아무런 대가도 없이 주어지는 말인 줄 알았어? 그것을 네가 설마 포기할 생각은 아니겠지?'
순애의 생각은 갈대처럼 한동안 흔들렸고 그 말이 옳다고 결정했다. 이제 어쩔 수 없었던 나날은 견딜 수 있다는 희망으로 바뀌었다. 사면초가로 밀어닥치는 고통을 걱정하는 것은 우물 안 개구리의 노래일 뿐이었다.

하지만 갈대의 흔들림은 미풍에도 흔들리는 법이었다. 용기를 내어 고통을 누르고 눌렀어도 조그만 충격에도 마음은 사흘을 견디기가 힘들었다. 편안한 안식의 생활을 꿈속에서라도 기대하지 않을 수 없었다. 하지만 그러한 안식은 아무리 기다려도 오지 않았다.

한 번 기운 집안의 어두운 분위기는 먹물처럼 가족을 덮쳤다. 핏기를 잃은 얼굴에 그녀의 더부살이 사정을 늘 조마조마하였고 그런 고통은 다른 진통까지 불렀다.

하지만 고통이라고 다 같은 것은 아니었다. 혁의 탄생으로 그간의 고통은 환희로 바뀌었다. 그러나 화무십일홍이란 말처럼 그것은 다시 시샘을 탔는지 얼마가지 않아 하루살이를 끝내야했다. 경주댁의 고난과 다르지 않았다. 다만 그 모습에 이길 용기를 얻을 수 있었고 그것은 희망의 꿈이란 사실이었다.

다만 아직도 변하지 않은 것은 집안의 어둠이었다. 그녀는 더 나은 조건을 생각하지 않을 수 없었다. 혁의 교육을 위해서라면 반드시 바꾸지 않으면 안 된다고 생각했다. 더는 남의 집 품이나 팔고 시간제의 일로서는 한계를 넘을 수 없었다. 그렇게 견딘 세월이 어느덧 칠 년을 흘려보냈다.

이튿날 아침 혁의 등교를 준비하며 어깨에 무거운 가방을 메어주는데 안방에서 뜻하지 않은 고함이 또 터졌다. 집안의 일에 매사 불만이 많았던 순명의 볼멘 목소리였다. 불만은 종기처럼 짜내지 않고는 낫지 않는 법이었다. 방에 누워있는 막장을 상대로 날린 목소리 같았으나 도둑이 제 발 절이 듯 순애의 심장은 더 오그

라들었다.
"내가 차라리 집을 나가지요."
"좁아도 이슬 맞고 사는 것은 아니잖아?"
"매사 그렇게 생각하니 집안이 흥부네 자식처럼 되었지요. 다 장성한 자식이 아버지와 함께 방을 쓴지가 십 년을 지냈다면 지나가는 개도 웃지 않겠어요?"
"살 냄새도 맡고 얼굴도 보니 난 좋던 걸?"
목소리가 작은 김씨의 대답을 더는 들을 수 없다는 듯 경주댁이 문을 열더니 노려보았다. 아버지한테 그런 법이 어디에 있냐는 불만이었다. 하지만 이에 순명은 더 이상 참고 견딜 수 없다는 불만을 접지 않았다. 그는 작심한 듯 방의 벽에 걸린 가방을 내리더니 그 안에다 화장품과 모자를 쑤셔 넣었다. 그래도 분이 가시지 않은 듯 옷까지 넣었다. 그런 뒤 임산부의 배처럼 부른 가방을 어깨에 메었다.
그런 경황을 경주댁도 더는 방관할 수 없다는 듯 방으로 들어가 어깨에 멘 가방을 잡고 실랑이를 벌렸다. 그러나 김씨는 물끄러미 바라볼 뿐이었다.
순애는 이 모든 것이 자신의 탓으로 돌리지 않을 수 없었다. 더욱이 그런 모습을 혁의 눈앞에서 벌렸다는 것이 더 견딜 수 없었다. 분명 그 짓은 자신의 결심을 바라는 짓이란 것을 직감하지 않을 수 없었다.
"이제 이런 짓을 보이지 않아도 결심을 하는 중이었다. 아침부터 이런 소동을 벌리지 않아도 그 마음을 모르고 있지 않거든. 나도 가시방석이었으니까."
"흥, 도둑이 제 발 저린 것은 아니고?"
"도둑이라고?"

"출가를 했다면 이렇게 빌붙지는 않았잖아."
순명의 말이 혁을 내모는 것 같았다. 그녀는 절벽으로 등 떼밀리는 절망감을 다시 맛보았다. 그런 말을 들어서 그런 것은 아니었지만 지금은 달랐다. 평소에 이웃이나 지인의 눈길도 다시 떠올랐다. 그런 와중에 순명의 말은 서글프고 벼랑으로 내밀리지 않을 수 없었다.
장사를 시작하면 그러잖아도 먼저 집을 나가려고 생각 중이었다. 그런데 뒤통수를 맞고서야 내밀린다는 것이 더 비참함을 안겼다. 눈물이 솟는 걸 참으며 혁의 손을 잡고 문밖으로 나왔다. 혁은 문밖에서도 선뜻 학교로 향하지 못하고 뒤를 돌아보았다.
그녀는 눈물 젖은 눈을 손으로 가리며 혁에게 손을 흔들었다. 아직도 화를 참지 못한 순명의 얼굴이 떠올랐지만 경주댁의 심정을 헤아리지 않을 수 없었다. 혁의 뒷모습을 보고 순애는 결심을 서둘지 않을 수 없었다.
'미안해, 이런 꼴을 보이지 않았어야했는데.'
그 소리를 들었던지 멀어진 혁이 그녀를 다시 돌아보았다. 혁이 그녀를 믿고 기대는 것은 경주댁을 바라보는 것과 다르지 않았다. 하지만 혁에게 향한 사랑은 경주댁의 사랑이 비할 바가 아니었다. 더는 그녀의 추한 모습을 혁에게 보이지 않기 위해서라도 낙지의 만남을 피할 수 없었다. 더는 패장의 실의를 혁에게 보일 수 없었다.
서둘러 마음을 다지는 그녀에게 경주댁이 웃으며 얼굴을 들이밀었다. 그녀의 아픔을 헤아린 탓이었다.
"늘 하던 버릇이잖아?"
아직도 제대로 분노를 삭이지 못한 순명을 따돌리고 나온 경주댁의 간섭이었다. 영롱한 눈망울에 기가 꺾일 리 없는 경주댁도 씩

씩거리기는 마찬가지였다. 장성한 자식은 이제 그녀의 힘으로도 감당하지 못하겠다는 표정이었다.

"다른 방법이 있지 않겠능교?"

결심을 드러내지 않았지만 경주댁은 허락할 리 없었다. 경주댁은 잠시 생각을 하더니 순애의 손을 잡았다. 이 분란은 사랑의 표현이고 자존심이 발동한 모양이란 것이었다. 하지만 그것은 위로는 되겠지만 가시방석을 면할 수는 없는 일이었다. 그리고 그것은 미혼모라는 꼬리표와 숨소리를 내지 말고 죽어지내라는 말인 것을 모르지 않았다.

제2편 보물찾기

6,보증

그간 경주댁의 엄호로 그 사실을 묵묵히 방관한 것이었다. 사실 말이지 경주댁의 반대만 없었어도 이렇게 노예 같은 삶을 살지 않았을지도 몰랐다. 혁의 손을 놓으면서도 머릿속은 결심을 놓지 않았다.

다만 마음에 걸리는 것은 경주댁의 존재를 지키는 일이었다. 그녀의 처지가 혁의 처지와 다르지 않다는 것을 고려하지 않을 수 없었다. 그것은 경주댁이나 김씨가 가진 사랑하는 마음이었다.

혁을 학교에 보낸 후, 화장을 마치자 가방을 열고 낙지의 명함을 찾았다. 명함은 증명서처럼 구석에 고이 간직한 모습이었다. 손거울과 화장품보다 더 귀한 것이었다. 그녀는 지폐를 헤아려보았다. 벌기는 땀방울처럼 힘들었지만 소비는 거품보다 힘이 없는 것이 그것이었다. 그것이 자신에게 이런 시련을 안기는 것만 같았다. 하지만 그것은 그녀의 손안에 쥐여져 있었다. 명자의 탄식도 이것으로 인한 것을 생각하니 순애의 미소도 따라 밝아졌다.

하긴 그것이 아무리 귀하다고 해도 진주만은 못했다. 어제의 진주를 찾는 놀음으로 확실히 그것을 알려준 것 같았다. 그래서 낙지의 진의를 이제야 이해할 것 같았다.

그는 인생을 공수래공수거란 말을 했고 이제야 그 말이 가슴에 와 닿았다. 이제는 조그만 비난은 진주에게 티일 뿐이었다. 그것이 짐을 벗어나게 할 수 있고 가게를 열 수 있는 방법이라면 주저할 까닭도 없었다.

물론 경주댁이나 김씨가 이해하기 힘든 것이 사실이지만 그것은 그녀만의 고집은 아니었다. 고래로부터 그것은 그늘의 힘이며 왕이고 지배력이었다. 다만 그것을 알지 못하는 개구리들이 불러대는 노래가 귀를 어지럽힐 뿐이었다.

그리고 비록 머리위에 햇살이 조금은 따가울 지라도 이제는 두려울 까닭도 없었다. 더는 경주댁의 그늘에서 살 수 없는 까닭이었다. 그래도 당분간은 그녀에게 함구하지 않을 수 없었다. 일을 성사한 다음 진실을 토로하려는 생각은 그 짓이 더는 천하지 않은 까닭이라는 것을 보이고 싶었다.

며칠을 두고 방구들을 지고 고민을 해봐도 결과는 하나이었다. 낙지의 웃는 얼굴이 떠오르며 진주를 들어 보이지 않는가? 그녀는 지금까지 빈 컵만 노려보았고 그 속에 진주를 생각한 것이었다.

밤이 오고 새기 전에 일을 매듭지으려는 생각은 그녀의 얼굴을 여러 번 뜯어고치게 만들었다. 아직은 젊음과 미모가 있다는 것이 그녀에게 그나마 다행이었다. 이제는 누구도 그녀의 얼굴을 알지 못할 정도였다. 그녀는 섶을 지고 불길로 뛰어드는 나방의 심정으로 집을 나설 판이었다.

멀리 창밖에 어둠이 내리는 순간까지 기다림은 지난 십년에 비견되는 것 같았다. 강의 수면도 어둠 속에는 길처럼 보일 뿐이었다. 거센 바람에 어둠이 밀려와 물과 길을 하나로 만들었다. 오늘의 만남은 지난날의 탐색전이 아니라 건곤일척의 승부를 내어야한다고 이를 물었다.

순애는 가방을 메고 어두운 굴을 들어가는 심정으로 주변을 둘러보았다. 희미한 시선에 종래의 얼굴이 스쳤으나 이내 지워져버렸다. 그는 더 이상 이의 일에 관여를 하지 않을 것 같았다. 외길의 곤고함이 그렇게 만든 것 같았다.

그녀는 그 외길을 이제는 고집하지 않을 생각이었다. 그래서 연락을 하라던 낙지에게 전화까지 걸었다. 처음은 기억을 하지 못하더니 이내 반가움을 깃발처럼 펄럭였다. 그는 늦은 시간일수록 좋다며 유명한 양식집호실을 지정까지 해 주었다. 그녀도 그 집을 알고 있었는데 맛은 주변에서 제일이라고 소문이 돌았다.

양식집의 위치는 열차가 서는 역의 주변이었는데 호텔이 모인 홍등가와도 멀지 않은 곳이었다. 평소 대중교통을 이용하는 그녀로서는 그곳의 지리는 손금처럼 알고 있었다. 다만 과거의 기억이 그림자처럼 남았으나 덧칠한다는 것으로 위안을 삼았다.

가로등 빛이 그녀의 모습을 드러낼 때 남색치마와 분홍 재킷으로 단장한 그녀는 양식집의 앞에 서 있었다. 이른 시간도 아닌데 주변의 가게는 불황으로 문을 내렸건만 술집과 음식점은 달랐다. 감미로운 음악에 번쩍이는 네온은 시간을 잊게 만들었다.

시내에 나오면 늘 느꼈던 것이지만 시골과 차이는 한눈에 보아도 차이가 많다는 사실이었다. 이곳은 사람이 사는 곳으로 새들은 살 수 없었다. 이런 곳에서 장사를 한다면 처지의 전환은 시간이 문제일 뿐이었다.

하지만 현실의 조건은 그녀에게 일장춘몽이지 않을 수 없었다. 그녀가 감내할 수 있는 조건은 하나도 없었다. 가난의 굴레가 거북이의 등처럼 견고했고 사정도 변화무쌍해 녹록하지 않았다.

그런데도 낙지는 이런 도시에 두 군데나 가게를 가졌다는 것이었다. 네거리의 건물도 있었고 역전의 빌딩에도 있다는 것이었다. 거기에 또 나은 자리를 물색한다는 말도 흘렸다.

가로등 사이로 보이는 시골의 검은 산은 빌딩보다 높았지만 모습은 세월이 흘러도 변한 것이 없었다. 가게마다 번쩍이는 조명이 산 위의 별빛보다 찬란한 것도 달랐다. 어두운 산의 샛별도 꼬마전구보다 어두웠다.

어려서부터 그녀는 별자리를 찾는 걸 좋아했다. 봄 궁수, 여름엔 삼태, 가을은 전갈을 그리고 겨울은 백조를 찾아 손가락으로 이었었다. 그러면 순명은 다가와 그것을 어떻게 알았냐고 물었다. 그녀는 경주댁에게서 들었다며 꽃을 뿌린 듯 별들을 가슴에 안곤 했었다.

그래서 순명의 분란도 참아낼 수 있었다. 비록 사소한 충돌은 있었지만 그것은 언젠가는 도려내야할 종기였을 뿐이었다. 이내 그 마음도 사라졌지만 고달픈 현실은 별처럼 오늘도 존재할 뿐이었다.

그녀가 막 입구에 들어서자 낙지는 이미 와 기다리고 있었다. 얼굴은 나팔꽃 같은 미소를 지으며 낭랑한 목소리로 재회의 반가움을 토로했다. 그녀도 재회라 어색함은 있지 않았다.

“예상은 하고 있었지만 이렇게 빨리 결심을 할 줄 몰랐어요. 하긴 쇠뿔도 단김에 빼라고 하기는 했지만.”

“그날의 허탕을 생각하니 잠이 오질 않았거든요.”

“옳은 말이지요. 재미로 보인 수단도 아닐 진데. 그것까지 받아들였다니 정말 진주 같은 분인 것은 맞고요.”

“결과가 좋지 않았다는 생각을 잠시 한 것은 사실이지만 그것은 바른 생각이 아니었어요. 나쁜 짓은 좋은 결과를 얻을 수 없듯이 나은 생각은 그런 결과까지도 받아들이는 법이거든요.”

“대단해요. 모두들 의기소침하고 속임수라고 떠드는데 그렇지 않다고 말한다는 것이 그렇고요. 나도 평소 진실과 거짓은 날씨가 흐리고 어두운 정도라고만 생각했었는데 그런 말을 듣고 보니 이제는 어둡고 밝은 것이라고 고쳐야겠어요.”

“호호, 내겐 어려운 말이군요. 하지만 그 말이 가슴에 와 닿는 것 같아요. 그렇다면 이제 우리 두 사람의 생각이 하나를 이루는 것인가요?"

"하하. 그르지 않은 말이지요. 진주와 하나를 이룬다는 생각만도 부활이지 않겠어요?"

"그러니 둘이 곧 하나라고들 말하지 않았능교?"

"그렇게 말할 줄 알았어요. 하지만 아직은 하나이라기보다 기분이거든요."

"아무려면 어떻겠어요. 그런 말만 들어도 기분은 벌써 하늘을 날아가는 것 같아요. 이익만 탐내는 장사꾼이 아니 되겠다는 것만으로도 난 고마운 게지요."

"하하. 아직 장사도 시작하지 않은 사람한테 굴레만 지웠군요. 더군다나 아직 진주의 티도 떼어낸 것도 아니고요. 다만 지난 번 결례를 사과하려고요. 하지만 그 때 천사라는 말은 진실은 아니란 말이거든요."

"맞아요. 사실 난 그런 사람도 아니고 그런 세월도 아니었고요. 그저 장사로 돈 벌려는 의욕만 앞서다보니 변별심이 떨어졌다고나 할까요? 그래서 지적에 나를 돌아보았다고나 할까요?"

"그럼 하나를 이루겠다는 말도 인사치레로 한 말인가요?"

겸연쩍은 질문과 그녀를 쳐다보는 낙지의 눈길은 초승달이지 않을 수 없었다. 내심 그녀는 다른 것도 기대하며 이곳을 찾았지만 막상 그런 말을 듣고 보니 불안하지 않을 수 없었다. 다만 그는 장사꾼이라기보다 예사롭지 않은 사내란 생각도 순간을 갈랐다.

잠시 침묵으로 생각을 정리한 순애는 조심스럽게 그의 얼굴을 살폈다. 하지만 막상 마음을 드러내기에는 주저하지 않을 수 없었다. 그러자 급하다는 듯 낙지가 먼저 결단을 내렸다.

"하나라는 확신이 들었다면 드러내지 않을 수 없으니 가게를 열게 도와드리겠어요."

“정말이에요? 장부라면 일언도 쉽게 던질 상황이 아니지요. 은행도 꺼리고 담보를 요구하는 데 너무 쉽게 언약할 말은 아니잖아요. 그렇게 쉽게 언약을 남발하는 것은 까닭이 없지 않겠지요? 설마하니 그저 던져본 미끼가 아니라면 말이죠.”

“장사꾼에게는 신용이 생명인데 설마하니 미끼로 대어를 낚으려 들겠어요?”

“말만 들어도 체증이 내리는 것 같아 눈물까지 날 지경인 걸요? 그 말을 들으니 진주라 던진 말이 허언만은 아니었던 것 같아요.”

“아직도 의심이 남았어요?”

“아니에요, 아직도 그 말에 실감을 느끼지 못했을 뿐이지요. 그런데 왜 난 그런 마음을 가지지 못할까요? 한 번도 누굴 의심하지 않았는데요.”

“그게 또 다른 당신의 매력이라면 설명이 되겠어요? 그런데?”

“그런데 뭐지요? 티라도 찾았능교?”

“티라니요, 그것은 아무나, 아무나 그것을 가지지 못한다는 겁니다. 오직 그 분만이 가지는 품성이잖아요.”

“그분이라면?”

“네, 모두들 지존이라고 여기는 분이죠. 그런데 당신은 그것을 들먹이지 않아도 감히 범접할 수 없는 그것을 은근히 드러내었거든요. 그러니 과연 하나로 나를 받아들이겠냐는 말이지요.”

“과찬이에요. 천하고 천한 제게 그것과 비교하는 그 사실도 아직 난 이해를 하지 못하지요. 그리고 그 말을 듣지 않아도 조금도 서운하지 않아요. 그렇게 생각한다는 것만으로도 미안하기까지 한 걸요?”

순애의 말에 낙지는 잠시 눈길이 흔들렸다. 생각을 정리하며 다가오는 어둠을 보는 것이었다. 어둠은 어제도 있었고 내일도 덮을 것이었다. 그는 어둠에 질식하며 이제는 사라질 모양이었다.
"아니에요, 그런데 마음은 아직 다 정리되지 않은 감정이 있어서이지요. 그것은 또 어둠을 두려워하기 때문이고요. 그러나 밝음이 있으면 어둠이 있지 않겠어요? 그런데 밝음은 우리에게서 너무 멀지 않아요?"
"그래도 하나이면 가깝잖아요."
"적어도 지금은 그럴 시간이 없는 것 같아요. 말했듯이 밤이 지나면 내일이 쉬 오기 때문이지요. 서둘지 않는다면 진정 하나를 이루는 순간을 잃을 지도 모르고요. 그래서 이 밤이 더 아름다운 것이 아니겠어요?"
"그렇게 생각한다면 지난 잘못도 따지지 않겠군요. 사실 말은 다 하지 못했지만 부끄러웠던 것도 있었지요. 그것을 쉬 고백할 순간도 없었잖아요?"
"이젠 염려하지 않아도 좋아요, 그런 걱정도 필요하지 않고요. 모두 용서하고 사랑하라는 데 그런 티끌도 중요하지 않고요. 그 분이 우리를 용서한 것처럼 우리도 잘못을 용서해야하니까요."
"그렇지만 난 그럴 용기가 없어요. 아니 용서받지 못할 것 같기도 하고요."
"지나간 기억에 노예였군요."
"부인하지 않겠어요. 그래서 망설였던 것도 사실이고요. 하지만 이제는 내가 이러하지 않을 수도 없으니 정말로 운명은 야릇하지 않겠어요?"
"그것은 지나친 자격지심이지요. 너무 겸손한 말만을 듣고 보니 기대는 작아지고 우려만 커가는 것을 고백하지 않을 수 없고요."
"우려요? 그것 때문에 얼마나 고생했는데 아직도 그런 것에 메이겠어요. 그런 절망은 떨어진 별로 잊어야겠군요."

"그럴지도 모르지요. 하지만 갈등은 인간의 운명이잖아요? 그렇지 않다면 성취의 고마움도 모를 것이고요. 또 장사를 배우려는 사람은 은혜를 아는 길도 알아야하는 법이거든요."

순애는 말을 맺었고 그는 고개를 끄덕이었다. 서로의 눈은 달랐지만 가려운 것은 다르지 않다는 것을 알았다. 그래서 낙지도 어느덧 순애의 말에 맞장구를 준비하고 있었다.

"맞아요. 장사꾼이 정의만 생각하는 것은 꾼의 태도가 아니지요. 다만 아직도 진주라고 생각하는 것을 기억하고 싶어요."

"보석이란 장소와 때를 가리지 않고 변하지도 않으니 걱정하지 말아요."

순애의 대답은 구름을 벗어난 햇살의 영롱함과 같았고 사내의 강력한 눈빛은 그녀의 몸을 태울 들불 같았다. 진주라는 말에 위안을 받을 것도 아니었지만 그녀는 자신을 알아보는 사내라는 사실에 마음은 춤을 추었다.

이제 망설임은 시간의 낭비이었다. 하지만 망설이고 떨리는 마음은 여자의 본능이었다. 지난 껍질의 미련도 생각하지 않을 수 없었다. 그때도 확신은 둘이 아니었다. 그래서 지금 하나를 받아들이기에는 망설임이 앞을 가린 것이었다.

잠시 그녀의 갈등을 비웃듯 유학의 얼굴이 지나갔다. 하지만 그것은 이제 낙지의 제의를 거절할 명분이 되지 못했다. 그는 버려진 껍질처럼 그녀를 버린 자였다. 하지만 이번에는 혁의 얼굴이 햇살처럼 떠올랐다. 하지만 이런 일들이 모두 그를 위한 짓이었다. 그러기 위해서는 제 가치를 알아주는 이를 찾아야했다. 그러나 그런 눈을 뜬 자는 모래밭에서 바늘 찾기였다.

그럴 것으로 기대했던 종래도 이제 예전의 모습이 아니었다. 그녀는 사면초가를 당한 심정을 떨칠 수 없었다. 경주댁의 얼굴이 구원을 자청하며 나타났다. 그러나 그녀는 주정뱅이도 해결하지 못한 종이 호랑이였다. 그런 그녀에게 낙지의 부드러운 말은 감로이지 않을 수 없었다.

'무엇을 망설이지요? 버스가 지나가면 손을 들어 흔들어도 소용없잖아요? 천덕꾸러기를 진주로 착각하는 인간이 하나를 원하고 있잖아요.'

그녀는 더는 망설이지 않겠다는 듯 결단을 내렸다.

'하나가 되길 선택했잖아요.'

그녀의 작심을 들은 사내는 비로소 해바라기 미소를 지었다. 그는 자신의 생각이 옳았다는 듯 고개를 끄덕이었고, 그녀는 가게의 확정을 얻어내었다. 그래서 그에게 굴욕을 느낀 것이 아니라 선택의 결과란 생각이었다.

낙지는 순애의 불안한 심정을 달래주려는 듯 술을 권했다. 그는 이미 취한 상태였지만 그녀의 건배를 마다하지 않았다. 순애는 사내의 얼굴을 물끄러미 바라다보았다. 그의 미소는 이미 승리를 확인한 듯 여유를 흘렸다. 이제 경계를 갈랐던 울타리는 무너졌다.

그러자 낙지의 급한 호흡소리는 점점 커져갔고 흔들리는 몸은 안식처를 찾았다. 그는 눈짓으로 위층을 바라보았고 순애도 모르지 않다는 듯 고개를 끄덕였다. 자리에서 일어나 승강구를 향하며 그를 따르는데 아랫배에서 강한 신호가 전해왔다. 과음한 탓인지 생리적인 현상이 발길의 방향을 돌리게 만들었다. 그에게 먼저 가라는 신호를 하고는 구석의 화장실로 향했다. 그때 구석에서 한 사내가 앞을 가로막더니 표독한 말을 내뱉었다.

"아비처럼 황이었어?"

순애는 그 말에 정신이 번쩍 들며 사내의 얼굴을 노려보았다. 거울을 들여다보듯 나타난 얼굴은 뜻밖에 종래였다. 머리는 흐트러졌지만 옷차림은 감색의 개량 한복을 입은 모습이었다. 그 역시 술을 마신 것 같았다.

"이렇다고 무슨 흔적이 남겠어요?"

"그런 단견이니 진정 하나를 모르지."

"내 처지를 알기나 해요? 이러지 않고는 살길이 없단 말이에요."

종래는 울상으로 울부짖는 그녀를 한동안 바라보더니 윗옷의 속주머니에서 작은 봉투를 꺼내었다. 아마 미리 준비하고 있었던 모양이었다. 아무런 말도 더하지 않은 채 그녀의 손에 쥐여 주고는 몸을 돌려 밖으로 나가버렸다.

하지만 그것이 무엇인지 물어보지 않아도 알 것 같았다. 취한 육신이 열병을 만난 듯 떨리며 목에 침까지 말라버렸다. 그것뿐만이 아니었다. 어지러운 머릿속이 쪼개지는 아픔을 주며 무엇이 빠져나가는 기분을 맛보지 않을 수 없었다. 이제 그녀는 위층으로 올라가는 대신 종래의 뒤를 따랐다.

머릿속을 온통 채웠던 안달을 종래의 후원으로 새로운 전기를 맞았다. 서류심사는 높은 지가의 덕으로 일사천리로 이루어졌다. 입금이 끝난 통장을 받아든 그녀는 함박만한 미소를 짓지 않을 수 없었다. 평소 그런 웃음을 짓는 탈을 비웃었는데 그 장본인이 자신이 될 줄 몰랐다.

순애와 계약을 맺는 주인은 잘해보라는 덕담과 격려를 아끼지 않았다. 가게의 위기가 그녀를 만나 부활할 것이라고까지 말했다. 잠시나마 비관적이고 이웃을 불신했던 마음을 바람과 함께 날아갔다.

고진감래라는 말을 듣기는 했지만 이번의 일은 의문까지 잠재웠다. 결코 고난이 없었다면 이런 결말의 기쁨을 알지 못했을 일이었다. 평소 사람을 믿어야한다는 생각은 그른 것이 아니었다.

서둘러 가게의 개업을 준비하는 기쁨을 먼저 경주댁에게 전했다. 경주댁도 손에 흙을 묻히는 일이 아니라며 미소로 화답했다. 그간 자신의 팔자를 생각하면 그나마 자신의 가게에서 장사를 하며 살게 되었다는 사실은 음덕이라고까지 말했다. 그러며 통닭배달을 자신이 도울 수 있으면 말하라고도 말했다.

순애는 웃으며 염려하지 말라고 안심시켰다. 헛간에 세워둔 오토바이를 이용해 배달을 할 요량이었다. 술에 취해 늘 세워둔 김씨의 오토바이를 그녀가 장사에 이용한다면 가치는 바뀌는 법이었다. 그녀는 어려서부터 오토바이를 탈 줄 알았다.

그렇게 상기된 마음은 아무리 진정하려해도 풍선의 바람처럼 그녀를 띠우고 있었다. 생각해보면 이 같은 흥분도 억제할 일만은 아니었다. 판매를 위해 이웃에게 홍보도 하고 장사를 위한 구매를 서두르려면 날지 않을 수 없는 까닭이었다.

기쁜 일은 동네에도 감추는 법이 아니었다. 드러낼수록 커지는 법을 알고 분주를 떨고 싶었다. 새벽에 혼사를 알리는 소리가 기분을 긁었다. 그녀는 밖으로 나와 주변을 살폈다. 그런데 오늘따라 이상하게도 조용했다. 오히려 의아한 표정을 짓자 경주댁이 참견했다. 등잔의 밑이 어둡다는 말에 적잖이 서운하였다. 하긴 일로 지친 사람들에게 새벽은 반가운 시간은 아니었다.

하지만 시장은 다를 것이라는 예감이 들었다. 빛은 멀리서 더욱 아름다운 법이란 것을 별이 알려주었다. 그렇게 미루어 생각해보니 가라앉았던 기분은 다시 끓어오르기 시작했다. 시장의 사람들은 게으르지 않은 탓이었다. 그래서 가게를 가질 수 있었고 그것은 비탈과 안막의 차이였다.

기존의 장사꾼에게 대단한 일은 아닐지라도 촌의 개구리에게는 기적이나 다름없었다. 이처럼 이제 만반의 준비를 맞추었으니 그들과 하나가 되는 것은 예정되어 있는 일로 남았다. 그래서 고목의 밑을 지나면서 그녀는 콧노래까지 흥얼거렸다.

회관에 이르자 아직 조용한 구판장이 이상했다. 농사로 곤궁한 사람들이 그나마 모이는 곳이었다. 그러니 의욕을 부릴 수 없었고 현상의 유지에만 급급했다.

그러나 시장은 그렇게 안일한 곳이 아니었다. 정보는 날고 경쟁은 피를 튀기는 곳이었다. 하우스의 길이처럼 농을 잇고 술이나 권하는 한가함이 아니었다. 감각적인 계산과 투쟁의 미래가 공존하는 곳이었다. 물론 미꾸라지가 우물을 흐리는 일도 있겠지만 그 모습은 어느 곳이나 존재하는 범사였다.

그런 곳에 낙지도 있고 명자도 그녀와 함께 어깨를 나란히 할 것이었다. 물론 시간은 걸리겠지만 반드시 종착점까지 희망을 놓지 않을 요량이었다.

순애는 그런 생각에 젖는 것만으로도 꿈은 아닐까하고 허벅지를 꼬집어보았다. 통증과 멍이 생기는 것으로 봐 거짓은 아니었다. 새삼 확인의 안도와 미래를 상상해보았다. 그녀는 우선 종래의 고마움을 어떤 수단을 다해서라도 보답할 생각이었다. 그가 엉뚱하리라는 생각은 했었지만 도박 같은 일을 펼치리라고는 생각하지 못했다. 그런데 그가 구원의 투수로 등장한 것이었다.

경순도 불신하고 망설였던 그녀를 조상의 토지를 담보로 내놓는 일은 쉬운 결심이 아니었다. 비단 그래서 두둔하는 것은 아니지만 그녀를 향한 믿음은 이번만이 아니었다.

'언행의 일치만이 진정한 하나이잖아.'

이제 그 믿음에 보답하는 길은 목숨을 다하는 순간까지 이으리란 생각이었다. 그것이 종래를 대하는 솔직한 심정이었다.

하지만 지금은 그런 감상에 젖고만 있을 형편이 아니었다. 비록 애 딸린 과부에 백수인 처지였지만 이제는 상전벽해를 이루었다. 그녀의 마음은 종래의 고루함에 매일 수 없었다. 그것은 수레바퀴가 한시도 멈출 수 없는 까닭이었다.

잠시 그 생각은 흥분을 밀었고 또 다른 잡념을 끌어들였다. 망연자실할 낙지의 얼굴이 떠오르며 자신과 대비되는 것 같았다. 닭을 쫒던 개가 지붕을 바라본다고 했던가? 그것은 야바위 짓을 하려다가 역전당한 모습과 다르지 않았다. 하지만 그녀가 진정 바라는 모습은 그것이 아니었다.

낙지에게 드러낸 생각은 본의는 아니었지만 거짓은 아니었다. 그리고 한 약속은 약속이 분명했다. 자신의 그런 어이없는 경솔함을 탓하지 않을 수 없었다. 그래서 그의 야바위 짓에 넘어갔고 그것은 초심의 모습이지 않았다.

낙지는 분명 그녀의 마음을 모르지 않았고 선택이 틀림없으리란 것을 짚었다. 그녀도 분명 그러기를 기대했고 원했었다.

그러나 그는 운이 나쁘게도 구원을 자청한 사람으로부터 손안의 진주를 빼앗긴 탓이었다. 빼앗긴 비분과 허탈함은 가득할 일이었다. 그는 그녀를 진정 진주로까지 인정했었다.

그간 한낱 티끌의 존재로만 알았던 과거의 그녀를 진주로 여겼고 그녀는 놀라기까지 했다. 그래서 처음은 통상적인 입발림 정도로 여겼던 까닭이었다. 그녀와 하나를 이루려는 마음에는 은익할 말도 없었다.

수확의 일보직전에 방해한 종래의 등장만 없었어도 그녀는 그물속의 고기였다. 그래서 진주라는 말에 흥분하며 그의 뜻을 충실히 따르는 종이 되었을지도 몰랐다. 사실 그녀가 진주라는 말은 그로부터 처음 들은 기쁨이었다.

그래서 아직도 그 미련은 그림자처럼 길게 늘어졌다. 그런 내막을 모르는 것은 김씨와 일에 묻힌 경주댁의 주름진 얼굴이었다. 그들의 품에 안긴 혁도 개업을 반기는 표정이었다.

이제는 다른 생각을 접고 가게의 일만을 생각하기로 했다. 개업일에는 이웃과 종래도 초대할 것이었다. 그들의 놀라는 얼굴을 보면서 낙지의 얼굴이 또 떠오를 것 같았다. 그런데 뜻밖에 시장으로 걸어가는 도중에 낙지의 전화가 왔다.

호주머니에서 꺼낸 전화에서 들리는 음성은 자신을 잊지 말라는 부탁이었다. 이웃이라는 말이 겸연쩍은 기분은 불렀지만 그의 말이 그른 것은 아니었다. 장사로 잔뼈가 굵은 인간인지라 매사 연연하지 않았다.

아무래도 처음으로 대하는 장사이고 보니 일에 미숙하고 해결할 일도 많았다. 기술도 그렇거니와 배달까지 그녀의 몫이었다. 그녀로서는 부지깽이도 마다하지 않을 사정이었다. 이럴 때 순명이라도 있었다면 좋았으리라는 미련도 불렀다.

비록 오토바이로 배달을 해야 하지만 좁은 골목길을 자유자재로 다닐 수 있는 것은 그뿐이었다. 그나마 오토바이를 허락받은 사실은 다행이었다. 그녀는 마음이 벌써 오토바이를 타는 듯 날개까지 달았다.

다만 그런 일을 경주댁은 달가워하지 않았다. 김씨가 가끔 무릎과 얼굴에 피를 흘리는 모습을 보였기 때문이었다. 하지만 오토바이는 그녀에게는 천마이지 않을 수 없었다.

꿈이 현실로 바뀐 것처럼 오토바이는 천마의 역할을 훌륭히 수행할 것이었다. 다만 혁을 생각해보면 아직은 천마라기보다는 마귀란 생각도 버릴 수 없었다.

7,개업

가게에 도착하자마자 잠에 취한 셔터의 문을 요란스레 열어젖혔다. 소리의 크기만큼 기대 또한 크지 않을 수 없었다. 문 옆에는 연락을 한 중간상이 놓고 간 상자가 놓여있었다. 겉을 덮은 비닐을 열고 수를 헤아린 후 주방으로 옮겼다. 일을 하는 것은 힘들지만 이제는 예전의 피곤함이 아니었다. 초보의 사정을 헤아린 중간상의 배려도 고마웠다.

대금은 당분간 후불도 마다하지 않겠다며 급하면 배달도 돕겠다는 쪽지도 남겼다. 그런 정까지 도움이고 보니 이웃이라는 말도 시골과 다르지 않았다. 그간 너무 시장이라는 울타리를 치고 그 안을 경계한 편견이 부끄러웠다. 그것은 김씨의 늘어진 모습과 초라한 경주댁의 그림자라는 생각도 들었다.

물론 처음부터 김씨가 그러한 모습은 아니었다. 어려운 살림을 짊어지고 새벽을 가르는 일도 마다하지 않은 적도 있었다. 그래서 어느 정도 가난의 독기를 빼게 만들었다. 조그만 땅도 마련한 것이 그때였다. 그러나 그것은 오래가지 않았다.

어려운 일을 그간 겪다보니 이웃을 대하는 것이 자신과 같은 줄 알았다. 그는 이웃의 어려움을 외면하려하지 않았다. 그러던 어느 날 사달을 내는 일이 터지고 말았다. 얘기를 듣고 보니 의혹이 이는 것이 한두 가지가 아니었다. 하지만 결과는 의혹이지 않다는 사실을 알렸다.

김씨는 그때부터 술에 의지했고 가슴속의 응어리를 지우려했다. 그래서 지난 일을 돌이켜보면 고생만 매달려 눈뜨지 않아도 눈물을 솟아나게 만들었다. 그녀가 가게에 목맨 것도 그런 까닭이었다.

가사의 일은 경주댁의 도움으로 어느 정도 처리될 것 같았다. 집안일을 하지 말라는 것은 일의 분담이었다. 곁에서 묵묵하던 김씨도 나서 혁의 공부를 돕겠다고 했다. 그러나 그에게 혁의 공부를 맡길 순 없었다. 이젠 제일을 스스로 해야 하는 시기를 아는 탓이었다.

이럴 때 순명이 온다면 금상첨화란 생각이었다. 그만 있다면 이렇게 야단법석을 떨지 않아도 될 일이었다. 순애가 만들고 순명이 배달을 하면 끝이었다. 그러나 순명은 아쉽게도 아직 이런 기쁜 소식을 들을 수 없는 미련이 꼬리표를 달았다.

더는 잡념으로 시간을 허비할 수 없었다. 가게의 바닥에 물을 뿌리고 청소를 시작하자 밖으로 사람이 벌써 나타났다. 그들도 아마 가게를 여는 이웃들로 개업을 축하하는 마음일 것이었다. 그러나 가게의 흔적은 아무리 닦아도 광은 쉽게 더하지 않았다.

그래서 더욱 일에 박차를 가했다. 그러자 다가온 이웃은 외면을 섭섭히 여겼고 그녀는 고개를 쳐들었다. 이웃집의 두 여자는 왼쪽은 호프집 여자였고 바른 쪽은 도배장이 뚱보였다. 그런데 뚱보의 눈길이 한층 예사롭지 않았다.

까닭을 알지 못하는 그녀로서는 의아하게 바라보지 않을 수 없었다. 그런데 뚱보의 얼굴에는 심술과 오해가 비난을 터트렸다.

하지만 인사도 없었던 터라 우선 미소를 짓지 않을 수 없었다. 그러나 미소를 대하는 얼굴도 쌩한 표정을 거두지 않았다. 그러다가 급기야는 몸을 들이밀며 일까지 가로막았다.

"새벽부터 소란을 떨 일도 아니랑게?"

뚱보의 뒤로 보이는 가게는 아직도 문을 열지 않고 있었다. 아마도 그 집은 지난밤의 일로 기상이 늦었을 터였다. 호프집의 여자는 뚱보에게 눈짓을 한 번 보냈다. 그러자 도배장이 뚱보가 거북이의 목을 들이밀며 그녀의 머릿결에 코를 갖다 대었다.
머릿결의 향기가 뚱보의 코끝을 찔렀다. 뚱보는 그것도 못마땅했던지 엉덩이를 이리저리 흔들었다. 아마도 큰 절이라도 올리라는 것 같았다.
순애는 인사말을 건네려했으나 목이 가라앉은 탓으로 음성이 쉬터지지 않았다. 오히려 뚱보의 말이 귓가를 먼저 두드렸다.
"천녀가 시장에 나타났으니 시장의 물을 흐리는 것도 시간문제이잖아?"
"천녀가 아니라 촌닭일 뿐이에요."
"의뭉한 년이 촌닭이라고 얼렁뚱땅 시치미를 떼려하지만 내가 속을 것 같아? 네 짓은 이미 백일하에 다 드러난 일. 탈을 쓰고 술이나 구걸하는 백수의 딸이었으니 거짓말을 꽃처럼 위장을 해도 속을 내가 아니제. 그런데도 주절대려 들겠어?"
"뭘 속이겠다고 탈을 쓰겠어요. 그리고 우리 아버지는 그런 분이 아니에요."
"아니긴 뭐가 아니야. 시장까지 소문이 자자한데. 잘못을 진실로 속죄를 하지 않고 어둠으로 빛을 가리려는 위선을 떨잖아? 어림없는 수작이지. 그래서 이제는 진실을 드러내지 않고는 견딜 수 없을 게다."
"도대체 무슨 말을 하는 거요? 이웃으로 이제 신고를 하겠으니 잘 지내야하지 않겠어요?"
"호호, 이 조개 년이 말하는 것 좀 봐. 중대사를 얼렁뚱땅 넘어가려드네. 꼭 부끄러운 증거를 들이밀어야 까발리겠다 이거제? 좋게 말해 고해성사를 하면 용서를 하려고 했더니 꼬리까지 감추려고 해? 우리가 할 일이 없어 새벽부터 없는 소리를 한다고 이러는 줄 알아?"

뚱보의 시비가 약점을 찔렀지만 이웃과 언쟁을 벌릴 생각은 조금도 없었다. 보아하니 시장의 텃세를 인정해달라는 것으로 여기지 않을 수 없었다.

그래서 뚱보의 비위를 거스르지 않고 타협을 하려는 마음으로 손을 내밀지 않을 수 없었다. 그러며 그들의 고언을 겸허히 받아들이겠다는 뜻으로 미소까지 피워 물었다.

"요, 이 능글맞은 년의 꼬락서니를 좀 보라니까. 간밤에 하던 짓꺼리를 다시 꺼내잖아. 이것이 매춘부가 하는 모습인 줄 몰라? 이런 계집이 시장에서 장사를 한다는 것이 뭐를 뜻하겠냐고?"

"그렇지. 우리까지 같은 부류라고 여기지 않겠냐고."

"들었지? 겉만 미소 짓는다고 속까지 그런 것은 아니잖아. 더는 그런 위선을 시장에서는 용납하지 않겠다는 거다. 튀김 닭을 오래 팔아도 이런 가게를 마련하기 쉽지 않거늘 시작도 하지 않았는데 가게를 마련한 것은 그 짓이 아니고는 불가한 일이거든. 그러니 너 같은 년이 시장에 발을 들이밀지 못하게 하는 것이 우리의 뜻이잖아."

투박하고 거친 시골의 장터에 뚱보의 걸쭉한 일갈이 허공을 갈랐다. 듣고만 있자니 귀를 편하게 하는 말이 아니었다.

뚱보가 상상한 사건의 내막은 그녀가 약속했던 일은 사실이었다. 그러나 그것은 이제 산산이 버려진 폐석의 더미이지 않을 수 없었다. 더 참으려는 인내는 사라지고 뒤로 물러설 수 없는 단애라는 것을 알았다. 비린내 나는 시장이라는 말이 떠올랐다. 시장에서 온갖 시비와 이해에 닳아진 그들이었다. 이해와 포용보다 힘과 정복이 효과적인 그들이었다.

하지만 이런 모습이 시장에서만 있는 일은 아니었다. 시골인 괴정에서도 비일비재했다. 지난날 그녀는 구판장의 여자와 언쟁을 벌인 일이 떠올랐다. 표면적으로는 처지를 동정하는 척했지만 속으로는 오징어 다리처럼 씹기를 좋아했다. 미혼모라는 사실은 씹을수록 단맛 나는 엿처럼 빨고 끈적이는 맛까지 있었다. 그런 일을 겪지 않고는 설명하기 쉽지 않은 한계를 그녀는 경험했었다. 겉과 속이 하나같이 살라고 배웠지만 현실은 나누기를 좋아했다. 그들은 하나를 말하면서도 곧잘 등 돌리기를 좋아했다. 생각이 다르다는 것을 인정한다하더라도 그것만은 아닌 것 같았다. 자신이 우월하다는 것을 드러내려하기 때문이었다.

냄새나는 일은 그것만이 아니었다. 사랑을 언약하고 하나를 이룬 유학도 떠나갔으며 돌아온다는 약속도 찢어진 휴지였다. 그의 맹약은 환상의 소리였으며 닿았던 살에는 덕이 아닌 고해가 들어찼다. 그래도 하나이기를 바랐던 그녀는 마술사의 손끝에 속은 눈길로 탄식만 흘러내렸다.

하지만 투박한 사투리의 때를 벗어나지 못한 종래만이 그 기대를 저버리지 않았다. 평소에도 존경하지 않은 것은 아니었지만 그 행위는 감격 그 자체였다. 자신을 모조리 확신에 던진다는 것은 하나를 이루지 않고는 불가한 법이었다. 그런데 그는 그런 말도 하지 않았다. 그래서 더욱 감격하지 않을 수 없었다.

그런 사실을 명자는 어떻게 알았던지 웃으며 잘해보라는 말도 던졌다. 늑대의 속셈은 깊이 숨겨진 것이라며 살피라고까지 했다. 그런 행위는 도박처럼 유치한 모습이 아니니 더욱 조심하지 않으면 안 된다는 말이었다.

그러나 설사 그렇더라도 그를 향한 마음은 이제 섶을 지고 불속이라도 마다하지 않을 터였다. 그런데 그것마저도 거부할 것 같아 그것이 안타까웠다.

종래는 과거에 의도하지 않은 일로 그녀의 곁을 떠났었다. 그런데 그가 돌아왔다는 것은 그녀의 마음과 다르지 않은 것을 의미했다. 그러다가 그녀의 위기를 보고 수를 던진 것이었다.

그런 행위는 낙지와 다르고 시장의 여자들이 이해할 수 없는 순수함이었다. 그런 것을 명자도 오해를 했다는 말을 빠트리지 않았다. 감정으로 생각하는 것처럼 그가 다른 마음이 있었다면 그것은 오히려 그녀에게 덕행이지 않을 수 없었다.

비록 종래가 지금은 파립의 신세이지만 그는 명문의 출신임이 분명했다. 그가 움츠린 개구리일지라도 그녀는 진심을 다하고픈 마음이었다. 하지만 그녀는 그에게 혹이지 않을 수 없었다. 아니 혹에 혹도 딸렸다.

새벽의 혈전은 황소의 싸움처럼 벌어졌다. 성숙한 여자들의 싸움은 지나는 사람들을 관객으로 모았다. 싸움이라면 닭의 싸움도 마다하지 않는 게 인간이었다. 흥미는 배가 되었고 여자들의 고함은 악다구니를 질렀다. 거기에 성숙한 육덕의 아름다움이 스릴과 미학을 추가하였다.

하나, 순애의 머릿속은 아직도 미련을 저버리지 않았기에 싸움에 주저하고 있었다. 그녀가 휴전을 선언한다면 받아들일 생각이었다. 하지만 이왕 벌어진 싸움에 밀리고 싶지는 않았다. 예전의 혁의 패전을 기억하기 때문이었다. 그리되면 또 다른 시비를 부를 일이었다. 분은 화를 불렀지만 냉정은 평화를 바라고 있었다.

그러나 뚱보는 이번의 기회에 확실한 승기를 잡으려는 표정이 역력했다. 그것은 힘의 우위로 순위를 점하자는 뜻이었다. 시장의 터줏대감인 것과 힘으로 우위를 보이려는 뜻이 앞섰다.

하지만 젊은 순애로서는 힘에 밀릴 까닭도 없었다. 그녀가 버티자 뚱보의 곰발 같은 손이 그녀의 멱살을 잡아 쥐었다. 이제 힘에는 힘만이 통하는 순간이 되었다. 순애도 상대의 옷자락을 잡으며 매달렸다. 팔에 매달린 꼴이 원숭이가 나뭇가지에 매달린 것과 다르지 않았다.

그런 모습이 주변의 관중에게 흥미이지 않을 수 없었다. 과연 작은이가 큰 이를 이길 수 있을까하는 궁금증까지 불렀다. 뚱보는 하룻강아지가 범 무서운 줄 모르는 년을 이 기회에 확실히 굴복시키려는 듯 더욱 목을 조였다.

이에 순애도 작은 고추가 맵다는 것을 증명해야했다. 그러나 아무리 젊다고 하지만 뚱보의 타고난 힘에는 밀리지 않을 수 없었다. 그대로 가다가는 봉변만 당할 것 같은 불안감이 머리를 스쳤다.

그녀는 예전에 씨름을 배운 혁의 말이 떠올랐다. 여자를 덮칠 때 흔히 빠져나오는 기술로 손목을 꺾는 법이었다. 순애는 재빨리 몸을 비틀며 뚱보의 손목을 비틀었다. 그러자 뚱보의 단발마적인 비명과 함께 육중한 몸이 땅바닥에 뒹굴었다.

관중의 탄성과 환희가 내뿜는 눈빛은 승리보다 값진 것이었다. 승리는 불황처럼 물러가는 것이 아니었다. 전설과 신화로 남고 이웃과 국가 간의 분쟁에도 전설로 남았다.

그런 까닭에 본래의 전쟁은 사라졌지만 일시적인 휴전은 성큼 다가왔다. 학교에서 기술을 얻은 혁을 생각하면 그나마 체면은 차린 것 같았다.

기가 꺾인 뚱보는 순간 허탈감을 드러내며 땅바닥에 분통을 가했다. 그러며 패배를 인정하지 않으려는 듯 다른 손이 그녀의 치맛자락을 다시 잡았다. 순애는 승리의 기분도 느낄 겨를이 없이 땅바닥에 넘어지고 말았다.

둘은 이제 멍석말이를 하는 것처럼 땅바닥을 뒹굴었다. 옷은 벌어지고 머리는 흩어졌으며 피부는 흙으로 칠한 것 같았다. 그런데 더 가관인 것은 속살이 훤히 드러나고 속옷이 보여도 조금도 부끄러워하지 않는다는 사실이었다.

오직 상대를 이겨 무엇을 얻고자 하는지는 모르겠으나 생사를 건 모습과 다르지 않았다. 뚱보의 독설이 더해졌다.

"요 매춘부 같은 년!"

"매춘부라고? 그럼 네가 천녀라고 한 말이 그것이었어?"

"그렇지! 그럼 너 같이 더러운 년을 천사라고 말할 줄 알았니? 촌구석에서 품이나 팔아먹던 계집애가 한 순간에 이런 가게를 그 짓 말고는 어떻게 마련을 할 수 있냐는 것이지."

"그럼, 네가 그 짓을 두 눈으로 보기라도 했다는 거야? 그렇지 않다면 그럼 말을 지껄이는 그 추악한 입을 다시는 이죽거리지 못하게 메기처럼 일그러뜨리고 말겠다. 너 같은 뱁새가 봉새의 뜻을 알기나 하겠어?"

"봉새? 이년이 통닭을 판다고 까발리더니 이제는 통닭과 봉새도 구별을 하지 못하는 청맹과니이었구나. 여러분, 이년이 봉새를 판다하오. 그래서인지 얼굴처럼 말도 제법 뻥뻥 하지 않아요? 이런 년이니 통닭을 판다고 하면서 뒤로는 늑대를 만나 매춘부 짓을 했으니 이년을 시장에 그냥 놔둘 수 없지 않겠어요?"

뚱보의 득의만만한 고함에 주변은 잠시 웅성거렸고 과민해진 감정을 억제하던 순애는 이성을 잃고 말았다. 그녀의 입안에서도 분노가 터지면서 하늘 끝까지 분기를 내뿜었다.

"매춘부라면? 네 년이 그 행실을 보았다는 장소를 대어보아라!"

"흥, 그 말이 왜 안 나오나싶었다. 얼굴에 탈을 뒤집어쓰고 동네를 돌아다니며 술이나 얻어먹는 주정뱅이의 딸이니 너라고 다르겠어? 속으로는 온갖 못된 짓을 다하지 못해 처녀가 애까지 낳았잖아? 그러니 그런 짓으로 가게를 마련하는 짓을 했으니 비난을 받아야 마땅하지. 본 곳을 대라고? 좋다. 네 년이 며칠 전 시내의 주점에서 술을 마시고 위층으로 향하지 않았느냐 말이다. 그것을 두 눈으로 똑똑히 본 사람이 여기에 또 있잖아?"

뚱보의 말에 순애는 어이가 없어 하마터면 웃음이 터져 나올 뻔했다. 곁에 호프집 여자가 본 것은 거짓이 아니었지만 그것은 끝까지 본 것이 아니었다. 그녀가 급히 화장실로 간 이후의 일은 어둠이 가렸기 때문이었다.

그러나 이제는 그 사실이 진실로 굳어질 찰나였다. 주변의 시선은 이미 뚱보의 증언을 진실로 인정했고 동조했다. 그리고 최후의 승자는 뚱보가 되었다. 더는 순애의 항변이나 사정을 따지지 않았다. 이제 뚱보는 승리자의 신분으로 그녀에게 자선을 베푸는 눈치였다. 죄악 같아서는 멍석말이를 할 것이지만 자비를 베푼다는 것이었다. 뚱보의 이런 행위를 인정한 듯 관중은 하나 둘 흩어지기 시작했다.

순애는 그렇다고 사기가 죽어 시작부터 죽을 쑬 수 없었다. 오해를 받고 시련을 견딜 때마다 굳어지는 것은 강해지는 마음이었다. 종래를 생각하면 용기가 꺾인 모습이 죄스러울 뿐이었다. 어둠이 길을 가렸지만 그것은 두려운 것이 아니었다. 다만 곡해를 받은 사실만 해명이 된다면 같은 마음이 되리란 생각이었다.

뒤돌아보면 사실 오해를 부를 행동을 하지 않은 것은 아니었다. 그녀가 의욕을 앞세울 적만 해도 그러한 마음이었다. 과욕은 위기를 가렸고 위기는 충동질을 했었다. 거기에 불안한 미래는 기름이지 않을 수 없었다.

그렇다면 뚱보의 의심은 그른 말이 아니었다. 자신의 행위는 비록 그렇지 않았다하더라도 이미 순애는 그런 짓을 한 것이었다. 음탕한 생각 만으로라도 간음이라 하지 않던가 말이다.

다만 우연이었지만 종래의 도움만 없었다면 위기는 현실이었다.
‘보이는 것이 전부라고 할 수 있을까? 다급한 심정으로 주점에 달려갈 적만 해도 그런 마음이었잖아?’
그녀의 인정에 뚱보는 진실이 드러났다는 얼굴로 승패를 갈랐다. 그러더니 뚱보는 일그러진 표정으로 허세까지 흘렸다. 하지만 이제 순애는 그의 허세에 저항하지 않았다. 더 많은 고통이 다가올 것도 같았다.
그렇게 싸움이 정리되어갈 무렵 관중이 떠난 시장은 을씨년스럽기까지 했다. 후유증을 아직 정리하지 못한 순애만이 허탈할 모습이었다. 분하고 암울해서 선뜻 의욕도 되살아나지 못했다. 그 때 그녀의 표정과 같은 사내가 조용히 다가왔다. 그는 문을 열고 들어서며 그녀를 바라보았다. 낙지라는 사실에 다시 한 번 놀랐고 이 모든 광경을 보았다는 데 다시 놀라지 않을 수 없었다. 그는 패배자의 심정을 공유하듯 저기압의 심정을 드러내었다.
“그렇다고 예기가 꺾일 것은 없잖아요? 넘어지면 일어나는 것이 갈대이니까!”
“과연 그럴 수 있을까요?”
“이제 같은 심정으로 하나가 되었으니 앞으로는 어렵지 않을 거요. 뚱보가 당신을 몰랐던 것처럼 나도 당신을 확실히 알지 못했어요. 그것은 비단 어디 우리뿐이겠어요? 그러니 모른 것을 너무 단죄하지는 말자는 거지요.”
“용서를 구할 사람은 오히려 나였군요.”
순애로서도 그 문제를 언제까지나 마음에 담아둘 수 없는 노릇이었다. 이제 시장에 발을 들여놓은 이상 이웃과 협조는 피할 일이 아니었다. 원수를 사랑하라는 말도 있는데 낙지나 뚱보도 다르지 않았다.

그런 생각이 들자 조금 전까지 의기소침했던 기분은 사라지고 얼굴이 밝아왔다. 비록 낙지와는 오월동주이지만 혼자인 그녀로서는 그의 조언을 거부할 일만은 아니었다.

그녀의 마음을 파악했다는 듯 낙지는 전날의 실수를 인정한다는 안색이었다. 이런 사과를 미처 예상하지 못했지만 그것은 진실이라 생각했다. 그녀의 얼굴이 밝아오자 사내는 특유의 넉살을 부렸다. 그는 시장에서 마당발이란 사실도 알렸다. 그래서 누구도 그를 두려워하지 않는 사람이 없다는 말까지 남겼다. 하긴 그런 정도라면 사귀어놓는 것도 나쁘지만은 않다고 생각했다. 그러며 그는 닭이라는 품목의 선택이 탁월하다고까지 추켜세웠다.

사실 그의 지적은 그른 것이 아니었다. 시내도 치킨으로 소동이 일었고 품귀의 현상도 벌어졌다. 그러며 시골도 이내 그러할 것이라고 귀띔했다. 그러며 비밀을 전하듯 속삭이는데 요즘의 손님은 품목의 다양성보다 맛을 더 선호한다고까지 알렸다.

"맛이라면 전부터 생각하고 있는 것도 있어요."

"그래요? 준비가 튼튼하군요. 하긴 그러지 않고는 위기를 넘을 수 없을 테니까요."

"예로부터 뚝배기보다 장맛이라고 하잖아요? 장사의 변화는 계절과 같아서 좀처럼 알기 힘들지요. 그래서 생각한 것은 오래 변치 않는 소금 같은 방법을 찾아냈지요. 그것은 두 가지로 이익만 연연하지 않는다는 것과 건강을 지켜주는 일이지요. 손님과 장사가 서로 상생을 하는 길은 그것뿐이지 않겠어요?"

"처음으로 듣는 소리이지만 충격 그 자체인 걸요? 상생이라고 말했나요?"

"호호, 이번에는 내가 그런 게임을 벌린다고 생각하나요? 하지만 용은 여의주를 물어야 승천을 하는 법이지요. 누구처럼 불확실한 컵 속의 진주로 현혹을 하자는 것이 아니란 말이지요. 나도 이제야 진주를 알아낼 수 있는 눈을 가졌다고나 할까요?"

뚜렷이 보이는 앞 건물의 처마에 빛바랜 간판을 바라보며 생각에 잠겼다. 곧고 바른 직선을 떠올리는 건물은 너무 단조로웠다. 그러나 그녀의 마음은 결코 단조로울 수 없었다. 이제는 다른 생각을 접고 가게만을 생각하며 시장에서 살아남으려는 생각만을 하기로 했다. 잠시 시장에서 받은 인상은 먼지처럼 털어버리지 않을 수 없었다.

그렇다고 반드시 성공되리란 법도 없었다. 다가오는 순간마다 최선을 다하여 지난날의 어둠을 반복하지 않으려는 생각으로만 마음을 굳혔다. 그리만 되면 지난날의 상처도 아물 일이었다.

개업은 막상 하였지만, 장사는 생각처럼 굴러가지 않았다. 물론 급하게 일을 시작하다보니 준비도 부족했고 기술도 남다른 것도 없었다. 그러자 판매의 정체에 봉착했고 마음은 불안에 빠지지 않을 수 없었다.

하지만 그럴수록 정신은 강해졌고 견디는 인내는 지난 세월을 닮아가는 것 같았다. 그녀에게 가장 잘하는 것이 뭐냐고 묻는다면 기다릴 줄 아는 마음이란 말을 하고 싶었다. 그만큼 지난 세월에 애를 썩히며 참을성을 경험한 탓이었다.

그러나 손님을 기다리는 것은 오지 않는 사람을 기다리는 것과 결코 같지 않았다. 그것은 매일 소진을 해야 하는 판매량과 결부되기 때문이었다. 장사를 하기 전에는 욕심은 금물이라고 마음은 작심했지만 실제는 그럴 수 없었다. 손님이 오는 것은 그녀의 몫이 아니었다.

새벽부터 손님을 기다리는 마음이나 시장에는 사람의 그림자도 나타나지 않았다. 소문 같은 매출을 기대하지는 않았으나 속은 가몸에 논바닥처럼 갈라졌다. 정성을 들여 닭을 구워내려는 마음은 애를 태울 뿐이었다. 고소한 향기가 골목을 덮으리라는 기대는 그렇게 식어만 갔다.

하지만 그렇다고 희망까지 접을 일은 아니었다. 희망은 언젠가는 화답을 주는 법이었다. 주문을 받고 노랗게 튀겨진 닭을 바라보는 눈길은 감격까지 불렀다. 닭을 준비한 상자에 담고, 오토바이에 올랐다. 이웃한 감천의 첫 손님은 총알의 배달에 시간은 십 분을 넘지 않았다.

아이가 둘이나 있다는 부인은 밖까지 나와서 기다리고 있었다. 아이와 함께 상자를 받아들고 고소함을 맡아보기까지 했다. 그러며 순애에게 고맙다는 말까지 전했다. 순애는 그 말 한마디에 그간의 장벽이 모조리 무너져 내렸다.

앞으로 이런 손님만 있다면 그날의 피곤은 걱정할 일도 아니었다. 순애도 답례를 하고는 감천을 떠나 가게로 돌아왔다. 이제는 마음의 여유도 찾고 또 걸려올 전화의 조급증도 덜 것 같았다. 기다림은 다르지 않다지만 생각해보면 예전은 허망한 기다림이었다. 그러나 오늘의 경우는 달랐다.

그녀는 새 술은 새 부대에 담는다고 튀김집이라는 간판을 바꾸기로 했다. 그녀의 미래를 기대하며 희망의 집이란 것으로 정했다. 이제는 그녀도 당당한 가게의 주인이 되었다는 실감을 비로소 느꼈다. 이제는 최상의 상품을 만들어내는 것만이 그녀가 할 일 같았다. 다만 그런 기대를 혼자서 준비한다는 것이 내심 허전한 느낌도 없지 않았다. 하지만 그런 일은 지금껏 느껴보지 못한 미련이요 희망이니 포기할 일도 아니었다.

경주댁은 그런 기분을 알 수 없었다. 김씨의 경우도 다르지 않았다. 그는 술에 취해 인사불성의 행동으로 남에게 곧잘 비웃음을 당할 뿐이었다.
그런 생각을 하다보면 전쟁보다 장사가 나은 것 같았다. 힘만을 자랑하는 전쟁보다 장사는 나앗고 수확을 기다리는 농사와 달랐다. 하지만 사람들은 그런 참맛을 좋아하지 않았다.
다만 장사는 농사보다 힘이 덜 들고 일희일비에 민감하다는 것이 흠이었다. 그래서 장사를 하는 동안은 저녁의 기쁨만을 생각하자는 맘이었다.

8,황금닭

그렇게 시작한 장사가 어느 덧 보름을 지나가고 있었다. 늦은 오후 요란한 전화의 소리가 귀를 흔들었다. 명쾌한 소리로 봐서 기분이 나쁘지 않았다. 그 순간의 예감은 그르지 않았고 주문의 환희였다. 술을 마신 것처럼 목소리는 흐렸지만 세 마리라는 주문에 환성도 터졌다.
아마 술을 마시다가 집에 아이나 부인을 생각한 것 같았다. 집에 빈손으로 가는 것보다 선물은 아이들의 시선을 바꾸게 만드는 법이었다.
하지만 술을 즐기었던 김씨는 그런 적이 없었다. 혼자 실컷 마시고 취해서 돌아왔을 때 빈손의 서운함은 이루 형언할 수 없었다.

주문을 한 손님은 김씨를 비웃기라도 하듯 배려를 할 줄 아는 사람이었다. 그렇지 않다면 양념 닭을 세 마리씩이나 주문할 까닭이 없을 일이었다.
순애는 익어가는 솜씨로 닭을 튀기기 시작했다. 그런데 그 때 문득 스치는 생각이 있었다. 손님과 그녀가 상생을 해야 한다는 각오였다. 그래서 닭을 다 튀긴 다음에 양념을 강하게 만들지 않았다. 최소의 양념으로 최상의 닭을 만들겠다는 각오는 미소를 짓기 시작했다. 그것은 장사를 하기 전의 각오를 실현한다는 의미도 있었다. 하지만 완성된 닭의 모양은 조금도 다르지 않았다. 순애는 이 상품의 이름을 황금 닭이라고 붙였다.

황금 닭을 먹는 손님을 생각하는 것만으로도 기분이 향상되었다. 이제 그의 입을 통해서 결과를 드러내는 것이 남았을 뿐이었다. 잘하면 그 소문은 시내까지 날아갈 것 같았다.

시장에 출현을 마다하지 않는 낙지는 그것을 보더니 자신을 능가할 일이라 말했다. 그녀는 신이 나서 황금 닭을 지정한 집으로 배달까지 끝내었다. 돌아오는 기분은 이제 상생의 봉사까지 했다는 기분이지 않을 수 없었다.

소문이란 나쁘지만은 않았다. 예전엔 곤혹을 치렀지만 이제는 신용까지 얻었다는 사실이었다. 하지만 개발한 황금 닭을 아는 이는 없었다. 홍보도 하지 않은 탓이지만 알릴 길도 만만치 않았다. 더욱이 가게를 매일 지켜야하는 그녀로서는 말이다.

방법은 이제 소문만한 것도 없었다. 예전의 알레르기 반응이 종적을 감추는 것은 그것뿐이지 않았다. 시간이 더 지날수록 주머니의 사정도 포장을 마친 황금 닭처럼 부풀었다.

이제는 배달을 달려 나갈 차례였다. 배달은 잠시나마 압박감을 풀어주는 순간이었다. 날개가 돋은 천사처럼 바람을 가르고 향기를 뿌리며 날아가는 법이었다. 오토바이의 시동소리가 울리고 바퀴가 움직일 때 머리카락은 천마의 갈기처럼 날렸고 모자를 눌러쓴 모습은 눈이 부실 정도였다. 배달을 가는 순간은 들판에 아름다운 향기를 뿌리는 순간이기도 했다.

그러며 새벽에 공수한 닭의 수효를 헤아려보았다. 닭이 하나 둘 줄어들 적마다 하루의 어둠은 엷어지는 것이었다. 그 때 그 기분은 곤고함보다 혁의 얼굴을 보는 것처럼 햇살로 바뀌었다. 그러며 해가 지고 장사가 마무리 될 때 불룩한 주머니는 고생의 답례를 주었다. 그것이 진정 보물이란 사실이었다.

농사는 일 년을 지나야 결실을 볼 수 있지만 장사는 한 달, 아니 하루의 결과가 알토란 같이 진실을 드러냈다. 하지만 첫술에 배부를 수 없는 것은 다르지 않았다. 물방울이 모여 강을 이루듯 그렇게 살다보면 티끌은 태산을 이루는 것이 순리였다. 이제는 지난날의 흉터를 아쉬워할 까닭도 없었다.

그러나 기술이 늘어가는 것보다 매출이 늘지 않는 데에 고민이었다. 그것은 상투적인 한계를 벗어날 수 없는 미혹이며 결과를 따질 수 없는 일이었다. 그러나 오지 않는 손님에게 그것을 드러낼 수는 없었다.

그것은 내일을 불안하게 생각하는 일이지 않을 수 없었다. 또 그런 모습은 그녀의 가게만이 겪는 문제도 아니었다. 시내의 잘나가던 가게도 권태를 이기지 못해 도산을 당했다는 풍문도 들렸다. 그래서 더욱 황금 닭의 기대와 결과를 초조히 바라는 순간이었다. 결국 살아남기 위해 차별화를 시도한 것이 행여 오해를 받지 않을까하는 우려도 있었다.

닭의 맛을 단순화하고 자연적으로 만들려면 비싼 재료비를 절감하는 일은 매력적이었다. 그러나 그것이 과연 소비자한테 어떻게 먹혀 들어가느냐 하는 것은 문제였다.

사람들은 이미 자극적이고 현란한 혀에 익숙한 터였다. 거기에 맛을 내기란 덧칠을 하는 일뿐이었다. 그러나 그것도 오래갈 수 없는 법이었다. 그렇다면 그것은 악순환을 거듭하지 않을 수 없는 짓이었다.

그들에게 새롭고 혁신적인 것은 그 입맛으로부터 자유를 회복하는 일이었다. 그러려면 자극적인 맛에서 하나 씩 자극을 거두지 않을 수 없었다. 본연의 맛을 알지 못하는 데 맛을 안다는 것도 우스운 일이었다.

그래서 서로 좋은 길은 그 짓뿐이었다. 그녀의 생각을 일전에 만났던 종래도 힘을 실어 주었다. 오미는 입을 망치고 오색은 눈을 멀게 한다는 것이었다. 그의 말이 기억에 남아서가 아니라 그것은 자존심의 문제였다. 그리고 그것만이 가게를 오래토록 기억에 남길 일이었다. 다만 그것은 일시적인 이익을 취할 수 없다는 데 단점이 있었다. 하지만 그녀는 이익보다 오래토록 가게를 지키고 싶었다.

동구의 고목을 보아도 그 사실은 환상이 아니었다. 그런데 더욱 매력적인 것은 건강까지 담보한다는 사실이었다. 누구나 오래 살기를 원하면서 그것을 외면할 까닭도 없을 것 같았다.

하지만 걱정은 꼬리를 길게 늘였다. 탁자 위에는 대출의 이자 마감일이 며칠 후에는 마감된다는 독촉장이 놓여 있었다. 그것만이 다가 아니었다.

닭의 재료값도 아직 다 정산하지 못한 처지였다. 번다고 뛰어다니기는 했지만 생활비와 장사로 가르다보니 여유의 틈이 없었다. 거기에 장사의 미래가 가지고 오는 종래의 처지도 우려이지 않을 수 없었다. 순애의 일에 간섭만 하지 않았다면 평안했겠지만 지금은 짐까지 짊어진 모습이었다. 과연 그러한 점을 황금의 닭이 타개를 할지 겁부터 나는 것이 솔직한 심정이었다.

마음이 그렇듯 갈지자의 길이서 우왕좌왕하자 장사도 고개에서 더욱 허덕였다. 장사는 벌써 몇 달을 지났지만 찬바람은 좀처럼 사라지지 않았다. 근근하던 상황도 동결된 상태로 봄을 잊게 만들었다.

주말도 그럭저럭 나가던 매출이 더위를 타는지 급전직하로 떨어졌다. 그런데 기가 막힌 것은 닭의 원가는 하늘로 치솟았다는 사실이었다. 바람을 타고 온 조류독감이 더위에도 아랑곳하지 않고 퍼진 탓이었다. 그렇다고 곧바로 제품에 가격을 전가시킬 처지도 되지 않았다. 그러잖아도 어려운 고비에 얇은 호주머니는 비닐이 되지 않을 수 없었다.

조금만 조금만을 외치던 생각은 이제 한계를 맞았다. 계절이 바뀌면 사정도 그처럼 바뀌리라는 기대는 연기로 사라져버렸다. 이제는 두서너 마리의 주문과 배달은 잊은 지 오래였다. 인내로 다져진 그녀도 이번만은 방법을 찾을 수 없었다.

그것은 조여 오는 어둠의 올가미를 느끼면서도 저울처럼 평행을 유지하려는 심정이지 않을 수 없었다. 그녀는 현실을 타개하는 방법은 달리 있을지 모른다는 말을 받아들이지 않을 수 없었다.

그것은 가격을 현실화하면서 더욱 맛을 자극으로 몰고 가라는 낙지의 말이었다. 그것만이 상품의 고급화를 통해서 질의 변화를 도모하는 방법이라는 것이었다.

그때 라디오에서 자연으로 돌아가자는 방송을 하고 있었다. 순애는 자신의 생각이 그르지 않았다고 생각했다. 그런데 잠시 후 우려하던 사달이 사천왕처럼 기다렸다.

"이것도 양념의 닭이라고 팔았능교? 고소하고 짜릿한 맛은 도무지 찾을 길이 없으니 말이지."

황급히 놀란 얼굴로 가져온 닭의 상태를 살펴보니 반쯤 먹다가 이리저리 헤집어 놓은 것이었다. 그러나 그 상태는 변질이나 잘못된 것은 없어보였다. 다만 그녀를 노려보는 사내의 표정만이 독기를 가득 품고 있었다.

순애는 맛이라는 문제에 자존심이 상했다. 그것은 가격을 떠나서 그녀가 심혈을 기울이는 문제이지 않을 수 없었다. 그녀 역시 사내의 굳은 표정에 덩달아 전염되었다.

술을 한잔한 듯 사내의 얼굴에서는 취기도 넘쳤다. 그런 모습은 제정신보다 대하기 어려운 것이 사실이었다. 이미 정한 생각으로 자신의 주장을 내세우기 때문이었다.

그녀는 맛은 이상이 없다는 말로 사내를 달래었다. 그러나 한 번 일그러진 표정의 사내는 어이가 없다는 표정이었다. 자신이 술은 한 잔 했지만 없는 사실을 고집할 인간은 아니라는 투였다. 그러며 다시 맛이 변질되었다는 주장을 거듭 펼쳤다. 순애는 사실을 직고하지 않을 수 없었다.

그녀는 맛이 변질된 것이 아니라며 그가 가지고온 닭의 다리를 입에 물었다. 닭의 고소함과 양념의 엷은 맛이 조화를 이루고 있었다. 그녀는 입에 닭을 삼킨 다음 상한 것이 아니라 최고의 상품이라 그렇다고 말했다.

그러나 사내는 그 말을 믿을 사내가 아니었다. 이미 정한 마음을 돌이킬 생각도 없이 촌에 산다고 이렇게 속이려드느냐고 따지는 것이었다. 그러며 시내에서 맛본 극치의 맛과 달리 민민한 맛은 변질이 틀림없다는 것이었다.

“그것은 이상한 것이 아니라 변화된 입맛을 제자리로 돌리는 것이지요. 너무 변해버린 입맛을 모르겠능교? 그리고 그것이 유익한지 생각해 봤어요? 그런 것을 느끼는 것이 최상의 맛이라고 할 수 있을까요?”

“최상의 맛? 그것을 누가 그렇게 정했던가요? 난 그런 것은 모르지요. 오직 남들처럼 최고라는 맛만을 찾을 뿐이거든.”

사내는 자랑스럽다는 듯 대답하고는 고개를 흔들었다. 사십은 넘어 보이는 얼굴에서 풍기는 고집은 예사가 아니었다. 그는 순애의 주장을 어리석은 짓이라 힐난까지 했다. 그래가지고 장사가 되겠냐는 말이었다.

하긴 사내의 말도 일리는 있었다. 아무도 따라오지 않는 것을 알리고 진실을 고집하는 것은 또 다른 어리석음이었다. 그래서 성인도 시속을 따른다고 하지 않았던가?

그러며 사내는 이런 맛에 실망이라고까지 말했다. 그러며 어찌하겠느냐고 따졌다. 사실 순애는 아직 그런 생각까지는 하지 않았다. 그저 최상을 만든다는 생각에 실험을 하던 중이었다.

그러자 사내는 이런 짓은 사기라는 말도 내뱉었다. 그러며 경찰을 불러야하겠지만 젊은 여자가 제대로 알지도 못한 우행이니 배상을 하라는 투였다.

순애는 사내의 말에 비분과 아픔을 느끼지 않을 수 없었다. 그렇지만 사내를 물리칠 뾰족한 수도 없었다. 진실의 설득은 이미 물을 건넜고 사과로도 결말은 끝이지 않았다.

순애는 아직도 사내가 고집을 지킨다는 것을 알았다. 그의 팔을 잡고 우선 옆자리로 앉았다. 사내는 그제야 얼굴에 분기를 거두며 눈길을 굴렸다.

순애는 컵에다 물을 따라 주었다. 그렇잖아도 술을 마신 사내는 물을 보자 술처럼 보이는 모양이었다. 컵을 들더니 벌컥벌컥 마셨다. 순애는 사내의 얼굴을 바라보며 미소를 지었다.

그녀의 미소를 바라보던 사내는 눈알을 굴려 위아래를 훑어보았다. 미소를 짓는 젊은 여자에게 분기는 더는 매너가 아니라는 것을 드러냈다.

"과욕만 앞선 일이었지. 서로 상생하자는 것이 틀리지 않았잖아요."

순애도 순순히 인정한다는 것은 싫었지만 과욕은 인정하지 않을 수 없었다. 하지만 자존심까지 양보하기는 싫었다. 사내의 말마따나 손님이 원하는 것이 아니지만 지존을 버릴 수 없었다.

이내 사내는 피해는 사과로는 이번의 일을 끝낼 수 없다고 말했다. 버린 입맛은 물론이요, 시간까지 손해를 입었다는 말이었다.

순애는 가만히 호주머니에 손을 넣어 보았다. 그러나 손에 잡히는 것은 빈 손 뿐이었다. 생활비며 물건 값도 다 치르지도 못했는데 남은 것이 없었다. 순애는 타는 가슴을 식히려는 듯 컵에 물을 따라서 거듭 마셨다. 그래도 속의 불은 다 꺼지지 않았다.

그녀는 다시 물을 머금어 입을 헹구고는 밖의 길에다 뱉었다. 그제야 입안에 쓴 맛이 조금은 가신 것 같았다.

"쓴 맛을 미처 알지 못했는데 단 맛을 안다는 것은 허상이었나봐요. 입을 헹구고 나니 비로소 알 것 같아요."

"나도 이곳으로 달려오고야 그 맛을 알았지. 하지만 예전에 들여진 입맛은 도저히 바꿀 수가 없더군. 그런데 그것의 즐거움을 깨트리는 알량한 짓을 당했으니 어찌 화가 나지 않았겠능교? 돈이 없다면 물건이어도 좋잖아요?"

"물건이라면?"

"……."

사내는 그녀의 봉긋한 가슴에 눈길을 주다가 얼른 물 컵으로 시선을 돌렸다. 순애는 내심 얼굴이 붉어졌으나 사내의 비굴한 마음을 뿌리치지 않을 수 없었다. 더욱이 저녁의 장사까지 망칠 수 없었다. 사내도 그녀의 사정을 위해 더는 억지를 부리지 않겠다는 듯 얼굴에 아량을 베풀었다.

"생닭으로 하지."

"튀겨달라고 해도 그럴 수 없잖아요?"
"버려진 입맛을 되돌리는 것은 백숙이 제일이니 맨살의 닭으로 예전을 찾으면 되겠잖능교."
순애는 주방의 털이 벗겨진 닭을 바라보았다. 사내도 그녀의 시선처럼 그곳을 주시하고 있었다. 털이 하나도 보이지 않는 닭은 마치 나신과 다르지 않았다.
사내가 아마도 백숙이라고 말을 했지만 꼭 그런 것만은 아닌 것 같았다. 순애는 더는 사내와 실랑이를 벌릴 생각이 없었다. 주방으로 가더니 비닐의 봉지에 두 마리를 담았다.
사내에게 내밀자 사내는 닭을 받으며 그녀의 눈치를 먼저 살폈다. 그러나 순애의 눈길은 얼음보다 차가왔다. 사내는 그제야 그것을 받아들고 문을 향했다. 생각 같아서는 사내의 뒤에 소금이라도 뿌릴 일이었다.
하지만 아쉬움이 남았던 사내는 고개를 돌렸고 그녀의 시선을 살피었다.
"아쉬운 마음은 피차 다르지 않잖아요. 하지만 오늘은 이 정도로만 결말을 지었으니 서로 손해는 아니겠지."
사내는 아쉬움을 버린 눈길로 가게를 둘러보았다. 자신은 이런 가게에서 장사를 할 사람도 아니라는 투였다. 비록 이곳으로 잠시 왔지만 자신은 곧 시내로 떠나리란 마음 같았다.
그러며 기회가 오면 다시 만나자는 것 같았다. 그러나 순애는 그런 사내가 다시 나타난다는 것이 혐오스러웠다. 잘못을 책잡아 그것을 즐기는 낡은 수법이 치졸한 탓이었다.
사내가 자랑한 도시라는 곳이 그런 짓이 만연하는 곳이란 걸 모르지 않았다. 그런데 막상 당하고 보니 강하고 자극적인 맛보다 한층 아프지 않을 수 없었다. 그것은 모두가 살아남는 방법이 아니고 더더욱 하나가 되는 길이지 않았다. 그래서 경주댁이나 김씨가 이곳에 터를 잡았는지도 모를 일이었다.

순애는 사내가 버리고 간 반품의 양념 닭을 다른 상자에 옮겼다. 아직 혁에게까지 맛보이지 못한 황금 닭을 먹일 생각이었다. 상자에 고이 담은 황금의 우행을 비웃지 않을 수 없었다.

하지만 어떠한 일이 있어도 반품은 견디기 힘든 일이었다. 자신의 의도가 매도되는 것은 차제하고라도 손님이 떠나는 것과 손실이 발생한다는 사실이었다.

그녀는 이번의 일로 값비싼 대가를 치렀다고 생각했다. 그리고 더는 황금의 닭을 고집하는 걸 포기하지 않을 수 없었다. 더는 손실을 볼 수 없을 뿐만 아니라 이제는 어디에도 손을 내밀 형편도 아니었다.

처음 장사를 시작할 적만 해도 꺾이지 않을 것 같았던 큰 포부도 이젠 손바닥 만해 졌다. 조금 더 가면 손톱만 하게 작아질지도 몰랐다. 사정이 갈수록 기울어지는 탓이었다. 매출은 늘지 않고 비용은 증가하며 미래는 어둡이니 밤에도 깊이 잠을 잘 수 없었다. 그렇지만 흐르는 시간은 강물처럼 멈추지 않았다. 이러다가는 돈을 벌기는커녕 혁의 교육도 걱정만이지 않을 수 없었다.

불안한 심정을 떨칠 수 없을 때 뚱보가 가게에 얼굴을 내밀었다. 혈전을 벌린 후 그간 보지도 못했는데 그녀의 출현에 의구심이 생기지 않을 수 없었다.

뚱보는 입가에 미소를 물고 손에는 찻잔을 들고 막무가내로 들어왔다. 그녀가 내치더라도 물러서지 않겠다는 것 같았다. 하지만 그간 미안한 마음도 있었는데 잘되었다 싶었다.

"차를 마실 시간은 있겠지? 매일 마시는 차이지만 혼자 먹기에는 너무 아쉬워서."

"무슨 차이 길래 그렇게 맛이 나는 것이지요? 입맛이 써서 과연 그 맛을 알지 모르겠어요."

"호호, 맛이란 아무나 아는 것이 아니잖아? 천박한 자일수록 그런 것을 모르는 법이란 걸 겪었잖아."

"아뇨? 그런 맛을 고집하다가는 쪽박을 차겠더라고요. 그래서 다른 맛으로 바꾸었어요. 모두가 열광하는 맛을 찾아낼 거예요."

"열광? 참 좋은 말이지. 하지만 그것으로 모든 것이 해결이 되겠어?"

"모든 것은 제쳐두고라도 나 혼자도 해결하지 못하잖아요."

"아니, 혼자도 해결하지 못한다면 등잔 밑이 어두운 거야. 아니면 눈을 감은 거야?"

넋두리를 치렀던 순애가 뚱보의 앞에서 여유를 찾은 듯 웃었다. 아직 밖은 어둠이 몰리기 전인지라 입은 옷도 가벼웠다. 뚱보의 몸매는 사실 볼 것이 없었다. 그녀에 비하면 순애는 비너스이지 않을 수 없었다. 그런데 문제는 정작 다른 곳에 있었다.

뚱보는 복까지 뚱뚱한 탓인지 부유하기 짝이 없었다. 그래서 낙지도 필요하면 곧잘 돈을 조달한다는 사실이었다. 물론 사채업자가 다 그렇듯이 인색은 간판이었다.

"무슨 말이에요?"

"아직 몰랐어? 전에 헤어졌던 낙지가 조카를 데리고 아예 이곳으로 옮겼다지?"

"왜 그런 말을 내게 하나요? 그러면 본래의 차 맛도 잃지 않겠어요?"

"이젠 더 감출 것이 없잖아. 일전에 내가 실수한 것도 있고 해서 사과도 할 겸 또 적선도 해야겠더군. 어려운 이웃을 도와야하는 것은 도리이잖아?"

뚱보의 말은 혼란해지는 순애를 더욱 구석으로 몰았다. 그녀가 말하는 불우이웃 돕기란 낙지의 소원해진 관계를 복원하는 것을 의미했다. 처음은 거북하게 들렸지만 어려운 사정은 다시 마음을 흔들었다.

뚱보의 말에 의하면 이렇듯 안일한 대처로는 위기를 타개하기는 커녕 더한 궁지로 몰린다는 것이었다. 그것은 주변에 그녀를 진정 도울 수 있는 사람이 없기 때문이란 말이었다.

"이럴 때 손을 내밀기만 하면 불원천리라도 달려올 사람인데 왜 그렇게 고집을 피우는 것인지 도대체 모르겠단 말이야?"

"부지깽이라도 지금은 마다하지 않거든요."

"그래? 지금도 진주를 찾는 사람이 있는데 외면하면서 그 말을 던지면 믿겠냐고?"

"진주는 무슨, 이제는 흙덩이의 처지인 걸요."

"하긴, 가치란 때와 장소에 따라 널뛰기를 하는 법이지. 그럼 다리를 놓아볼까?"

순애는 그 말이 위로라기보다 협박을 받는 기분을 떨칠 수 없었다. 사실 뚱보의 생각이 그른 것은 아니었지만 낙지의 속내를 가늠키 어려웠다. 물론 그는 철저한 장사꾼이지 않을 수 없었다.

뚱보의 표정은 한결 부드러워졌고 따라주는 차의 향기도 은은했다. 순애는 찻잔을 탁자에 내려놓으며 나직이 말을 이었다

"이제 보니 화해를 하러 온 것이 아니라 중매를 하러온 것이었군요. 하지만 아직 그럴 형편도 사정도 아니니 어쩌면 좋아요. 더군다나 벌려놓는 가게의 일만도 넘치는 걸요. 그런 나를 누가 진주처럼 생각하겠어요?"

하지만 뚱보도 만만치 않았다. 한 번 눈여겨둔 표적을 놓치는 법이 없다는 듯 물러서지 않았다. 사실 그녀의 고백이 아니더라도

소문은 알고 있었다.
뚱보는 이곳에서 장사를 한답시고 이십년을 보냈다. 하지만 가게의 사정은 지금이나 예전이나 다르지 않았다. 그때는 그래도 젊은 탓이라 몸매도 이렇지는 않았다. 그래서 바람을 맞은 적이 있었는데 그것이 복 풍이었다.
“어찌 알아? 털을 뽑히는 닭처럼 통에서 도는 것이 인간사인데 혼자의 몸인데 꺼릴 까닭도 없잖아? 나를 보라니까. 그래서 여자의 팔자는 뒤웅박의 팔자라는 거야.”
“내게 그런 복이 있어야지요. 더욱 혹까지 붙었잖아요.”
“혹? 그렇지. 애가 딸렸제.”
“그러니 더욱 장사에 매진하는 거잖아요. 이젠 그 길뿐이라고요.”
“그래도 굴러온 로또를 저버리겠다는 거야? 하긴 털이 다 뽑힌 닭만을 팔다보니 날개까지 달 형편이지는 못하겠지만.”
“날개가 있으면 뭐해요? 갈 곳도 없는 걸요.”
“전에 달아난 사내를 찾지도 않고 또 도와준 선배도 소홀하잖아?”
“아니지요. 더는 그 분한테 짐이 되고 싶지 않아요. 그렇다면 차라리 다른 이가 더 어울리지 않겠어요?”
“그렇지? 나도 그렇게 생각해. 처음은 나도 낙지의 뜻을 이해하지 못했지만 둘은 운명적이라는 생각이야. 물론 사랑을 하느냐 마느냐는 별개의 문제이지만. 그래서 내가 이렇게 온 이유이고.”
순애는 장사가 위험한 상태로 기운다는 생각을 떨칠 수 없었다. 부도는 아직 도래하지 않았지만 그 순간은 촌각으로 다가오는 올가미처럼 절박함이었다.
뚱보의 생각은 그러한 것을 이미 알고 있었다. 그래서 순애의 속내를 위로하는 척 하면서도 항복을 유도하는 것이었다. 그러며 하는 말이 부도는 아직 걱정할 단계는 아니라는 말이었다.

그러며 그 해법은 사랑으로 풀라는 것이었다. 자신이 존재하지 못하면 사랑도 소용이 없듯 하나라는 말이었다. 일견 그녀의 고언이 고맙지 않을 수 없었다.

그래서 그녀의 말에 귀를 기울이었고 자신의 처지를 돌아볼 수 있었다. 새로운 시도로 밀린 대금과 굴비처럼 엮인 사정이고 보면 뚱보의 말은 그르지 않았다. 그래서 순애는 속으로 혼잣말처럼 속삭였다.

'고목이 가당키나 하겠어? 작대기도 필요한 처지에 말이지.'

그러자 뚱보는 자신의 과거 경륜도 들려주었다. 그때는 자신도 어찌나 어려웠던지 멸치처럼 말랐다고 했다. 그래서 뚱보가 부러운 적도 있었다. 그런데 지금은 소원을 이루었지만 예전의 몸으로 돌아갈 수는 없다는 말이었다. 그것은 둘이 버티기보다 위기에는 하나뿐이라는 결론이었다.

순애는 잠시 갈등의 혼란을 이었고 마음은 나뭇잎처럼 떨어지고 있었다. 그녀의 시야에 독촉장이 날아드는 것처럼 보였다. 순애의 갈등은 뚱보가 원하는 것과 다르지 않았다. 며칠 후의 사정은 생각을 단념케 만들었다. 그녀는 어렵게 사정을 꺼내지 않을 수 없었다.

"진주라면 담보로는 가능하겠능교?"

"아무렴, 보석을 거절하는 전당포를 보았나? 그런데 정작 이제는 진주로 더는 유효하지 않다는 것이 문제이지."

"전에는 그렇다고 말하지 않았어요?"

"맞아, 그렇다는 게 뭘 말하겠어. 사정은 변했고 낙지가 보증을 서야 위기를 벗어날 수 있겠지. 그거잖아?"

순애는 뚱보의 셈을 부인할 사정이 아니었다. 그것은 선수금과 다르지 않았다. 그런데 뜻밖에 낙지의 반응도 예전이지 않았다. 보증을 꺼려서가 아니라 자신의 의도와 달리 적기를 놓쳤다는 말이었다. 그러며 순애의 허언을 지적했다. 그러나 뚱보는 이웃에게 야박하지 말라고 조언했다. 그러자 한동안 생각을 하던 낙지가 드디어 허락했다.

하지만 뚱보의 구제금융은 목마른 입에 병아리 오줌이었다. 하지만 그래도 다가온 위기는 가까스로 넘길 것 같았다. 보증을 잡은 뚱보는 휘파람을 불며 돌아갔고 한숨을 돌린 그녀는 다시 장사를 서둘렀다.

그때, 탁자에서 전화가 요란스럽게 울렸다. 전화를 기다리는 마음이 목마르다보니 깜짝 놀라지 않을 수 없었다. 떨리는 손으로 든 수화기의 주문은 기대를 저버리지 않았다. 한주 동안 목마르던 갈증을 한 번에 해결하는 내용이었다.

아이들의 생일잔치를 위해 한꺼번에 열 마리의 양인데 튀김과 양념을 반반으로 가져다 달라는 것이었다. 그녀의 코에서는 막힘이 뚫리듯 노래가 터져 나오지 않을 수 없었다.

한 마리도 아닌 열 마리를 한 번에 주문을 받은 것은 기억에도 없었다. 주문한 곳은 인근의 보육원이었는데 그곳을 가본 적이 있었다.

그녀의 손놀림은 바람개비와 같았고 발걸음은 표범처럼 민첩했다. 닭은 온 정성을 들여 노릇하게 구워졌고 미리 준비한 양념은 곱게 색을 발랐다. 목이 걸리지 않게 준비한 무와 음료수도 가방에 고이 넣었다.

보육원까지는 십오 분이면 족한 거리였다. 모처럼 가슴의 응어리를 털어버리고 바람처럼 배달을 가는 것도 얼마만이지 몰랐다. 지나는 도로의 가로수가 무성한 그늘까지 지어 주었다.

혁이 다니는 초등학교를 지나고 관청을 지났다. 넓은 도로를 따라 달리다보니 절로 들어가는 갈림길을 만났다. 그녀는 그 갈림길을 두고 다시 오 분을 더 달리니 목적지의 보육원에 닿았다.

보육원에서는 아이들의 고함과 웃음이 새어나왔다. 아마도 아이들 생일의 잔치라도 벌리는 모양이었다. 그녀는 대문에 달린 초인종을 눌렀다. 벨이 울리자 소리가 멈추며 잠시 고요가 이어졌다.

고요를 깬 것은 안에서 뛰어나오는 아이들의 반가운 모습이었다. 혁처럼 눈망울이 해맑은 아이들이었는데 기대감이 얼마나 컸던지 손뼉까지 쳐댔다. 아이들에게 양손에다가 닭의 작은 상자를 쥐여주었다. 상자를 받아든 아이들은 고맙다고 인사까지 빠트리지 않았다.

순애도 고맙다는 말을 빠트리지 않고 일일이 답례해주었다. 아이들의 뒤로 지폐를 들고 젊은 사내가 나타났다. 시골의 수더분한 모습의 그녀에게 지폐를 건네며 날카로운 눈길을 거두지 않았다. 그녀는 고맙다며 고개를 숙여 감사의 뜻을 전하는 것으로 눈길을 피하고 싶었다. 이럴 때 모자라도 썼더라면 위기는 오지 않았을 터였다. 오토바이를 타려면 안전모를 쓰기 때문에 모자는 무용지물이었다. 안전을 위한 규정도 있지만 스스로 보호하지 않으면 안 되었기 때문이었다.

보육원 안에서는 아이들의 요란한 노랫소리가 다시 흘러나오기 시작했다. 그녀도 아이들의 생일 축가를 작은 목소리로 흥얼거리기 시작했다. 그녀도 축하를 해주고 싶어서였다. 그런데 굵은 사내의 음성이 그녀의 노래를 정지시키었다.

"조금도 변한 모습이지 않은데?"

"저 들으라고 한 소리인가요?"

"나는 첫눈에 알아보겠는데 기억이 나지 않아? 하긴 세월이 십

녀이 다돼가니 강산도 변했으니까 나무랄 일은 아니지만.”
“그럼, 누구라는 거예요?”
“아, 이런, 이름은 기억을 할 줄 알았는데. 그렇다면 다시 태어난 기분이지 않았겠어?”
“사람의 애간장을 녹이는 것을 보니 알겠군. 기학이제?”
“너무도 변했구나. 옛 모습은 익었고. 드러난 것은 아름다움뿐이니.”

9,동무

안막에서 사라진지 칠 년 만에 만나는 어린 시절의 친구였다. 그의 모습도 그의 말마따나 익어있었다. 깔끔하게 수염을 밀었지만 서글서글한 눈매며 이마는 예전의 모습 그대로였다. 그런데 그의 격의 없는 말에 순애는 자신만 오그라드는 것 같았다. 기름에 절어 산 그녀의 모습을 기학은 첫눈에 알아챘다.
그는 예전처럼 격의 없는 말을 터트렸다. 사실 처음은 거북했지만 반가움은 간격을 이내 좁혔다. 기학의 재회는 부끄러움과 동시에 흥분을 불렀다.
그간 잊었던 기억을 실타래처럼 풀고픈 마음이었다. 하지만 빈 가게를 생각하면 그럴 수 없었다. 다만 그의 귀향을 확인한 것만으로도 부족함이 없었다. 창피스런 기분은 사라지고 이내 웃을 수 있었다.
“부끄러운 모습은 이것뿐이 아니제?”
“자랑스럽다는 것이겠지. 일을 한다는 것은 부끄러운 것이 없으니 거짓됨도 없잖아?”

순애는 그의 말에 활짝 웃을 수 있었다. 악수를 청하며 다음으로 기회를 미루지 않을 수 없었다. 기학의 손은 희고 부드러웠다. 그에 비해 그녀의 손은 곰발바닥이지 않을 수 없었다. 부끄러움을 감추려 얼른 말을 꺼내었다.

"손이 차제? 오토바이를 탔더니 바람을 맞아 그래. 어디 그뿐이니 하루에도 수 마리의 닭을 기름에서 건지다보니 여자의 손이 아니야. 사실 이런 모습은 보이고 싶지 않았는데?"

"아직도 넌 나를 알지 못하는구나. 내가 그런 사람으로 보였니?"

말없이 돌아선 기학을 달래지 못하고 돌아왔다. 돌아오는 내내 그의 얼굴이 앞을 가렸다. 그의 말마따나 자신은 기학의 속내를 모르는지 몰랐다. 아는 것이라곤 그를 만나면 자신이 한없이 초라해진다는 것이었다. 집에 돌아오는 오토바이의 뒤에는 닭이 실려 있었다. 하지만 기다리는 것은 경주댁일 뿐 혁은 이미 꿈의 나라로 빠진 뒤였다.

그날 밤 피곤한 몸을 자리에 뉘였으나 이내 잠이 들지 않았다. 그간 피곤에 지쳐 코까지 골던 지난날과 다른 것은 기학의 충격 때문이었다. 그의 말은 아직 그녀를 잊지 않고 있었다는 사실이었다.

그것은 그녀도 다르지 않았다. 잊을 수도 없고 그렇다고 가까이 하기에는 가로막는 것이 있는 그런 사이였다. 그도 아마 그러하리라 생각하면서도 눈을 감으면 얼굴이 나타나는 것이었다.

그가 돌아왔다는 사실 하나만으로도 이러할진대 만일 그의 속내가 접근을 한다면 막을 힘이 사실 그녀에게는 없을 것 같았다. 그녀가 미리 앞서가는 것인지는 몰라도 그녀가 그에게서 느낀 첫 감정이 그랬다.

그러한 것을 증명이라도 하려는 듯 그는 다시 고향으로 돌아왔다. 물론 돌아왔다는 것은 종래와 같을지 몰라도 대하는 느낌은 같지 않았다. 종래가 엄격한 선배의 느낌이었다면 기학은 그야말로 터놓고 지내는 친구이지 않을 수 없었다. 그렇기에 그와는 사랑과 우정을 가르기가 쉽지 않을 것 같았다.

다만 둘의 귀환이 그녀에게는 확신을 더욱 다지는 계기가 되었다. 떠난 사람은 반드시 돌아온다는 사실이었다. 그렇다면 아직 돌아오지 않은 유학도 그러하지 말라는 법이 없을 터였다. 지난 날 그런 마음으로 오매불망 기다렸었다. 혁이 자란만큼 기학의 말대로 그녀는 익어만 갔다. 이제는 눈가에 잔주름마저 생겼다. 그러나 그는 아직도 아무런 소식이 없었다.

한때는 철새가 돌아오는 것만으로도 흥분되고 잠을 이루지 못한 적도 있었다. 그래서 돌아온다는 사실을 확인하고 싶었었다. 그러나 유학은 거기까지였다.

이제는 그가 돌아온다고 해도 기쁠지는 예단할 수 없었다. 아니 증오에 가까운 심정이라는 것이 오히려 솔직한 표현이었다. 다만 종래나 기학이 돌아온 것만으로도 마음은 어느 정도 위안을 얻은 것도 사실이었다.

새로워진 마음을 다잡은 순애는 당분간은 다른 생각은 하지 않을 생각이었다. 종래의 도움이 시작이었다면 기학의 만남은 천군만마의 힘을 얻었다. 그간 너무 힘들게 지내온 탓에 정신적인 나약이 왔지 않나 싶었다.

이제 발등의 불을 끈 입장에서 낭만에 젖어있을 수만은 없었다. 잡념을 이기는 방법은 일만한 것도 없었다. 생활의 톱니바퀴는 어김없이 돌았고 그녀는 기계적으로 나날을 이어가지 않을 수 없었다.

잠시의 흥분을 가라앉히고 다시 일을 시작하는 것은 처음보다 쉬운 일은 아니었다. 희망과 조급증이 시소를 타면서 조금도 서로 양보를 하지 않고 싸울 뿐이었다.

순애는 아직도 자신의 앞에는 할 일과 건널 강이 놓여 있다는 것을 한시도 잊은 적이 없었다. 그것은 어떻게 하느냐에 따라 황금의 새를 탈 것이라는 생각을 하다가 이내 잠으로 빠져들었다. 그런데 아침이 다가올 때야 잠깐 잠에 들었다. 고민을 하느라 밤이 지나는 줄 몰랐었다. 그녀가 잠깐 눈을 뜬다고 뜬 것이 벌써 아침은 밝아 있었다. 그런대 곁에 있어야 할 혁의 모습이 보이지 않았다.

일에 매이다보니 요즘은 혁의 교육을 등한히 한 적이 너무도 많았다. 집에서 경주댁이나 김씨가 돕는다고는 했지만 노인들에게 교육을 맡길 수는 없었다. 고루하고 진부한 사고와 타성에 젖은 습관은 혁의 교육으로는 적정치 않았다. 그래서 아무리 장사가 안되고 바쁘더라도 혁의 교육을 위해서는 따로 집을 마련하려고 생각 중이었다. 그런데 아침부터 혁은 자리를 비우고 사라졌다는 사실이 여간 허전하지 않았다.

순애는 장사보다 분명히 교육이 우선이라는 생각을 가진 엄마였다. 다만 아직 그러기에는 목구멍이 포도청이었을 뿐이었다.

그때 밖에서 뚝딱거리는 소리가 그녀의 신경을 끌고 갔다. 아마도 혁이나 김씨가 무슨 일을 꾸미는 것이 분명했다. 귀를 기울이니 잠시 망치의 소리도 끊어졌다. 그녀는 궁금하여 자리에 있을 수 없었다.

자신의 눈으로 확인을 하기 전에는 궁금증을 뗄 길이 없었다. 단잠을 깨웠다는 불만보다도 일의 궁금증이 그녀의 발걸음을 고양이처럼 가볍게 만들었다. 열린 방문을 지나 부엌으로 통하는 문을 열었다. 그러나 혁의 행방은 보이지 않았다.

마당을 지나 모퉁이를 돌아 뒤곁을 살며시 살폈다. 혁의 행방을 찾아 눈을 굴리는데 김씨가 기둥을 구덩이를 판 자리에 세우고 있었다. 무엇을 만드는지 모르겠으나 주변에는 또 다른 나무와 그물망까지 준비되어 있었다.

김씨가 이렇듯 일찍부터 부산을 떠는 것을 본 것도 오랜만이었다. 혁은 멀리 떨어진 자리에 턱을 양손으로 바치고 바라보고 있었다. 그런데 그 바라보는 시선이 영롱하고 똘똘했다. 혁의 그런 모습을 보자 그녀는 안심과 동시에 과연 무엇을 만들기에 저렇듯 관심을 가지는지 궁금하지 않을 수 없었다.

김씨는 허름한 검정 잠바를 입고 온 힘을 다해 기둥을 세우더니 흙을 다지기 시작했다. 기둥의 크기가 그의 키를 넘었고 굵기는 허벅지보다 굵었다. 그래서 늘어진 그림자는 돌담의 위까지 닿았다. 곁에 그물망을 아마 두를 것 같았다.

그는 세운 기둥마다 넘어지지 않도록 다시 땅을 거듭 다지었다. 그런데 흙을 밟는 발걸음이 탈춤을 추던 때처럼 가볍고 흥겨웠다.

“이렇게 만들면 닭의 집이 된다는 거예요?”

“그럼. 이 정도면 닭은 수 십 마리를 기르기에 충분하겠지.”

“어떻게 이런 집을 뚝딱 지을 수 있어요?”

“이 정도의 일은 할아버지한테는 식은 죽 먹기이지 않을까?”

“예전에 소도 길렀다는 말을 이제야 거짓말이 아니란 것을 알 것 같아요.”

“그럼, 황소를 길들였다는 말을 거짓말로 알았던 거야?”

“조금은, 닭과 비교를 할 수 없게 황소는 크고 힘도 세잖아요.”

“그렇지. 닭과는 비교를 할 수 없을 정도이지. 하지만 그때는 나도 젊었던 시절이라 무서운 것이 없었지. 지금은 세월에 늙어 힘도 기둥에 매달리지만, 아직은 그래도 세울 수 있으니 소원은 들어 줘야지. 아직은 갈대처럼 누우면 다시 일어나지 못할 정도는 아니니까!"

혁에게 자랑하듯 김씨는 말했고 그 말에 감동을 받은 혁은 얼굴에 햇살을 가득 담았다. 하긴 그 말이 모두 거짓만은 아니었다.

그녀는 어릴 적 시절을 기억하고 있었는데 그때는 지금의 모습이 아니었다. 마구간에 황소가 크게 울어댈 때 그는 황소를 다그쳤고 강가의 갈대밭으로 황소를 안내했다. 황소에게 갈대는 김씨의 말을 듣게 만드는 사탕이었다.

"맞아, 강가의 갈대는 지금도 지천으로 널렸잖아요."

"그럼. 이제는 황소보다 철새들에게 고마울 뿐이지. 철을 가리지 않고 오는 것도 알고 보면 그곳에 둥지를 틀 수 있기 때문이거든. 그리고 다시 떠나지만 잊지 않고 다시 오는 것을 보면 사람보다 낫지 않을까?"

"사람보다 낫다고요?"

"아니다. 어린 네게 할 소리가 아니었다. 그런데 어떻게 닭을 기르려는 생각을 하게 되었지? 할아버지도 생각하지 못한 걸?"

"너무나 고생이 많잖아요. 닭을 길러 팔게 하면 조금이나마 도움이 되지 않겠어요? 학교에서 배웠거든요. 도움을 주면 받을 수도 있다고요."

"이제 보니 다 컸구나. 마냥 어린애로만 알았는데? 그런데 닭은 길러 보았어?"

"학교에서 해 보았어요!"

혁의 대답은 심장까지 조여 오는 전율을 확대하지 않을 수 없었다. 솟는 환희를 내뱉지 못하고 침으로 삼키기에는 너무도 아쉬웠다. 하지만 지난날을 어리다고만 여기었던 생각을 이제는 고집할 수 없었다. 더욱이 그녀의 장사에 도움이 될 것이라는 생각은 눈물까지 솟게 만들었다.
다만 아직도 그런 모습을 알지 못하고 어린애로만 생각한 그녀의 무관심이 미안하기 짝이 없었다. 마음 같아서는 달려가 가슴으로 포옹하며 입이라도 맞추고 싶은 마음이었으나 그들의 작업을 방해할 수는 없었다.
그녀는 이제 희망찬 내일을 향한 발걸음을 멈추지 않을 것만 같았다. 그것은 기학을 만난 이상의 기쁨이었고 그녀가 살아가는 보람이었다.
하지만 혁을 대견스레 바라던 궁벽한 기쁨은 이내 생채기를 일으켰다. 다 자란 혁의 얼굴과 행동에서 그간 두려워했던 그림자가 지나갔다.
아무리 생각해도 약속의 배신은 용납할 수 없는 일이었다. 배신도 배신이지만 무관심도 한몫을 넘었다. 자식을 무책임하게 유기한 그였지만 혁이 그를 닮아간다는 사실이 도저히 용납할 수 없는 일이었다.
'어휴, 미운 오리새끼가 따로 없잖아?'
애증의 눈길을 아랑곳하지 않는 혁은 이제는 일어나 닭의 집을 살피기 시작했다. 그가 일어난 자리의 곁에는 작은 상자가 한 있었는데 자세히 듣고 있으려니 병아리의 소리가 들렸다.
혁은 닭 집을 살피더니 다시 상자의 곁으로 다가갔다. 그의 눈길은 병아리를 바라보는 데 그녀의 눈길과 다르지 않았다. 혁은 눈을 들어 병아리를 바라보며 만발한 대화를 꽃처럼 향기를 내뿜었다.
"이제 넓은 집이 생겼다. 좁아서 많이 답답했제?"
"병아리를 사랑하는구나, 예쁘지?"
"그럼요, 학교에서도 보았는데 얼마나 예쁘고 귀여운지 모르겠다고요.”

“그렇지. 네 어미도 널 병아리라고 하지. 얼마나 사랑을 하는지 샘이 나는 적이 한두 번이 아니었지. 매정한 자만 아니었다면 부족한 것이 없었을 텐데. 차라리 날개라도 있었다면 좋았을 걸.”

“천사이기라도 하나요, 날개가 있게?”

“왜, 그러면 좋지 않아?”

“네.”

“왜? 그렇게 생각하지?”

“아직도 할아버지는 몰라요? 예전에 천사는 애를 데리고 하늘로 갔다고 하지만, 이제는 그렇지 않다고 애들이 말하던 걸요. 혹이라고 하던걸요?”

“아니다. 혹이라니? 넌 닭도 기르고 철새도 좋아하잖아. 그러니 멀리 날아가는 꿈도 꾸잖아?”

“네, 하루빨리 이뤘으면 좋겠어요. 어미닭이 병아리를 키우고 병아리는 자라 어미가 되고, 어미는 알도 또 낳잖아요?”

“그럼, 그렇고말고. 병아리는 때가 되면 어미닭의 품을 벗어나는 법인데, 어미는 그것을 아는지 모르겠다.”

가게의 일상은 다시 그렇게 하루를 연명해가고 있었다. 하지만 그렇다고 뾰족한 수도 나타나지 않았고 가게를 정리하기에는 너무도 상처가 크지 않을 수 없었다.

그런데 달라진 것은 김씨가 가게를 하면서 술판을 전전하는 수가 눈에 띄게 줄어들었다는 것이었다. 그와 반대로 집안일까지 맡은 경주댁은 몸이 둘이라도 부족하다는 사실이었다. 그러다보니 자연 건강을 염려하지 않을 수 없었다.

하지만 경주댁은 이제야 사는 맛을 느낀다며 틈틈이 가게 일까지 돕겠다고 나섰다. 마음은 고마웠지만 그녀가 나설 것까지는 일이 없었다. 만류하는 순애에게 자신도 이런 기회가 있었으면 좋았을 것이라는 말을 더했다.

그런 경주댁을 바라보면 바라볼수록 애틋한 마음을 지울 수 없었다. 평생 가난에 고생만 주식으로 삼은 그녀였다. 거기에 외모 한 번 꾸민 적이 없는 그녀였다.

생각다 못해 외모라도 한 번 바꾸어주기로 했다. 항상 곁에 빛바랜 잠바와 아래는 철모르는 통바지 차림이 너무도 측은해보였다. 경주댁은 막무가내로 그런 데 돈을 소비한다고 했지만 돈은 쓰기 위해 버는 것이었다.

경주댁의 손을 끌고 이웃한 옷가게에 들렀다. 어울림이 돋는 분홍의 치마만 바꾸어도 사람이 달라졌다. 옷이 날개라는 말은 그르지 않았다. 내친 김에 흐트러진 머리를 자르러 미장원에 들렀다. 여자에게 머리는 화장에 뒤지지 않는 요소이었다.

머리까지 외모를 바꾸자 잃어버린 십 년을 되찾을 수 있었다. 경주댁을 바라보던 명자가 그녀의 무관심을 나무랐다. 돈의 노예가 되어 인간의 도리까지 망각했다는 말이었다. 순애도 그 지적을 인정하지 않을 수 없었다. 그때 거울을 보고 웃는 경주댁과 국화빵이라는 것을 알았다.

경주댁의 회춘은 순애에게도 희망적인 사항이었다. 사정상 포기한 젊음이 아직은 죽지 않았다는 생각이었다. 그래서 일전에 화장과 머리만 바꾸었어도 사내들이 침을 흘리었다. 그것은 아직은 가능성을 가진 것을 의미했다.

그 점을 명자도 먼저 알고 시집의 얘기를 꺼내었다. 그러잖아도 잠복했던 문제를 경주댁은 맞장구를 쳤다. 그녀는 너무도 어이가 없어 웃기만 했다. 그러나 경주댁의 작심은 달랐다.

“나타나는 사람만 있으면 코를 꿰어서라도 보내야제!”

그러한 강요에 순종할 순애도 아니었다. 머릿속에는 아직도 가게의 사정이 파도를 이루어 출렁거리고 있었다. 싫은 말은 아니었지만 사정이 가당치 않았다.

그런데 이제 그런 소리를 들어도 거부반응이 세지 않아졌다는 사실이었다. 전에는 민감한 반응으로 혁과 평생을 하겠다고 악다구니까지 썼었다. 그런 그녀가 방관으로 이제 절반은 허락을 한 셈이었다.

그것은 아마도 주변에 그럴만한 사람이 있다는 뜻이기도 했다. 사실 기학이나 종래의 정도면 등 떼밀면 눈을 감을 만도 했다. 거기에 낙지의 구애도 마냥 싫은 것만은 아니었다. 그녀의 사정과 비교하면 속설대로 나쁘지 않았다. 평생 외제차를 타면서 눈물을 흘리는 정도는 말이다.

하지만 그런 생각은 오래지 않아 기학의 환영에 잡혔다. 같은 또래의 속을 튼 사이라는 사실이 우선 부담이 없었다. 거기에 그의 접근은 첫사랑이나 다름없었다.

예전의 순수함은 이제 완숙하고 기품 있는 모습으로 변했다. 거기에 추억의 정이 야릇한 매력을 더했다. 생각만 해도 아름다운 것은 학창시절의 기억이었다. 그는 유학보다 먼저 그녀에게 이성을 눈뜨게 한 친구였다.

그러나 추억의 달콤함은 가게의 채산에 걸려 멈추지 않을 수 없었다. 그러잖아도 수지가 균형을 이루지 못하는 데 지출이 과다했다. 그렇다고 누구에게 그 사실을 토로할 수도 없었다. 이제는 누가 원한다면 손가락이라도 팔고픈 심정이지 않을 수 없었다.

그간 이렇게 버티고 견디어 온 것만도 용했다. 하긴 뚱보의 긴급지원이 없었더라면 벌써 끝났겠지마는 그런대로 버티었다. 이제 맛의 시비에서 해방은 되었지만 계절을 가리는 탓으로 사정은 늘

바닥을 헤맬 뿐이었다.

장사는 농사보다 쉬운 일이 아니었다. 농사의 일에 허덕일 때는 쉬워보였지만 막상 겪고 보니 그런 것이 아니었다. 손에 쥐는 기쁨마저도 능선을 넘는 것 같아 불안이 더 깊었다. 굳은 피부와 손톱이 닳지 않는다는 생각은 착각과 다르지 않았다는 것을 알았다.

그러나 농사는 장사와 달랐다. 힘이 드는 것은 몸일지라도 마음은 행복에 가까웠다. 거기에 땀의 대가를 헛되이 계산하지 않았다. 흘리는 땀만큼 얻어진다는 진리를 그녀는 흙에서 익히었다.

그런 사정이다 보니 순애의 성격도 이제는 많이 변한 것 같았다. 곧잘 화를 내며 인내하지 못하는 성급함마저 감정에 끼어들었다. 그래서 대금을 추궁하는 중간상과도 언쟁을 벌리기까지 했다.

그대로는 되지 않아 머리도 식힐 겸 복잡한 생각을 정리하려 강변을 찾았다. 그곳은 그녀가 어릴 적부터 뛰어놀던 곳이었다. 그녀뿐만이 아니라 경주댁이나 김씨도 다르지 않았다. 이제는 혁이 대를 이어 낙원으로 여기었다.

그래서인지 그날도 시원한 바람이 불며 갈대들이 춤을 추고 있었다. 아직은 만발하지 않았지만 머지않아 목화처럼 머리를 장식할 것이었다. 그녀는 갈대를 보는 것만으로도 처진 기분이 향상되는 느낌을 받았다.

순애는 어려운 사정을 명자에게 털어놓을까도 생각해보았다. 그러나 사정이 어려운 것은 그녀도 다르지 않았다. 다만 그녀는 원가가 들지 않는 탓으로 버는 만큼 남는다는 것이 달랐다.

멀리 강변으로 들어선 고층의 아파트가 눈에 들어왔다. 시골과 너무도 차이가 있는 모습에 내심 마음은 편치 않았다. 누구는 가난을 업보로 받았는데 그쪽은 유리처럼 빛나고 있으니 말이다. 하지만 그것이 해법은 아니었다.

그때 문득 어둠에 가려져있던 뚱보의 얼굴이 떠올랐다. 상상하지 않으려 했었지만 곤궁함은 기어이 그녀의 얼굴을 찾아내고 만 것이었다. 일전에도 그녀는 명자의 얘기로 화제를 삼았었다.

'그렇게 쏘다니는 까닭이 뭔지 아나?'

'아직 몰랐어요? 가게로는 못 먹고 산다고 부업을 하잖아요.'

'부업을? 그런 일이 있으면 내게도 귀띔을 좀 해주지 않고 혼자서 하다니 그러고도 이웃이라 할 수 있어?'

'일에 따라 그럴 수 있지 않겠어요? 부업을 원해요? 일을 주겠다는 사람도 없는데?'

'그것은 참이 아니잖아? 그러잖아도 장사가 시원치 않았는데?'

'그런데 그 일이, 그러니까 쉽지 않거든요.'

말을 더듬는 순애의 얼굴빛이 카멜레온을 닮았다. 순간 뚱보는 야릇한 예감이 들며 미소를 지었다. 농으로 던진 말도 아니었지만 그런 일에 몸이 가당치 않다는 눈치였다. 순애가 정색하며 물었다.

'과연 그렇게 살아간다면 동물과 다른 바가 뭐지요?'

'사람도 사회적 동물이라는 소리 몰라? 하지만 갈증은 사막을 건넌 기분인데 어찌 참기만하겠어. 우선 살아남고 봐야제.'

'그것은 사는 것이 아니라 죽어가는 지름길인 데도요?'

'어차피 죽고, 또 땅속으로 들어가면 한가지이잖아? 더욱이 인간은 흙으로 만들었다지.'

'흙 이상의 고귀함은 그럼 어찌하고요?'

뚱보는 그 말에 이내 대답하지 않았다. 다만 그녀의 생각이 고루하여 더는 상대할 가치가 없다는 눈길이었다. 순애는 그녀와 더는 말을 섞는다는 것이 무의미해서 돌아왔다.

하지만 아무리 생각하여도 이제 자신도 부업을 찾아나서야 할 것 같았다. 이런 상태로 더 나아갈 수도 없을 뿐더러 공멸을 하지 않으려면 피할 수 없을 것 같았다. 이제 그녀를 바라보고 있는 식구가 혁만은 아니었다.

더욱이 닥쳐올 겨울을 생각하면 맨몸으로 버티는 것은 무리라는 것을 부정할 수 없었다. 가게가 채 일 년도 넘기지 못하고 부도를 맞았다는 소리를 듣는 것은 차라리 죽는 편이 나았다. 그런 형편이고 보니 뚱보의 동조는 사탕이지 않을 수 없었다.

다시 강변에서 바람이 불며 그녀의 머리카락을 훑고 지나갔다. 상쾌한 기분도 느낄 수 없었다. 내심 우려를 드러내지는 않았지만 조만간 뚱보를 만나 부업을 재론할 생각까지 일어나는 것을 억지로 눌렀다.

10,탄동

강변을 떠나 순애가 가게로 돌아왔을 때, 그녀의 마음과 신호가 통했던지 낙지가 가게의 앞에서 서성이고 있었다. 사내의 얼굴을 보자 순애는 지난번의 뚱보 얘기도 생각났다. 하지만 그때는 그녀가 허락을 할 생각이 없었다.

"가게를 비우는 횟수가 잦지 않아요? 저번에도 없더니."

"좋은 소식이라도 있어요? 가게를 비우는 횟수까지 기억을 다 하다니요."

"가치가 있는 보석을 찾는 것은 부자들의 의무랄까요?"

"아직도 그렇다는 거예요? 혹시라도 그렇지 못하다면 어쩌지요? 가령 널브러진 돌이었다면 말이지요."

순애는 자신의 가치를 드러내려는 듯 재치 있게 말을 던졌다. 그런 태도를 유심히 바라보던 낙지의 얼굴에 야릇한 웃음이 바람처럼 지나갔다.
“하하, 나를 떠보려는 말이라는 것을 알지요. 아니 스스로 이제 불안을 느낀다는 표식이라는 말이 더 적절할지도 모르겠어요. 하지만 노련한 장사꾼은 이 두 경우를 다 염두에 두지요. 왜냐고요? 기회를 노린다는 것이 솔직한 말이니까요.”
“그렇게 자신을 드러내는 까닭이 없지는 않겠지요?”
순애의 물음에 낙지는 주저하지 않고 고개를 끄덕였다. 내심 기회만 노리는 솔개의 태도도 아니었다. 더군다나 억지를 부리는 태도 또한 보이지 않았다.
사내의 오만한 태도에 순애는 긴장하지 않을 수 없었다. 하지만 그럴수록 궁지에 몰리면 독기를 품는 법이었다. 낙지의 얼굴은 예전의 조급함도 없었다.
“사정이 나아진 것도 없는데, 꿋꿋한 모습이 존경스럽기까지 한걸랑요?”
“손길을 내밀면 잡아줄 것인가요? 이제는 보장될 것도 더는 없는데.”
“왜 없다고 생각하지요? 아직 남아있는 것도 있잖아요?”
“진주? 아니 다른 것이겠지요.”
“사람을 흙으로 만들었다는 말을 믿지 않는군요. 하긴 사실이 아닐지도 모르지요. 하지만 죽으면 모두 땅으로 돌아가잖아요. 그러니 사고 팔 수도 있다 생각하고요. 그런데 그 짓만은 할 수 없다고 버티는 모습이 전에는 식상했었지만. 그래서 진주라고도 놀렸고요. 그런데 이제야 사정을 인정할 것 같지 않아요? 누구나 땅을 사고 팔듯 어디 땅뿐이겠어요? 집도 그렇잖아요? 어제는 내가 살았지만 팔고 나면 주인은 바뀌는 법이지요. 그것은 장사꾼이 물건을 팔고 사는 것과 다르지 않고요. 그런데 그것을 원하지 않는다고 하거든요. 처음은 오히려 당당하고 참신해 좋았지요. 그러나 그것은 이제 통하지 않는 세상이 되었거든요. 그것을 이제야 알았고요, 그렇지 않아요?"

"맞아요, 그래서 아직도 보석이냐고 물었나요. 처음부터 그 말을 믿은 것은 아니었지만 이제는 그 말에 동의하지 않겠어요. 하지만 땅은 돈을 주고 사고팔지요. 하지만 사람이 태어날 때 땅을 가지고 나왔던가요? 빈손으로 왔다가 빈손으로 갈진대 돈을 주고 샀다고요? 그런 오만한 생각이 어디에 있지요? 그리고 땅도 사고 집도 사고 물건도 사니 사랑도 그럴 수 있다는 생각까지 하니 참 어처구니가 없잖아요? 그러면서도 사랑을 진정 안다고요? 그것이 진정 누구나 찾는 사랑의 모습이라 생각해요? 아니겠지요. 적어도 흙으로 만든 사람이 아니라면 말이에요."

"하하, 그래요, 그러니 내가 보석으로 여기지 않을 수 없었던 거지요. 사실 돈이면 다 되는 줄 알았어요. 그것이 장사꾼의 한계라 할까요? 당신을 만나 그런 것을 어렴풋이 알았고 맴돌면 맴돌수록 욕심만 생기니 나도 이런 나를 알 수 없잖아요."

"아무런 사심 없이 하나를 이루어볼 생각은 없나요?"

"그래요? 하지만 그렇다고 대답하진 못하겠어요. 솔직히 말해서. 왜냐고요? 장사꾼의 습성 때문이지요. 손해를 보지 않으려는 마음이 우선 있거든요. 또 부도를 두려워하며 시장에서 힘으로 차지한 것만을 배웠거든요. 그래서 셈에는 능해도 사랑은 서툴기 그지없거든요."

"아니에요. 그저 해본 소리에요. 이제 부도를 당할 위기에 처했는데 사랑이 어떻고, 땅이 어떻고 하는 소리가 가당키나 하겠어요? 그저 궁지에 몰리고 보니 참았던 발악정도로 여겨도 고맙지요. 그런데 여기는 어떤 일로 왔어요?"

"일종의 불안감이랄까요? 안전히 있다는 것을 확인하기 전에 는."
"신변의 안전은 보장된 셈이군요."
"그리 생각하는 것만으로도 고맙지만, 기회가 주어진다면?"
낙지의 혼잣말 같은 여운을 그녀는 놓치지 않았다. 사정이 가위를 누르지만 않았어도 분노를 했겠지만 지금은 그럴 수도 없었다. 일전의 급전도 그의 덕임을 잊지 않았다. 그녀는 이제 그를 오월동주로만 여길 수 없었다.
그런 순애를 바라보던 낙지는 화제를 돌려 상인들과의 야유회 이야기를 꺼냈다. 그의 열변은 침을 튀었고 목소리는 기름을 칠한 떡처럼 막힘도 없었다.
"장사나 사랑이나 좁은 문을 들어가느냐 아니면 대문을 들어가느냐가 문제인 것 같아요."
"대문을 두고 좁은 문을 고집하는 것은 어리석다는 말인가요?"
"아, 꼭 그런 것은 아니죠. 그것은 선택의 문제이니까요. 하지만 굳이 좁은 문을 고집하는 것은 고난뿐이지 않아요?"
"무슨 말인지?"
"대도무문이라는 정치가의 궤변이 떠오르잖아요. 과연 그는 그 문을 알고 한 소리인지 궁금하잖아요?"
낙지의 엉뚱한 말에 어이가 없어 하마터면 웃음을 터트릴 뻔했다. 사내는 얼굴에 미소를 지우지 않은 채 자리에서 몸을 돌렸다. 뚱보의 가게를 힐끔 쳐다보더니 그대로 차로 향했다. 그의 차는 보기만 해도 값만이 아니라 윤기도 대단했다.
채권자가 떠나고 새로운 각오를 다지려는 순간 한 사내가 가게의 안을 들여다보더니 문을 열고 들어왔다. 순애는 반사적으로 일어나 그를 맞았다. 그래도 가게를 알고 찾아온 손님이라는 생각에 입가에 미소까지 지었다. 그러나 사내는 닭에 관심이 있는 것이 아니라 집을 찾았다.

"탈춤을 추는 사람의 집을 아능교?"

순애는 나이가 오십은 되어 보이는 사내를 향해 고개를 가로저었다. 퍼지는 실망을 감추지 못하며 힘없이 돌아섰다. 장사가 되지 않으니 파리만 모이는 꼴이었다. 그러잖아도 예민한 감정에 탈이란 말은 날카로워지지 않을 수 없었다. 하지만 돌아서는 사내의 옷자락을 잡았다.

"그 집은 아니지만 그 사람의 딸이거든요."

그녀의 못마땅한 대답에 사내는 싫지 않았다는 듯 웃었다. 그는 누런 이를 드러내며 주변을 둘러보았다. 가게의 기구며 탁자 그리고 주방도 대충 눈으로 훑었다.

순애는 혹시나 하는 생각이 가게를 하려고 그러냐고 물었다. 그러나 사내는 첫마디에 그렇지 않다고 부정했다. 그래서 순애는 예전에 각설이패라도 따라다닌 냄새가 나는 지 살펴보았다. 그의 행색은 그렇지는 않아보였다.

사내는 한동안 가게의 동정을 살핀 후 장사는 잘 되느냐고 물었다. 그에게 사정을 드러낼 수 없어 그런대로 밥은 먹고 사는 정도라고 대답했다. 그러자 사내는 고개를 끄덕이며 그녀의 안색을 살폈다. 초면인 여자의 안면을 도둑질하는 사내의 시선이 여간 밉지 않았다. 그렇다고 외면할 처지도 아니어서 겸연쩍은 미소를 지었다. 사내는 머뭇거리더니 찾아온 사연을 늘어놓았다.

자신은 탈춤을 좋아하는데 요즘은 어디서 그런 것을 배우기 쉽지 않다는 말이었다. 그러며 언젠가 술판에서 본 사람을 찾아 나섰다는 것이었다.

순애는 아직도 정신을 차리지 못한 사내가 있다는 사실에 놀라지 않을 수 없었다. 그의 말마따나 탈춤은 이제 배우거나 가르치는 사람도 없었다. 그러니 자연 탈춤을 출 기회도 사라져버렸다. 이제는 행사의 종목으로만 겨우 명맥을 이어갈 뿐이었다.

하긴 그 덕에 김씨는 술 꽤나 얻어먹은 것은 사실이지만 그만큼 허랑한 생활을 보낸 것도 사실이었다. 그런 지경에 그런 사람을 찾아왔다니 제정신이 든 사람으로 볼 까닭이 없었다.

그런데 사내는 다시 엉뚱한 질문으로 사람을 놀렸다. 아닌 밤중에 홍두깨처럼 불쑥 던진 말에 그녀는 분노까지 숨길 수 없었다.

"반가운 질문은 아니겠지만 가게를 내놓는다는 소문이 있던데 사실인지요?"

탈춤을 배우려는 사내답게 얼굴에 위장의 탈을 쓴 것은 훌륭했다. 조금도 거리끼지 않는 표정은 그녀의 사정을 다 안다는 투였다. 순애는 한편으로는 놀랐지만 이면에는 불안감을 감추지 않을 수 없었다. 그런 소문을 낸 원인을 알고 싶었다. 그래서 태연한 표정으로 그런 소리를 어디서 들었냐고 물었다. 그러자 사내는 조금도 주저함이 없이 가게의 모습만 보아도 알 수 있을 정도라고 말했다.

"사정은 주인도 금시초문일긴데?"

순애의 대답도 자유롭지 못한 것은 사실이었다. 더는 뒤로 물러설 수 없는 절벽에 선 기분을 드러낼 수도 없었다. 그런데 사내의 눈길도 예사롭지 않았다. 단박에 패를 눈치 챈 것 같았다. 그렇다고 패까지 깔 수 없어 미소만 흘렸다.

"탈을 쓴 모습이 자연스럽지 않군요. 미소가 진솔하지 않으니 그것은 탈과 다르지 않아요. 그 웃음은 마음이나 사실도 드러내지 못하고 이내 민낯만 드러낼 뿐이군요. 그래가지고는 진정 탈춤도 이해한다고 할 수 없거든요. 그러지 않다면 차라리 민낯이 아름답지 않겠능교?"

"아름답다고요? 난 탈춤이나 민낯을 좋아하지 않아요. 그리고 그런 상황도 아니고요. 그런 내가 탈을 쓰고 있다고요? 그런 말을 하는 저의가 뭐냐고요."

순애는 사내를 노려보듯 살폈고 흥분은 가라앉지 않았다. 그러잖아도 호시탐탐 기회를 노리는 낙지의 얼굴도 스치고 지나갔다. 처음은 이런저런 말로 사람을 호리더니 이제는 송두리 채 삼키려드는 것만 같았다. 사내 역시 그런 자로 자신의 패를 드러내지 않았다.

"진실이란 중요하지 않아요. 세상에 내 것이라는 것은 존재하지 않으니까요. 혹자는 그렇지 않다고 말하지요. 돈을 주고 사거나 빼앗아도 제 것이라고 하거든요. 빼앗은 자나 빼앗긴 자나 모두 제 것이라는 생각만 하니 다툼은 끝도 없고요. 곧이어 끝을 내야하지 않겠어요?"

"내 것이 아니라면 굳이 가게를 살피는 눈길은 무슨 까닭이지요?"

"하하, 얘기가 그런 가요? 자세한 것은 아직 드러날 때가 아니라 말을 하지 못하겠지만, 부도를 당하느니 얼마라도 건지라는 뜻일 게요."

"그보다 더한 악담이 없군요. 못된 장에 쇠파리만 끓는다 하잖아요? 썩 꺼지란 말아요, 더 봉변을 당하기 전에!"

그 말에도 사내는 끄떡하지 않았고 미소를 흘릴 뿐이었다. 그러더니 사실을 인정하지 않는 그녀의 집념이 대단하다는 모습을 살핀 채 몸을 돌렸다. 순애는 어둠이 내린 창밖을 한동안 바라보았다. 행복한 가게의 앞날이 촛불이란 눈길 같았다. 그러다가 사내의 등에다 소금이라도 뿌리고 싶었다. 그러나 이전에 사내는 문밖으로 사라졌다.

순애는 이제 망연자실한 모습으로 창밖의 어둠만 잡았다. 길의 건너편 가게도 어제 빈 가게로 전락했다. 불황은 그녀뿐만이 아니었다. 뚱보의 도배란 간판의 글도 빛을 잃은 지 이미 오래였다. 그래서 일이나 들어오는지 묻고 싶을 정도였다. 그러한 형편이고 보니 사내의 말마따나 소문을 따지지 않아도 미래는 아지랑이처럼 어른거릴 뿐이었다.

'탈의 진정한 의미를 알겠능교?'

조금 전 사라진 사내의 목소리가 그녀의 귓전을 흔드는 것 같았다. 그의 말은 그르지 않았다. 순애는 김씨가 막장이라는 선입견으로 그의 춤까지 매도한 것이 사실이었다. 정녕 왜 그런 비난을 감수하면서까지 탈춤을 추는지 생각해보지 않았었다. 분명 어떤 의미가 있을 법했다. 그러나 이 순간에 그녀는 탈이라는 말만 들어도 경기가 먼저였다.

그러잖아도 존망의 기로에 선 가게의 명운에 고민은 그녀의 숨통을 조이는 올무였다. 그런 숨통을 사내는 탈이라는 돌덩이를 하나 더 올려놓았다.

순애는 답답한 심정에 한모금의 물을 마시고 싶었다. 그녀는 컵에 물을 따라 입안을 헹구었다. 그리고는 꿀컥 삼켰다. 그제야 말랐던 기관지가 젖어들었다.

그런데 사내의 모습이 다시 떠오르며 목마른 그녀를 향해 탈춤을 추는 것 같았다. 그러며 가게를 지키려면 탈이 필요하지 않겠냐는 모습이었다. 순간 긴장하며 냉정히 생각해보지 않을 수 없었다. 어쩌면 그것이 김씨가 그런 까닭으로 고집을 부리지 않았나 싶기도 했다. 그렇다면 자신도 그러하지 말라는 법도 없었다. 자식이 부모를 따라가는 것은 까닭이나 조건이 붙을 수 없었다.

순애는 그제야 사내의 출현이 예사롭지 않다고 생각했다. 그녀는 닭을 팔면서 너무도 손익에만 매달려 진실로 장사를 하지 못한 것이었다. 그녀는 냉정하지도 않았고, 간교하지도 않았다. 물이 흘러가는 대로 살다보니 손해를 보는 것은 언제나 그녀뿐이었다. 그래 가지고는 장사를 해서는 이익을 남길 수 없었다. 위기에 봉착한 것은 불황의 탓만은 아니었다. 이제 그녀에게 필요한 것은 정작 다른 것에 있었는지도 몰랐다.

이제 순애는 낙지와 나란히 웃음을 지을 것도 같았다. 민낯이라면 탈이라도 쓰면 좋았다. 그렇게 마음이 들자 그간 불안했던 마음이 사라지고 용기마저 솟았다.

'아직도 진주란 생각은 변함이 없어요?'

'장부는 일구이언하지 않아요. 네!'

그녀의 망상을 깨트린 것은 가게의 밖에 나타난 어두운 그림자 때문이었다. 처음은 낙지가 나타났을지 모른다는 생각을 했으나 덩치가 그렇지 못했다. 늦은 시간에 아이가 닭을 사러 올 까닭은 없었다. 의심을 가지고 가게의 문을 여는 순간 그녀는 얼굴에 함박꽃의 웃음을 짓지 않을 수 없었다.

선뜻 들어오지 못하고 머뭇거리는 사람은 생손의 아들인 혁이었다. 그녀는 온몸에 긴장이 풀리며 울컥 울음마저 터져 나올 판이었다. 그녀는 입가에 미소를 지으며 혁을 품에 안았다.

"늦은 시간에 무슨 일이제?"

"도와줘야할 일이 있어서."

"무슨 일이 길래? 네가 도움을 필요로 한다면 만사라도 뒤로 미루어야지."

"숙제. 현장학습!"

"탄동이라고 말했어?"

혁의 응답에 그녀는 환각의 주사라도 맞은 듯 취기에 어느 덧 빠져들었다. 그녀의 머릿속에는 이제 어둠이 아니라 달을 쳐다보는 기분이지 않을 수 없었다. 그녀도 얼마나 가보고 싶었고 생각하던 곳이었던가? 그 말을 듣는 순간 그녀는 지금까지의 절망감을 잊을 수 있었다.

곤고함이란 휴식을 취하고 방법을 생각하다보면 때로는 의외의 길을 찾아낼 수도 있는 법이었다. 그러잖아도 한 치의 앞도 내다볼 수 없는 사면초가의 위기에서 탄동의 출현은 그녀에게 탈출의 길을 열어준 것이나 다름없었다.

바닥까지 추락할 위기의 순간에서 혁의 출현은 과제뿐만이 아니라 그녀의 추억을 불러들였다. 그래서 일상적인 과제의 일이기보다 그녀에게까지 과거의 기억을 찾아가는 과제란 생각이었다. 탄동은 적어도 그녀에게만은 그러한 의미를 지니고 있는 곳이었다. 아무리 어려운 처지일지라도 그곳의 기억만으로도 해방이 되는 곳이었다.

탄동은 백두산의 뒤편에 자리한 마을로 예전은 서원이 자리한 곳이었다. 지금은 문화제로 보호를 받지만 예전의 사정은 그러하지 못했다. 전쟁의 피해인지는 모르지만 허물어져가는 폐옥이나 다름없었다.

하지만 지세가 좋아 그런지 명당의 자리라고 불렸다. 그런 자리의 중앙으로 본채가 자리했고 좌우로 길게 곁채를 날개로 거느린 배치를 가졌다.

순애가 그곳으로 소풍을 갔을 적만 해도 건물은 세월의 연륜을 지니고 있었다. 지붕으로 풀이 돋고 기와는 짙은 암영을 드러내었다. 그래서 전설이나 간직한 곳처럼 느껴졌었다. 그래서 소풍을 갔을 적만 해도 아이들은 건물을 들어가지 않았다. 하지만 그녀는 달랐다. 보물찾기를 할 때면 언제나 몫은 그녀의 것이었다. 그러니 자연 그곳의 두려움은 사라졌고 애착만 남았다.
그래서 지난 세월중 제일 행복한 때가 언제냐고 묻는다면 그 때였다고 말할 정도였다. 어릴 적 기억은 평생 잊어지지 않는 법인지 추억은 유전인자가 되었다.
그래서 그곳을 방문하자고 말을 들었을 때 그녀는 어둠을 뚫고 나서는 햇살을 보는 기분이었다. 장사로 처졌던 기분을 혁이 일시에 무너뜨렸다. 하지만 그것이 잔 불씨까지 잡은 것은 아니었다.
그러고 보니 장사에 매달린다고 혁과 시간을 함께한 순간도 많지 않았다. 그러잖아도 미안한 마음이 있었는데 행동을 함께 한다는 것이 기대까지 부풀렸다.
다음날로 약조를 한 터라 소풍을 가는 준비에 여념이 없었다. 도시락, 물병, 간식, 과일들 가방에 챙겨 넣었다. 그러고는 화장을 한 후 외출복으로 양장을 입었다. 그간 장사를 하느라 입어 본지 해를 넘긴 옷이었다.
달라진 외모에 거울을 보는 눈동자도 커졌다. 장사를 한답시고 잠바에 바지차림이 굳었는데 오늘은 여자의 모습이었다. 그녀도 거울의 앞에 선 자신의 모습에 감탄하였다. 변한 것이 하나도 없는 것 같았다.
산해정은 신어산과 백두산을 두고 양 날개를 편 곳이었다. 산길도 길은 있었지만 좁고 험했다. 대신 돌아가지만 큰 길은 넓고 오리를 더 걸어야했다. 작심한 날과 기대한 곳이었기에 넓은 도로를 택하였다.
도로의 길은 멀지만 편했고 기대한 곳이라 힘도 뒷받침할 것 같았다. 종래를 찾아가는 마음이 그러하리라 생각되었다. 그를 안다고 했지만 굳이 안다는 것은 무엇 하나 분명하지 않은 그녀였다. 지금도 그는 안개 속에 있는 것만 같았다.

종래가 거처하는 집은 산해정과 담을 둔 거리였다. 전에는 안에 살았지만 지금은 옮겼다고 했다. 원형을 보존한다는 명분이었으나 실은 그런 것도 아닌 것 같았다. 그는 산해를 관리하며 붙어있는 토지를 소일거리로 삼는다고 했다.

사실 그가 보증을 내밀 수 있었던 것도 그런 토지가 있었기 때문이었다. 하지만 그 많던 토지도 이런 저런 사유로 다 없어지고 지금은 주변만 남았다는 말이었다. 그가 서울로 대학을 간 것이 그 까닭이었다.

집안은 종래에게 모든 기대를 걸었지만 그는 부름에 부응하지 못했다. 그것은 순애의 경우도 다르지 않았다. 동병상련이라고 서로 의지하는 계기도 되었고 아픔도 같았다. 하지만 그녀의 다가가는 마음을 그는 허락하지 않았고 감옥으로 간 사이 그녀도 방향을 틀었었다.

종래는 출소한 이후 한동안 방황을 했었다. 그러다가 말뚝에 매인 양처럼 고향으로 돌아왔다. 그러더니 토담집에 틀어박혀 무엇을 하는 지 얼굴도 내밀지 않았다.

그를 찾아간다는 마음은 화장을 더욱 짙게 만들었다. 비록 옷은 유행을 지났지만 피부는 유행을 거부하기 싫었다. 서로 대화라도 한다면 그간의 정도 아마 그렇듯 켜켜이 드러날 것도 같았다.

순애는 자기도 모르게 몇 번이고 거울을 들여다보며 화장을 고쳤다. 그것은 비단 고민 때문에 그런 것은 아니었다. 혁의 눈길을 고려하지 않을 수 없었다. 자신감을 바탕으로 공부를 하지 않으면 혁의 미래도 희망적이지 않을 일이었다. 두 사람의 전력을 더는 혁에 보이기 싫었다.

눈치 빠른 혁은 그녀의 행동을 주시하고 있었다. 예전과 다른 행동을 이해하지 못하겠다는 얼굴이었다. 어서 가자는 신호를 듣고

서야 혁은 밖으로 뛰어나갔다. 이어 뒤따르는 그녀의 발걸음을 경주댁이 보고 있었다.

아침의 햇살은 제법 따끈 거렸다. 동구의 고목이 그늘을 만들어 주는 것이 싫지 않았다. 회관을 지나고 구판장까지 지나도록 누구도 그들을 눈여겨보지 않았다. 하지만 그 사실마저도 오늘은 서운한 감정이 들었다.

앞서가던 혁이 걸음을 멈추며 뒤돌아보았다. 얼굴을 마주하니 그간의 심정이 이어지는 것 같았다. 한동안 그녀의 속을 상하게 한 적도 있었지만 지나고 보니 그것은 근심도 아니었다. 가게를 하면서 겪는 굴곡에 비하면 그것은 감미로운 음악이었을 뿐이었다. 그런데 아직도 그에게 내려놓을 수 없는 짐을 안긴 것이 너무도 미안했다.

혁은 아직 그 빈자리를 말하지 않았다. 몰라서가 아니라 그렇게 강요받는 결과와 같았다. 누구도 꺼리는 말을 그는 너무도 일찍 알아버린 것이었다. 순애까지도 아직 그 짐에서 자유롭지 못한데 어린 심정에 오죽했겠냐는 생각이었다.

그럴 때면 그 빈자리를 여러 얼굴로 채워보았다. 우선 주변을 맴도는 솔개가 떠올랐다. 그는 날카로운 발톱을 드러내며 어미닭만을 노릴 것이었다. 그녀는 병아리를 지키기 위해 억세지 않을 수 없었다.

다음으로 귀향한 종래가 떠올랐다. 그는 너무도 상처가 깊었다. 그녀는 물론이고 딸린 애를 돌아볼 여유가 그리 크지 않았다. 그는 두문불출하며 독서로 소일하는 것을 즐겼다. 그에게 두 사람은 귀찮은 존재이지 않을 수 없었다.

다음으로 보육원의 기학의 얼굴이었다. 그런데 그의 뜻을 알 수 없었다. 십년을 지나 반가움에 만났지만 그녀가 그만 자신이 없어져버렸다. 첫사랑의 호감은 녹슬지 않았으나 그것은 오늘의 감정일 수 없었다. 보육원에서 첫 만남을 이룬 이후 그는 아직 얼굴을 내밀지 않았다. 그렇다고 그녀가 먼저 찾아갈 수도 없는 노릇이었다.

이번에는 떠나간 유학의 얼굴이 어둠에 가려져 나타날 것 같았다. 그녀는 용서할 수 없다는 듯 손으로 어둠의 앞을 가로저었다. 그는 두 사람에게 상처만 남긴 사람이었다. 그리고 어디서 무엇을 하며 사는지 소식도 돈절한지 팔년이 가까웠다.

산해를 향한 발걸음이 회관을 막 지나는데 마을의 사람들이 여럿 서성이고 있었다. 아마 소문 없는 잔치를 벌이던지 아니면 어느 집 품앗이를 가나하고 생각했다. 그들의 행색이 여행을 가는 것은 아니었다.

차를 기다리는 사내 몇몇은 담배를 피워대었다. 그녀는 연기를 피하여 혁의 꽁무니에 붙었다. 그들을 바라보니 농촌의 일처럼 속이 편한 것도 없었다. 소문과 걱정에 그리고 불황까지 시달리는 장사는 결코 쉬운 일이 아니었다. 혁과 시간을 다투는 일만 아니었으면 내막을 물었을 것이었다. 앞을 걸어가는 혁이 어서 오라는 듯 손짓을 해대었다. 그녀가 걸음을 재촉에 곁에 다다르자 혁이 말을 건네었다.

"처음으로 가보는 탄동은 아니제?"

"그럼, 어린 시절 꿀벌처럼 드나들었다면 믿겠니?"

대답을 하기 무섭게 혁은 토끼처럼 앞서 뛰어났다. 뒤를 따르는 그녀는 실처럼 거리를 두지 않았다. 오늘만은 혁의 곁에서 정성을 다할 생각이었다. 그런 마음을 알았던지 혁은 해맑은 표정을 지어 보였다.

버스 정류장을 세 개나 지나갈 때까지 다리의 힘은 떨어지지 않았다. 오토바이를 타고 지난 세월로 근육이 굳었으리란 생각은 옳지 않았다. 아직은 젊음이 넘치고 있었다.

사실 오토바일 타는 생활을 하다 보니 과연 걸어갈 수 있을지 의문이 들었었다. 걷는 걸음이 편한 것보다 유익하다는 것을 알았다. 시간을 다투지만 않는다면 장사도 그러하고 싶었다.

“쉬엄쉬엄 가면 안 될까? 멀지도 않은데 너무 서둘지 않아?”

“한시라도 빨리 가보고 싶지 않다고?”

“물론 그렇기는 하지만 숨이 턱까지 차오르는 걸 어쩌노?”

“보물을 찾아내야 하잖아. 나랑 내기할까?”

“너랑? 네가 안 될 걸? 예전엔 난 항시 왕관을 썼거든.”

“그것을 난 확인하지 않았잖아.”

혁의 대답은 그녀의 자존심을 꺾었다. 그녀의 기억도 도로가의 가로수처럼 짙었고 승리를 양보할 태도도 아니었다. 그러나 혁에게 들꽃의 향기를 전하지 않을 수 없었다.

도로의 가로는 이름을 알기 어려운 꽃들이 길가에 옹기종기 피어 있었다. 누구의 관심도 받지 않았으나 자신의 모습을 드러내는 것을 주저하지 않았다. 그사이 혁은 어느새 다람쥐처럼 달아나 거리를 넓혔다. 그녀를 바라보는 표정이 어서 따라오라는 것이었다. 혁도 처음은 아니었기에 길을 모르는 것은 아니었다.

혁이 다니는 학교에 다다랐다. 도로의 맞은편에는 면사무소가 태극기를 휘날리고 있었다. 논이 이어지는 길가에 마을의 입구를 알리는 입석이 버티고 있었다. 그 마을은 배달은 많이 다닌 관계로 길을 손금처럼 그릴 수 있는 곳이었다. 옆으로 계곡이 있었고 그 계곡을 오르면 절이 있었다.

경주댁은 일 년에 한 두 번은 그곳에 절을 다녔다. 시골의 절이 다 그렇듯이 크지는 않았지만 법회는 어김없이 열렸다. 절의 뒤편으로 큰 바위가 있었는데, 불상이 돋을새김으로 각인되어 있었다. 지워지고 희미한 모습이지만 불상의 얼굴에는 잔잔한 미소가 드러났는데 사람들은 이를 천년미소라 불렀다.

제3편 어둠속으로

11,보물

경주댁을 따라 바위를 찾아 그녀도 살펴보았다. 그 미소는 있는 듯, 숨은 듯 지었는데 김씨의 탈과는 너무도 대조적이었다. 하긴 술을 좋아하는 그로서는 탈이라도 쓰고서야 그런 미소를 짓고 싶었을지도 몰랐다.

순애는 이제야 절을 찾는 일이나 탈을 쓴 춤이나, 산해를 찾는 것이나 다르지 않단 생각이었다. 물소리가 은은히 들리는 것이 종소리요, 허리가 굽은 소나무는 인생과 닮은 것이었다. 다만 다르다고 구분하는 사람이 다를 뿐이었다.

순애는 절을 가는 경주댁을 이제는 따르지 않았다. 바쁜 가게 때문이라는 것은 핑계였다. 그녀에게 천년은 고사하고 가정을 미소로 피울 수 없을 것 같아서였다. 비켜가는 현실을 바라볼 때 그 생각은 거의 바위가 되었다.

하지만 미소를 지을 수 없기에 산해에 더 집착하는 지도 몰랐다. 그곳은 바라보고 생각하는 것만으로도 우울증도 사라졌다. 비단 보물찾기를 한 기억 때문만은 아니었다. 종래의 기대를 가진 탓만도 아니었다. 자세한 것은 뭐라고 말할 수 없었으나 하여간 싫지 않은 것은 분명했다.

요즘 더욱 궁지로 몰리는 입장에서 종래에게 무관심할 수도 없었다. 그에게 도의적인 책임을 가진다는 것이 아니라 숨통만이라도 터주고 싶었다. 그러지 않고는 산소를 마시려고 하늘을 향해 입을 내미는 붕어의 처지가 될 일이었다.

그녀의 앞으로 떨어진 낙엽이 굴렀다. 빛은 퇴색되었고 말라서 미풍에도 이리저리 구석으로 밀렸다. 자신의 처지도 그럴 줄 모른다고 생각하니 눈물까지 날 지경이었다. 다만 혁에게는 그런 모습은 보이고 싶지 않았다. 그에게 희망은 못줄지언정 어둠을 드러내고 싶지 않은 것이 어미의 마음이었다. 혁이 얼른 말을 던졌다.

"오늘 왕관은 내차지가 아닐까?"

"아니지. 예전의 실력이 녹슬지 않았으니 어림없잖아? 그럼 내기라도 해볼까?"

"좋아. 옛날 선물을 많이 탔다는 말은 나도 들었지. 엄마가 언제나 제일이었다고. 할머니가 늘 자랑하잖아."

혁도 각오를 다진 듯 눈에 힘을 주며 주먹까지 쥐었다. 반짝인 눈망울은 사슴을 닮았고 바람을 문 볼은 씨방처럼 부풀어 올랐다. 이제 혁의 모든 행동은 나비의 날갯짓처럼 곱고 부드럽게만 보였다.

혁은 절망을 이기는 희망이었고, 미래의 기대이지 않을 수 없었다. 하지만 예전에는 그렇지 않았다. 경주댁이 보는 앞에서 보물이란 말도 드러낼 수 없었다.

그런데 숨겨진 보물은 밝은 곳이나 드러난 곳에는 있지 않았다. 남의 시선에서 멀어진 곳에 숨어있었다. 그것은 살아가는 것도 다르지 않았다.

하지만 사람들은 그런 곳을 좋아하지 않았다. 아니 관심의 대상도 아니었다. 이제 그들은 보물도 잊은 듯 관심도 두지 않았다. 그런 것보다는 죽순처럼 솟는 건물만 주시했다. 푸른 유리창이 비단처럼 두른 곳은 처지를 바꿨다.

앞서가던 혁이 탄동의 입구에 다다랐다. 언덕이 진 곳에 숲이 보였고 산해는 그 숲의 안에 있었다. 하지만 아직 그곳까지는 오 분은 더 가야할 것 같았다. 어릴 적 그곳의 건물을 처음은 궁전으로 알았다. 초가나 작은 집에 살다보니 그리 보였던 것이었다. 그러나 지금은 단아하다는 표현이 옳았다. 다만 그곳에서 풍기는 기상만은 아담한 것이 아니었다.

얼마의 걸음을 더 걸어가니 솟을 대문이 나왔다. 홍살문과 비각이 입구에 자리했다. 예전에 비하면 깨끗하고 품위 있게 단장된 모습이었다.

그녀가 대문 앞에 이르니 혁은 들어가지 않고 기다렸다. 아마도 웅장한 모습에 압도당한 것 같았다. 그 모습을 보니 예전의 일이 생각나서 웃음이 절로 나왔다. 그녀도 그랬는데 다니다 보니 어느새 정까지 들었다.

양쪽의 대문에는 창호지에 용호상박이라는 글귀가 붙어 있었다. 호랑이의 형세는 알겠지만 용이 의미하는 바는 고개를 갸웃거리게 만들었다. 그들이 대문의 앞에서 서성이고 있을 때 뒤에서 인기척이 들였다. 돌아보니 종래가 개량한복을 입고 걸어오고 있었다. 혁은 그에게 어색한 인사를 건넸다.

겸연쩍은 듯 미소를 짓는 순애를 보더니 종래는 혁의 머리를 쓰다듬어 주었다. 그제야 혁의 얼굴에 생기가 돌았다. 산해에서 바라보는 주변의 노송은 고즈넉하기까지 했다.

높지 않은 능선도 울을 두른 듯 감싸주었고 마당의 허리가 굽은 소나무는 대쪽 같은 기강도 드러내었다. 이런 곳에서 진리를 궁구하고 학문에 매달린다면 용이지 않을 수 없을 것 같았다.

“멀리서 찾아온 귀빈이니 잘 대접해야겠제?”

“연락도 없이 찾아와 미안해요.”

그녀의 대답에 종래는 고개를 가로저었다. 얼굴에 웃음을 지으며 오른 손은 혁에게 안을 가리켰다. 자유롭게 마음껏 구경을 하라는 뜻이었다. 그러자 기다렸다는 듯 혁은 안으로 뛰어 들어갔고 두 사람은 뒤에 남았다. 잠시 어색한 분위기를 거두려했지만 생각처럼 쉽지 않았다.

산해에 퍼지는 햇살은 따갑지 않을 수 없었다. 그제야 종래는 그녀가 별의 마당에 있다는 것을 알고 안을 가리켰다. 안은 긴 대청으로 피곤한 다리를 쉴만한 곳이었다. 순애는 그를 따라 가며 그의 뒷모습을 살폈다. 그의 모습에는 이제 사회의 부조리를 외치던 전사의 모습은 보이지 않았다. 조용한 산해에서 그저 소일하는 편안한 선배일 뿐이었다.

몇 걸음을 앞서 걷던 종래가 뒤를 돌아보며 그간의 소식을 물었다. 그러나 순애는 그의 질문에 쉽게 대답하지 못했다. 다만 그에게 수척해진 모습을 보이는 것이 미안했다.

“일이란 의욕만으로 되는 게 아니지. 물이 흐르듯 사는 게 격물치지이잖아?”

“어디 그것이 말대로 되던가요? 선배도 마찬가지이잖아요?”

순애는 수척한 표정이 어색해서 얼굴에 미소를 잠시 물었다. 그 모습은 종래도 다르지 않았다. 오랜 세월을 인고하며 살았어도 결국의 모양은 다르지 않았다. 그는 순애를 위해 준비한 것이 있다고 말했다. 종래의 안내를 따라 이웃한 부속 건물로 들어갔다. 발이 있어 혹이 마당으로 나오면 어렵지 않게 볼 수 있는 곳이었다.

방은 그리 넓지 않은 사각의 방이었는데 예전에 종래도 머물렀던 곳이라 말했다. 그래도 사람이 살았다는 흔적이 곳곳에 때를 묻혔다. 그는 차를 끓이려는 듯 주전자와 네모난 상자 그리고 컵을 안에서 들고 나왔다. 그는 물을 올려놓고는 선택을 물었다.

“어느 것이 좋을까? 녹차와 결명자가 있거든.”

“결명자요.”

종래가 작은 상자를 여니 두 칸으로 나눈 곳에 작은 봉지가 들었었다. 그러며 종래는 그곳의 결명자를 들며 조심스럽게 말했다.
"그간 딴 세상을 살다 돌아온 것이 운명 같잖아? 뭔가 하고자하는 의욕도 꺾으며 고향이 부르는 것 같았지. 살던 집을 찾은 심정이랄까?"
그때 주전자에서는 물이 끓어오르는 소리가 나기 시작했다. 종래는 잔을 나란히 놓고 결명자봉지를 넣었다. 그리고 물을 따르니 금방 찻물이 빛을 내었다. 잠시 후 오르던 김은 온도를 낮췄다.
안에서 밖을 내다보는 느낌은 밖에서 안을 들여다보는 것과 달랐다. 밖에서의 기분이 객이었다면 안에서 바라보는 느낌은 주란 것이었다.
그런데 건물에 사람이 살지 않아 그런지 앉아있어도 그 기분은 오래가지 않았다. 그러더니 어느새 객처럼 느껴지는 것이었다. 그녀가 사는 집은 그러한 느낌은 있지 않았다. 엄하거나 위계적인 분위기도 없고 그저 삶의 편안만이 있을 뿐이었다.
"이런다고 뭐가 달라지나요?"
"눈이 밝아졌다고나할까."
"결명자의 덕이겠지요."
순애는 진열장 같은 이곳의 공간이 서재라는 생각이 들었다. 종래가 건네는 결명자차를 입에 대었다. 그러며 눈길은 작은 방을 살펴보았다. 퀴퀴한 냄새가 곰팡내인 것 같았다. 그곳에서 새어나오는 퀴퀴함은 고서의 체취였다.
"밝아지지 않는다면 견딜 수 없잖아?"
"그럼 휴지가 아니었나요?"
"그것은 이곳을 몰라서 그런 게지. 하지만 말을 타자면 이곳을 찾지 않을 수 없잖아?"
"보물만이면 족한데."

개량한복을 입은 종래는 건물의 모습과 한껏 어울렸다. 저고리의 동정은 깨끗했고 바지의 푸른색은 나팔꽃처럼 고왔다. 그녀의 우문에 종래는 미소를 지었고 격치는 인생과 다르지 않은 생활이라 말했다. 그러나 그것은 기대에 우이독경일 뿐이었다. 다만 한쪽으로 치우치지 않으려는 생각은 잔상으로 남았다.

순애는 득의만만한 표정으로 그의 처지도 살폈다. 그는 홀아비의 냄새도 났고 먼지가 두른 방을 뒹군 흔적도 있었다. 물론 혼자란 사정과 고서와 하나란 투였지만 여유는 그렇지 않았다. 하긴 고서와 고택의 흔적이 남긴 흔적처럼 흑백의 세상엔 무용지물이었다. 하지만 그는 이야기를 잔잔히 이었다.

"내게 감옥은 감옥이 아니었지. 갇힌 곳에서 자유를 얻었다고나 할까? 그러니 역설적이지만 부자유가 자유였던 셈이지. 그곳에서 무엇을 찾았겠어? 어린 시절 이곳에 산 덕으로 그 소리를 들을 수 있었지."

"그게 환청은 아니었고요?"

"그럴지도 모르지. 하지만 소리란 세월을 넘는 날갯짓과 같은 것이잖아. 그러니 적막에 신경을 쏟지 않을 수 없었는데 어느 순간 그 소리를 듣지 않았겠어? 그런데 사람들은 소리는 관심도 없고 오직 화려한 것만을 찾으니 그런 소리가 들릴 까닭이 없지. 그야말로 흙덩어리를 고집할 뿐이지."

"뭐라고요? 흙덩어리라고요? 그 말처럼 나를 모욕하는 말은 아마 없을 거예요."

"그래? 독재타도를 한 번이라도 외쳤으니 그런 것이겠지."

"고마운 말이군요. 그래서 갈 길도 제대로 찾지 못하고 미로를 헤매는 절 도운 것이었군요. 그런데 난 그런 행동에 보답도 못하고요. 하지만 그 말을 듣고 보니 야릇한 느낌이지만 입맛은 살짝

도는 것 같아요. 흙덩어리 인간이란 말은 누구나 알잖아요."

"하하. 그렇다고 믿을 것은 없지. 누구나 흙에서 나고 흙으로 돌아간다고 하잖아? 하지만 흙덩어리 인간이지만 숨은 쉬는 까닭도 있잖아?"

"그것도 모르는 인간이라는 게 문제이지요."

순애는 먹이를 노리는 하이에나처럼 양보할 사정도 아니었다. 한 번 물을 먹잇감을 나눌 겨를도 없었다. 난처해진 것은 종래의 사정이었다.

"인간은 누구나 다르지 않잖아?"

"그럼 들었단 소리는 뭐에요? 흙으로 만든 인간이라고 놀리고 싶었나요. 그렇다고 해도 화는 나지 않아요. 자신을 잘 알거든요. 하지만 선배는 같을 수 없잖아요."

"나? 하하, 아니지. 그럴만한 건더기도 없거든. 그저 소리를 들었다는 것은 고서의 주인일 뿐이지."

"아니에요, 그럴 리가 없어요. 다만 그렇지 않다고 할 뿐이지요."

"내가 만나본 사람 중에 그런 사람은 있었지만."

종래는 눈길을 내리깔며 힘주어 말했다. 물론 순애는 그가 누구인지 묻지 않았다. 이미 자신은 흙덩어리의 인간이란 사실에 스스로를 굴레 지운 탓이었다.

"참, 그런데 선배?"

순애는 더는 말을 이어갈 수 없었다. 그녀의 가게의 사정을 고백하려니 차마 입안에서 말을 꺼낼 수 없었다. 그가 맡긴 토지가 어떠한 것인지 모르지 않는 그녀로서는 죄인이지 않을 수 없었다.

순간 종래의 눈길이 그녀의 화장한 얼굴에 멎었다. 순수한 얼굴은 어디로 숨고 화사한 빛의 화장이 복사꽃처럼 그녀의 얼굴을 피워냈다. 종래는 잠시 침묵을 차로 이었다.

“그런데 얼굴이 왜 그 모양이지? 말하지 못할 고민이라도 있는 거야?”
“고민은 처음부터 있었던 것이고요. 그것은 장사를 하는 내내 버릴 수도 없었지요. 물론 사는 게 고민이지 않은 게 없으니 이상할 것도 없고요. 그런데 이곳을 오면서 그것을 삭둑 잘라버릴 수 없었으니 고맙다는 말을 전할 참이었어요.”
“그래? 그렇다면 그것 참 다행인데, 안색이 그렇지 않다는 것이 문제이지. 그렇잖아?”
“차츰 좋아지겠지요.”
“그렇다면 다행이지만, 염려가 되는 것은 고민이 처음부터 잘못되었다는 것을 말한다는 것이지. 인간은 흙으로 왔다지만 모두 흙으로 가는 것은 아니지 않겠어? 그러니 그런 묘미를 흐리지 말라는 얘기야.”
‘묘미? 애당초 난 그런 것은 없었지요. 갈대와 같은 인간이 갈대와 다르다고 한들 누가 믿어주겠느냐고요. 차라리 갈대처럼 흙에 뿌리를 박고 사는 게 묘미란 것이지요.’
순애는 자신도 모르게 어색한 말을 바꾸지 않을 수 없었다. 종래의 눈길은 그런 것에는 아랑곳하지 않고 문틈을 바라보고 있었다. 창이 반 쯤 열린 틈으로 화단에 탐스럽게 피어있는 국화가 보였다. 꽃은 열흘을 가지 않는다고 들은 것 같았다.
하지만 순애는 그 사실도 거부하지 않을 수 없었다. 열흘이 아니라 하루도 견디기 어려운 시간이었다. 다만 그 사실이 자신에게만 국한되지 않고 연줄 걸리듯 한 걸 참기 힘들었다.
“이제는 더 기다리지 않는다고?”
“그 세월이 팔년을 등 떼밀잖아요. 그렇지 않았다면 이렇듯 차도 맛보고 음미하며 화단의 국화도 바라보지 못하지 않았겠지요.”

"그렇기는 하지. 덩달아 나도 손님을 이렇게 대접할 까닭도 없고."

"참, 그런데 선배는 책만으로 그렇게 과거를 찾을 수 있다는 게 도무지 믿기지 않는 걸요?"

"그렇지? 암울한 기억을 어찌 생각으로만 지울 수 있겠어? 그래서 생각한 것이 텃밭에서 농사를 짓는 거였지. 여기에 결명자를 좀 봐. 내가 씨를 뿌리고 잡초를 매어주니 이렇게 튼실한 열매로 보답을 해주지 않았느냔 말이야. 그 기쁨이란 어느 것과도 바꿀 수 없는 기쁨이라는 것을 안 순간에 난 모든 것을 잊을 수 있었거든. 마치 말을 타는 기분이었지. 순애도 씨앗을 줄 테니 가져가 심어봐."

"씨앗을요?"

"그래. 심을 밭은 있겠지?"

순애는 그 말에 대답을 하지 않았다. 물론 씨앗을 심을 곳이 없어서가 아니라 밭이라는 말에 그만 말문이 막힌 탓이었다. 대신 그녀는 속으로 종래의 말꼬리를 잡았다.

'과거를 잊을 수 있다고요? 씨앗으로? 그것은 나를 위로하려는 말이라는 것을 뉘 모를 줄 알아요? 어떻게 결명자의 씨앗으로 지난 그 비분을 잊겠어요? 그게 말을 타는 기분이라고요? 오직 해결은 하나의 방법밖에 없다는 것을 난 잘 알아요. 물론 선배의 말마따나 흙의 인간이니 그렇게 생각을 하는지 모르겠으나 씨앗이라는 말이 너무 아프잖아요.'

"뭘 그렇게 비 맞은 중처럼 지껄이는 거야?"

"아니에요, 결명자는 눈을 밝게 하는 데 제일이지요."

"그렇지. 아마 마음의 눈에도 좋을지 뉘 알아?"

'흥, 서재에 처박혀 산다고 하더니 세월과 너무도 떨어져 있군,

아무리 뭐래도 난 내 방식을 저버릴 수 없군. 그것은 오직 이에는 이란 사실이지. 그것은 만고의 진리이잖아? 그런데 마음의 눈은 무슨 눈?'

순애의 생각은 확고했다. 그런 순애를 미혹의 눈길로 바라보는 종래의 눈빛은 예전에 보물을 제일로 잘 찾았던 소녀를 바라보는 것과 다르지 않았다.

순애도 종래의 생각을 전혀 모르지는 않았다. 하지만 그녀는 자신의 생각대로 이미 그의 생각을 버린 것으로 미소 지었다. 그녀에게 그 이상의 보물은 존재하지 않다는 듯이.

그러나 그런 사실을 종래에게 고백을 할 수 없었다. 그래서 얼굴에 가식적인 미소를 짓지 않을 수 없었다. 순애는 그 순간 김씨의 탈이 떠올랐다. 탈도 자신의 내심과 같지 않을 것이라는 생각에 힘이 실렸다.

분명 김씨의 마음은 이중적이었던 것 같았다. 그런데 왜 그렇지 않고는 견디지 못한 것인지는 알 수 없었다. 그때 산해를 구석구석 찾아다니며 돌아보던 혁의 모습이 나타났다.

순애는 반가운 나머지 신도, 신지 않은 채 밖으로 뛰어나오며 소리쳤다.

"보물은 찾아냈어?"

그러나 순애를 바라보는 혁의 눈길은 긍정도 부정도 아니었다. 다만 조금 전까지 혼자서 즐거운 나머지 흥얼거리던 노래가 끊어졌다. 그러나 그 노래는 순애도 모르지 않았다. 산해에 소풍을 왔을 때 즐겨 부르던 그녀의 애창곡이었기 때문이었다. 그런데 자신도 모르는 가사에 놀라지 않을 수 없었다.

'검은 하늘 은하수 하얀 쪽배엔

계수나무 한 나무 토끼 한 마리.
돛대도 아니 달고 삿대도 없이
가기도 잘도 간다, 동쪽 나라로.'

견학과 휴식을 마치고 가게로 돌아왔을 때, 해는 아직 서산을 넘지 않았다. 아직 하루해를 보니 밤 장사를 서둘지 않을 수 없었다. 아무리 그래도 가게만큼 마음을 편하게 하는 곳도 없었다.

그녀가 가게에 다다랐을 때 앞에는 많은 사람들이 모여 웅성대고 있었다. 유심히 살펴보니 공사를 막 끝내고 있었다. 그녀는 얼마 전에 사라진 사내의 말이 생각났다. 가게를 열겠다는 말이었다. 설마하니 자리를 비운 사이에 무슨 일이 있겠느냐 싶어 앞으로 다가섰다.

그런데, 그토록 우려하던 일이 도깨비장난처럼 이루어지고 말았다. 이미 마무리를 서두르는 품이 내일이라도 개업을 선언할 것 같았다. 배가 올챙이처럼 튀어나온 작업반장은 이곳의 사람은 아니었는데 인부들에게 일일이 작업을 점검하고 있었다.

그 올챙이는 도배의 뚱보와 비견되는 몸을 가진 사내로 목소리까지 우렁찼다.

"자, 이제 다 끝났군. 내일부터 장사를 시작해도 되겠단 말이야!"

사내의 그 말에 눈에 번갯불이 튀었다. 그것뿐만이 아니었다. 심장은 조여 오고 손발은 사시나무처럼 떨려 그대로 서 있을 수도 없었다. 간판의 글대로 피자점이 개업을 한다면 그녀의 가게는 폐업이 분명했다. 그녀는 일을 끝내는 작업반장에게 이런 짓을 누가 벌렸냐고 따지지 않을 수 없었다.

"이런 부도덕한 짓을 벌린 사람이 도대체 누구란 말이요?"

"아직도 모르고 있었어요? 옆집이라 통보는 한 것으로 알고 일을 마쳤거든요."

"통보라도 했더라면 이런 말을 하겠어요? 아무리 시골이라고 동종의 가게를 개업하면서 아무런 양해도 없다는 것은 전쟁과 뭐가 다르지요? 그것도 남의 가게의 맞은편에다 열다니요. 도대체 이런 무지막지한 도적이 또 어디에 있냐고요?"

"닭과 피자는 다르지 않아요?"

작업반장의 그 한말이 그러잖아도 분통이 치미는데 기름을 붓는 격이었다. 그의 말이 그른 것은 아니지만 시골에서는 그것이 곧 이것이었다. 소비층과 취향이 겹치는 것은 그녀의 분노를 억제할 겨를도 없었다. 무너지는 심정은 이미 이성을 잃고 말았다.

그때 작업반장의 등 뒤로 얼굴에 검은 색안경을 걸친 사내가 나타났다. 모습만 보아도 낙지라는 것을 알 수 있었다. 그는 차를 멀리 세우고 작업의 결과를 살피러 모습을 드러낸 것이었다.

작업반장은 그에게 일의 종료를 알렸고 낙지는 고개를 끄덕이더니 그녀를 보았다. 분노한 그녀가 달려가 그의 앞을 막았다. 거만한 표정에 미소를 문 사내는 미처 알리지 못한 일을 사과하려는 의도도 없었다.

"그러잖아도 마주칠 일이라고 생각은 했어요. 그런데 종일토록 가게를 비웠더라고요. 그렇다고 이런 사소한 일을 시시콜콜히 알리려는 뜻도 아니었지만요. 그럴 의무가 아니라는 말이지요. 화가 난 심정은 이해를 하지만 장사는 위기가 곧 기회라는 것을 알아야 하잖아요?"

"그렇겠지요? 당신에게는 나의 위기가 기회이지요. 하지만 그 속사정을 들여다보면 그 말은 궤변이라는 것이 백일하에 드러나지요."

"변명을 하는 것은 아니지만 시장을 너무도 모르니 우선 마음을 진정하고 내 말을 잘 들어봐요. 당신의 말처럼 궤변인지 아닌지는 남이 판별을 할 것이고. 당신의 말처럼 시장에서 독점적으로 장사를 한다고 해서 장사가 잘 되리라는 법이 있나요? 그것은 오히려 자유경쟁을 저해할 뿐만이 아니라 시장을 도태시키는 일이란 것을 알아야지. 건전한 경쟁을 통해서 살아남는 자만이 자리를 차지하는 것은 비단 장사만 그런 것은 아니잖아요? 그런 대의를 부정하며 혼자서 장사를 하겠다는 말을 누가 억지라고 하지 않겠어요?"

"아주 그럴 듯한 변명이고요, 하지만 그렇게 시장의 생리를 누구보다도 잘 아는 사람으로서 이런 부도덕한 짓을 정당화하려는 생각은 가소롭지 않겠어요? 이기는 자만이 세상을 점령하고 차지한다면 사는 이유는 뭐냔 말이지요. 죽이기 위해서 아니면 차지하기 위해서 상대를 죽여야만 내가 사는 게 정의인가요?"

"쯧쯧! 피는 못 속이는가 봐요. 장사를 하는 사람이 장사만 잘하면 될 일이지, 그런 정의를 외쳐서 무엇을 하겠느냐고요. 초보이고 경험이 없어 이웃에서 도와주며 상생하려고 했더니 그 은덕을 되레 악의로 갚으려고 하다니."

"악의라고요?"

결연한 낙지의 냉정한 눈길에 그녀는 이마에 식은땀이 솟았다. 곁에 서서 상황을 살핀 감독과 인부들은 낙지의 말이 옳다는 듯 고개를 끄덕이었다. 순애는 그런 사정도 알지 못하고 태평한 생각을 한 자신이 못내 후회되었다.

하지만 그렇게 보고만 있을 수 없는 것이 가게의 사정이었다. 토끼가 늑대를 상대로 싸운다는 것은 어리석은 일이었다. 위기를 타개하기 위해서라도 그와의 화해는 외면할 수 없었다.

그녀는 얼굴의 표정을 바꾸며 낙지에게 다가섰다. 얼굴에 탈을 쓴 심정이지 않을 수 없었다. 사과를 하는 뜻으로 저녁을 사겠다고 하자 낙지는 어리둥절한 표정이었다.
하지만 그렇다고 물러설 수 없는 것이 약자의 태도였다. 미소를 지으며 윙크까지 건네자 굳었던 표정이 버들처럼 흔들거렸다. 그는 못이기는 체 강변의 식당을 지정했다.
“설마하니 바람을 맞히는 것은 아니겠지요?”
“우리의 관계가 그 정도는 아니잖아요.”
순애는 낙지의 확답을 위해 다시 물었고, 사내는 그렇지 않다고 확약했다. 하지만 아무리 생각해도 이것은 뭐가 잘못된 일만 같았다. 자신의 영업권을 침입한 자에게 사정을 한다는 것은 비극적이지 않을 수 없었다.
아직 저녁을 먹지 않은 순애는 식당의 메뉴를 골라보았다. 샛강의 수로를 따라 자리한 그 집은 메기탕이 유명했다. 낙지는 메기탕을 좋아한다고 자랑을 한 적이 있었다. 아마도 그는 메기탕을 시킬 것 같았다. 순애는 맛있는 저녁을 위해 거울 앞에서 화장을 고쳤다. 그러며 그 집의 간판을 기억해 내었다.
‘분위기 좋은 집’은 간이음식점으로 안막과 접경에 자리했다. 분위기가 좋아 그런지 늦은 시간까지 성업을 이루었다. 시장과 지척이었지만 사정은 지척이지 않아 심기가 편한 것만은 아니었다. 이런 곳은 자주 오지 않았지만 기분을 전환하는 곳으로는 안성맞춤이었다. 그간 장사로 목소리만 컸었고 억측을 부릴 줄도 알았다. 다만 그처럼 신장하지 않은 것은 장사의 실적뿐이었다.

12,토우

약속한 장소에 먼저 도착한 순애는 빈자리를 찾아 구석으로 자리를 잡았다. 조용한 이야기를 위해서는 구석이 그나마 은밀했다. 나이든 여자가 메뉴판을 들고 나타나 주문을 독촉했다. 그녀는 뒤이어 올 사람이 있으니 그때 주문을 하겠다고 여유를 부렸다. 그러자 여자는 정색하며 혹시 피자 점의 사장이 아니냐고 물었다. 순애는 불길한 생각으로 그 사실을 어떻게 아느냐고 되물었다.

여자는 미소를 지으며 조금 전 전화가 왔는데 바쁜 일로 약속을 다음으로 미루었다는 말이었다. 낙지가 후일을 말한 것은 이 자리를 같이 하지 않으려는 뜻이 분명했다.

이튿날 아침, 피자집은 요란한 음악으로 개업을 알렸고 사람들은 그 맛에 빨려들었다. 한번 균형을 잃어버린 평형이 자리를 잡는 데는 시간이 걸리는 법이었다. 마수도 하지 못해 실심의 상태에 빠진 것과 대조적으로 피자집의 오토바이는 시동이 꺼질 줄 몰랐다.

하지만 이를 악무는 것과 견딜 수 없는 사정을 바라보는 것 말고는 달리 방도가 없었다. 눈을 감아도 피자집의 오토바이가 들락거리는 환상이 지워지지 않았다. 피자집만 있지 않았더라면 그 배달은 닭이 대신할 것이었다.

자칫 이제 잘못하면 종일 한건도 주문을 받지 못할지도 모른다는 중압감으로 소름마저 끼쳤다. 그녀는 더 그 사태를 바라보고 기다린다는 것이 어리석음일 뿐이라 생각했다. 극단의 파산을 당하기 전에 다른 방법의 해법을 찾아야할 것 같았다. 그녀는 한 생각에 입가에 독기어린 장뇌 색으로 입술을 칠했다.

이제는 기다리는 수세적인 방법보다 영역을 개척하지 않을 수 없었다. 낙지의 교활한 태도를 차단하기 위해서는 그만한 방법도 없었다. 물론 지난번은 그의 일방적인 요구였지만 지금은 강요란 것이 달랐다.

미장원에 들러 머리부터 모양을 바꾸었다. 미장원은 소식만 모이는 곳이 아니라 머릿속도 지져대는 곳이었다. 입방아를 찧는 여자들의 모임의 장소로는 이만한 곳도 없었다. 명자의 표정도 순애를 보더니 굳어졌다. 표정만 보아도 가게의 사정을 알아낼 정도였다.

"가게가 심상치 않은가 보구나. 나도 그런 사정을 이해하지."

아침에 뚱보도 머리를 하고 갔다고 했다. 비밀을 입에 가두고는 견디지 못하는 여자였다. 그러며 낙지의 사업의 구상을 자랑도 하였다는 것이었다.

순애는 이제 뚱보의 모습만 생각해도 정나미가 떨어졌다. 배에 비계만 둘둘 감은 여편네가 입까지 아귀처럼 나불거렸다. 어디를 보아도 매력이 있는 곳이라고는 눈을 씻고 보아도 없는데 돈만은 그렇지 않았다.

하긴 눈 먼 돈이라고 하지 않던가? 뚱보는 눈먼 돈을 찾아내는 데 재주를 가졌다. 그래서 굼벵이도 뒹구는 재주가 있다고 하는지 몰랐다. 그래서 그녀는 낙지의 일에도 아량이 없었다. 지난 일이 되었지만 그녀는 낙지를 장가보낸다고 중매를 섰었다. 낙지에게 두둑한 사례를 요구한 것도 무리는 아니었다. 순애가 머뭇거리는 사이 뚱보는 다른 여자를 찔러 넣었다. 물론 복채를 더 받으려는 의도에서였다. 성사의 기미가 있자 그녀는 혼수를 돕겠다며 다시 손을 내밀었다. 낙지는 자신을 도우는 그녀에게 의지하지 않을 수 없었다. 돈을 받은 지 얼마 지나지 않아 그 혼사는 그만 깨지고 말았다. 마련한 혼수를 서로 돌려주는 조건이 있었다. 그런데 문제는 그 약속을 뚱보는 차일피일 미룬다는 것이었다. 손에 쥔 돈을 돌려준다는 사실이 자기의 돈과 같다는 이유이서였다. 그런 일로 인해 요즘 낙지는 그녀와 소원해졌다고도 했다.

하지만 이제 그녀는 뚱보를 찾을 생각까지 할 수 없었다. 일전에 빌린 것마저 아직 갚지 못한 까닭이었다. 명자의 손놀림은 시골에서 늙은 여자들에게 기술을 부린다는 것이 너무 아까웠다. 미용경연대회에서 수상한 전력도 있고 보면 인정받은 기술이 분명했다. 그러나 그가 머무는 물이 좁은 것이 아쉬웠다. 머리의 변신을 마무리하면서 기어이 남의 속을 긁어대었다.

"모양은 바꾸었지만 속까지 바뀐 것은 아니겠지?"

"아니다, 더는 원님 떠난 뒤에 나발 부는 짓은 하지 않을 거야!"

"그래서 실패는 성공의 어머니라고 하는 거겠지?"

달라진 모습을 바라보는 순애의 눈길에 긴장이 풀렸다. 거울에 비친 그녀의 모습은 닭을 배달했던 그녀가 아니었다. 아무리 생각하여보아도 명자의 기술은 인정하지 않을 수 없었다. 그간 너무 배우지 못했다고 구박한 자신의 심기를 되짚는 계기가 되었다.

그녀는 날이 어두워지기를 기다려 앞의 피자집을 살펴보았다. 하루에도 한두 번은 나타나던 낙지의 모습이 오늘은 눈에 띄지 않았다. 초조한 마음을 그나마 달래는 것은 이웃한 뚱보의 가게였다. 뚱보는 혼자서 무엇을 먹다가 들킨 고양이처럼 겸연쩍은 미소로 그녀를 맞았다.

"우리 가게는 무슨 일로?"

"왜, 오지 못할 곳이라도 되나요?"

그녀의 방문을 뚱보는 고마워하는 눈치였다. 저번에 화해를 한 후 한결 달라진 모습이었다. 이제 용서는 친밀로 거리와 정을 당겼다. 활기찬 목소리에 그녀의 변신을 칭송했다.

"예쁜 것도 모자라 이렇게 매력까지 풍기면 난 어찌 살라는 거지?"

뚱보는 칭찬도 모자라 며칠 전 해둔 떡이라며 커피와 함께 내왔다. 먹는 모습을 보는 것만으로도 배가 불렀다. 하긴 이 지경에 순애에게 무슨 입맛이 있으랴마는, 뚱보는 경우가 달랐다. 풍족한 살처럼 걱정은 말랐으니 입맛이 없다면 오히려 이상할 정도였다.

산해를 다녀왔던 기분은 사흘을 넘기지 못했다. 발등의 불은 순간도 견디기 힘들었다. 초조한 기분을 뚱보는 눈치로 긁었다. 그녀의 사정을 모를 리 없는 그녀는 엄살부터 피웠다. 그녀에게 애초부터 기대려는 것은 아니었다. 낙지의 동정을 살피려는 의도였을 뿐이었다.

"오늘은 어디를 갔나보죠?"

"총각귀신이 될 수 없지 않겠나?"

"그, 그럼요. 좋은 사람을 만나야하지요."

그러나 뚱보에게 애초부터 호의적인 대답을 기대한 것은 아니었다. 적어도 뚱보는 그녀의 일을 신기루처럼 생각하는 여자였다. 그래서 낙지의 만남도 달갑지 않게 여기는 것 같았다. 그녀는 이번은 어떤 수가 있어도 그의 혼사를 밀어붙이겠다는 의지를 피력했다. 그런 말을 듣는 순애는 여간 곤혹스럽지 않을 수 없었다. 그러나 한 생각에 그녀는 미소를 찾을 수 있었다. 순애가 웃자 뚱보는 의아한 눈빛으로 까닭을 물었다.

"좋은 일일수록 나누는 것 알제?"

"그럼요, 어려운 일을 도와준 이웃인 데요."

그러나 뚱보는 애초부터 자선을 행할 뜻이 없었다. 그녀의 말인즉 게으른 타성을 기를 뿐이라는 것이었다.

"전해오는 말에 쌀독에서 인심이 난다는 말은 이제 그른 것으로 판명이 난 것 같거든요."

"그럼, 자선도 다 목적이 있거든."

"앞으로도 그러겠죠? 대신 그 역할을 은행이 잘 수행하잖아요? 자비롭게도 서로 상부상조를 하자는 것이지만, 그것이 알고 보면 사회를 밝히는 정의란 말이지요. 내 말이 무슨 뜻인지 알겠어요?"
"그럼, 약자는 이제 서있을 자리도 점점 사라진다는 게잖아?"
"호호, 고집도 감기처럼 옮는 것인가 봐요. 그런지 낙지도 요즘은 더욱 고집을 버리지 않더라고요."
순애의 말이 채 끝나기 전에 문이 스르르 열리더니 낙지가 고개를 들이밀었다. 보아하니 술을 한잔 마신 얼굴로 기분마저 좋지 않았다. 여자와 만남이 아마도 제대로 돌아가지 않은 것 같았다. 순간 순애의 얼굴에 생기가 돌았다.
낙지는 뚱보와 그녀의 얼굴을 번갈아보더니 밖으로 돌아가려는 것 같았다. 그러자 뚱보가 급한 성미로 그를 불렀다.
"왜, 사람을 보고도 못 본체 하는 것이지?"
"못 본체 하는 게 아니라 용건이 없다는 거지요, 그렇지 않아요?"
"아니지. 저번의 일도 있고 또 얼굴을 보니 새로운 소식이라도 들려줘야하는 게 아니야?"
"그래요? 그렇다면 오늘은 아예 작정하고 쳐들어왔군요."
"내가 무슨 힘으로 쳐들어갈 기세나 되겠어요?"
"흐흐, 적어도 내 눈에는 그렇게 보이는 걸요? 그리고 참 저번에 약속을 지키지 못한 것 사과하겠어요. 한가한 몸이 아닌 것 알잖아요."
말을 마친 낙지는 밖으로 나갔다. 허를 찔린 그녀는 닭 쫓던 개처럼 허전하지 않을 수 없었다. 하긴 이런 생각이 뚱보의 말처럼 신기루란 생각도 들었다. 그렇다고 가게의 운명을 그대로보고만 있을 수 없었다. 그녀는 따라 나오며 낙지의 팔을 잡았다. 얼굴에는 비열한 미소를 물고 나직이 말을 전했다.
"진주를 사지 않을래요?"
"진주요? 여기에 그런 귀한 것이 있기라도 하나요? 흙덩어리만 여기저기에 나뒹굴고 있잖아요."
순애는 허탈한 심정이 되지 않을 수 없었다. 더는 그에게 구애는 무용지물이라는 것을 알았다. 아직도 피자집은 주문이 있었던지 어둠속으로 사라지는 오토바이가 보였다.
그녀도 오토바이의 뒤를 따라 어둠속으로 사라졌다. 어둠이 짙어지는 강둑은 지척을 분간하기도 힘들었다. 그래서 한동안 서 있으려니 한 사내가 술에 취한 몸으로 나타났다. 술에 취한 모습만 보아도 김씨가 떠올랐다.
'오늘도 어디서 무슨 까닭으로 저렇게 술을 마신 것이지? 그런데 이제는 내가 저러고 싶은 걸? 그것도 모르고 구박만 한 사실이 너무 우습지 않아?'
순애의 생각은 실타래처럼 길어지고 있었다. 멀리 어둠 속에 마을이 보였다. 어둠은 이미 마을의 모습을 다 삼켜버린 뒤였다. 그것을 지켜보는 것은 밤하늘의 반짝이는 별빛뿐이었다.
'어쩌면 이제는 이곳을 언제 떠날지도 모르겠는 걸? 그때 경성을 다녀온 이후 이곳을 한 번도 떠나지 않았는데. 또 떠난다면 어디로 가야하는 걸까? 철새들에게 물어봐야 하나? 지금은 어두워 새들도 둥지를 찾아갔는데, 난 아직 그러지도 못했으니. 앞이 그야말로 캄캄하구나!'
멀리 보이는 물결이 바람에 일렁거리고 있었다. 화려한 도시의 불빛이 그 위에서 춤을 추듯 일렁거리었다. 순애의 마음은 다시 물결처럼 일렁거리기 시작했다.
'나는 아무려면 어떻지만. 나 때문에 곤욕을 치를 선배가 우선 그렇고. 명자에게도 그렇게 큰소리를 쳤었는데 면목이 없는 것은 마찬가지이지만, 그래도 제일 걱정은 가족이지 않을까? 맞아! 막장이나 경주댁이 무슨 죄이겠냐고? 그저 못난 여식 때문에 그렇게 곤

욕을 치른다는 것을 차마 생각하기조차 싫은 걸?'

순애는 땅바닥에 털썩 주저앉았다. 그나마 둑에 풀이 발목을 덮는 정도여서 충격은 있지 않았다. 속에서 터져 오르는 분노를 억제할 도리가 없었다. 그것은 이내 자학의 모습으로 나타났다.

'진주라고? 하하, 흙덩어리의 신세가 꼴좋다. 아니 내가 지금 무슨 말을 하는 거지? 발등의 불을 끄지는 못할지언정 자학만 하고 있을 순 없잖아? 아무리 그래도 가슴이 저린 것은 혁에게 면목이 없다는 것이지. 아, 쥐구멍이라도 있다면 들어가고 싶지만 그럴 수도 없고. 혁이 애들한테까지 놀림을 당하는 것을 어떻게 보란 말이냐고? 흑흑.'

순애는 점점 이성을 잃어가고 있었다. 이제는 차라리 어둠과 하나가 되는 것이 그나마 편한 것 같았다. 그녀는 멀리 보이는 물결이 자신을 향해 손짓을 하는 것 같았다. 그러나 그것도 그녀에게는 자유롭지 않은 것이었다. 그때 그녀의 곁에 있던 취객의 떨리는 음성이 그녀의 울분을 중지시켰다.

"이렇게 때를 맞추어 나타나더니 이것은 보통의 인연이 아니라면 불가한 일이지 않아? 아직도 분이 다 풀리지 않았다면 주금 더 기다릴 수도 있고. 나도 한때 같은 경험을 했었거든. 그 분통을 아직도 풀고 있지 못하지만. 그래도 그게 다시 돌아온 계기는 되었지만. 이제는 그 그림자라도 닮으려는 생각은 해보지만 그것도 여의치 않아 술을 마셨는데, 이곳에서 그 해답을 만나다니."

"호호, 기학 너도 그 주정뱅이를 설마 닮으려는 것은 아니지? 하지만 난 지금 그것도 들을 수 있는 여유도 없어. 마음은 하나를 원하지만 몸은 먼 거지. 그리고 머지않아 이곳을 떠나야할지도 모르겠어. 너는 저 어둠의 속내를 알아?"

"아냐고? 그것이 무엇이라는 것을 안다면 오늘의 나의 모습이 이렇겠어? 하지만 그곳이 두려운 것만은 아닌 것은 분명하거든."
"두렵지 않다고? 아무 것도 손에 쥔 것이 없는 나를 보고서도 그런 말이 나와?"
순애의 항변은 피를 토하는 것 같았다. 그러나 어둠속의 기학은 더는 변명을 더하지 않았다. 그녀는 기학의 말에 다시 흔들리고 있었다.
"어디까지 가본 것이지? 강을 건너고 산도 넘었겠지. 바다는? 그곳은 기회이고, 처음과 끝이 다르지 않다고 하는 곳이잖아? 그것을 내게 솔직히 말해서 줄 수 없는 거야?"
순애는 그래도 기학의 대답을 갈구하고 있었다. 그녀는 그곳이 철새들이 가고 오는 곳이라 생각했다. 순애가 말을 이었다.
"이번의 위기는 나에게 전화위복이 될 지도 모르지만, 물론 그렇다면 부도가 나쁜 일은 아니지. 어둠의 하늘을 훨훨 날아가는 것 같기도 하고. 그것은 당해보지 않고는 모르는 법이지. 그것은 인간을 토우라고 여겼던 생각의 조롱이 분명하겠지만."
"그럼? 아니란 것을 이 지경에 보일 수가 있겠어?"
기학은 말의 답을 드러내지 않았다. 그녀와 더는 이야기를 나눈다는 것이 부질없는 짓이라 생각한 모양이었다. 그가 아무리 위안을 한다고 해도 순애의 위급은 해결할 방법이 없었다. 그는 자리에서 일어섰고 그녀는 뒤에서 물끄러미 바라만 보았다.
그런 순애의 억지는 애꾸인 경주댁을 닮았다. 고생과 인내는 허울이었다. 그리고 결과는 공이라는 사실이었다. 그래서 순애도 어느새 인정하고 있었다. 막장을 생각하면 한숨이 절로 나오지 않을 수 없었다. 그가 나직이 속삭이는 것 같았다.
'병가의 제일은 삼십육계라잖아?'
가로등의 불빛이 물결을 물들이며 그녀를 지켜보고 있었다. 편히

쉴 겨를도 없는 그녀의 처지를 낙지의 얼굴은 비웃으며 사라졌다. 진주가 아니라 흙덩어리라는 말을 어떻게 받아들일지를 생각하니 머릿속이 지근거리고 아팠다. 눈을 감으며 그의 귀전을 찢으려는 듯 고함을 질렀다.

"진주라고 하지 않았어요?"

'그렇지. 하지만 궁해서 찾아온 순간 그렇게 여기었던 게 바뀌었잖아.'

낙지의 대답을 기학도 그렇다고 대답할 것 같았다. 기학에게 기대려는 생각을 버리지 않을 수 없었다. 반갑고 마음이 흔들기는 했지만 위기에는 자리를 지키는 것이 장승을 닮았다.

이제는 낙지의 얼굴도 더욱 득의만만한 모습을 감추지 않았다. 자신의 승리를 자랑이라도 하듯 그녀의 궁핍을 전리품처럼 흔들어 보였다. 그것은 현실을 인정하는 것이었다.

순애는 낙담하였고 더 참을 수 없는 일들이 환상으로 나타났다 사라졌다. 가게가 문을 내리고 정산을 하려는 채권자들이 몰려드는 것 같았다. 그들은 신발을 신은 채 이곳저곳을 뒤질 것이었다. 그러며 닥치는 대로 노획하며 그녀를 찾는다면 머리채를 잡고 옷을 찢으며 고문을 가할 것이었다.

그런 순간만은 피하려고 화장도 덧칠했는데 이제는 무용지물이 되었다. 내일의 함정은 깊었고 그녀가 탈출하기에는 깊이가 너무 깊었다. 그녀에게 낙지는 이제 더 혓바닥도 내밀지 않았다.

'이제 결과를 받아들이지 않을 수 없잖아?'

'그럼, 패배를 인정하는 거야? 그럼 혁은 어떻게 되는 거지?'

'혁? 그것이…….'

순애는 생각을 잇지 못하였다. 언제나 집에서 보여주는 그 얼굴은 힘이고 용기였었다. 그러나 이제는 견딜 수 없는 공포이지 않을 수 없었다.
'그래서 이런 모습으로 꾸미기까지 했는데?'
한번 새는 바가지는 꿰매어도 샌다는 말은 그르지 않았다. 어리석음은 어리석음에 빠지는 법이었다. 균형을 잃어버린 배는 잠기는 것이고 갈증에 한모금의 물은 되레 갈증만 더하는 꼴이 되었다.
그녀는 이제 낙지에게 구원을 청하려던 마음을 단념하였다. 그의 태도는 상생이 아니라 일방적인 희생이었다. 그의 입발림도 목적을 위한 수단이었던 것이었다. 날이 새는 동안 그녀의 머릿속은 무한의 공회전만 거듭했다.
순애의 발끝은 이제 절벽의 끝에 닿은 것이 분명했다. 그래서 부도를 인정하고 절벽의 밑으로 떨어지는 것뿐이었다. 누구의 손길도 이제는 필요하지 않았다.
'인정을 하는 수밖에, 부도를.'
그런 말을 채 끝내기 전에 현기증부터 일어났다. 호랑이 굴에서도 정신을 잃지 않은 그녀였다. 절망적인 생각을 비웃는 듯 김씨의 탈이 문득 머릿속에 떠올랐다. 순애는 탈의 비웃음을 피할 수 없었다.
'부도가 이렇게 고소할 줄 몰랐잖아?'
'그렇군, 나도 널 비웃었잖아? 그런데 네가 날 비웃지 않는다면 그게 더 우습잖아? 그래, 생각도 짧았고, 준비도 미흡했으며 간사하지도 못했다고 말하지 않아도 안다고. 이 지경으로 처박히었어도 부도라는 이름도 진정 모르잖아.'
'부도를?'
탈이 던지는 당혹에 순애의 동공은 굴속의 눈처럼 커지지 않을 수 없었다. 지금까지 생활한 모든 것이 어둠에 던져진 것처럼 몸이 가벼웠다. 그 어둠은 그녀를 양팔로 안으며 그녀의 귀를 어루만지는 것 같았다. 이제 그녀는 어둠이 두렵지 않았다. 다만 불편할 뿐이었다.

'아직도 이해하지 못한 거야?'

억지를 피하려는 본능은 결코 버릴 수 없었다. 그녀는 전신을 어둠이 덮는 것을 결코 용납하기 싫었다. 하지만 그것은 미련일 뿐이었다. 미련을 버리고 어떻게 할지를 생각하기 시작했다. 그런데 그것조차도 의지는 갈대처럼 흔들릴 뿐이었다.

무기력은 부도의 또 다른 복병이었다. 과한 의욕이 여러 사람에게 고통을 안긴 것처럼 미련까지 엿처럼 놓아주지 않았다. 그래서 한동안 바람에 이리저리 춤만 추는 허수아비의 신세를 면할 수 없었다. 어릴 적 들판에는 허수아비가 많았다. 분명 농부는 새를 쫒으라고 세웠건만 새들은 허수아비를 두려워하지 않았다. 허수아비는 새들에게 친구가 되어 주었다. 그런데 부도는 그녀에게 아직은 친구이지 않았다.

어둠에 쌓여 가게로 돌아온 그녀는 우선 한숨부터 나오지 않을 수 없었다. 몰려올 사람들의 험악한 인상이 그녀를 더는 그 자리에 놔두지도 않았다. 좁은 가게의 안이 사족을 묶는 것 같았다. 그러더니 가슴도 억눌렀다. 숨이 끊어지는 순간은 촉각을 다투었다. 열병을 떠는 것처럼 그녀는 빈 몸으로 가게를 빠져나오지 않을 수 없었다. 이제 더는 가게가 안식의 공간이 아니었다.

'이제는 어디로 가야하지?'

눈가에 눈물이 어른거려 길도 보이지 않았다. 어디를 향하는 지도 몰랐다. 다만 괴정은 아니라는 것은 분명했다. 아무리 그래도 경주댁에게 이런 모습은 보이기 싫었다. 그녀의 시선은 어느덧 강물의 색을 닮아갔다.

'이제야 알 것 같군. 그토록 고집을 부렸다는 사실이 얼마나 어리석고 부질없다는 것을. 그것만 부리지 않았더라면 이런 모습은 아니지 않았겠어? 이제는 곁에 누구도 있지 않잖아? 부도가 두려운 것이 아니라고 한 탈도 내게는 더는 친구가 될 수 없는 거지.'

그녀의 발걸음은 자신도 모르게 강둑으로 가고 있었다. 그것은 거의 본능적인 행동이었을 뿐이었다. 마치 여우가 죽을 적 저 난 굴로 돌아가는 것처럼.

강둑에서 바라보이는 정경은 도시의 조명으로 아름다운 광경을 연출했다. 어둠과 빛이 공존하며 물결을 바람이 흔들어대는 것이었다. 갈대는 이리저리 춤을 추고 새들은 그 사이를 자유자재로 날아다닌 곳이었다. 그러나 순애에게는 더 이상의 그런 모습이지 않았다.

그곳에 자리한 건 다리였고 밤은 낮처럼 소란하지 않았다. 대로를 건너는 차도 없었다. 잠시 다리를 건너를 바라보았다. 그러나 다리의 끝이 마지막이었다. 강둑에서 다리로 오르는 길이 있었다. 도보나 자전거를 위한 도로였다. 그녀는 다리를 한동안 걸었고 어느새 중간쯤의 지점에 다다랐다.

그녀는 걸어온 뒤를 돌아보았다. 어둠에 휩싸인 안막은 반딧불의 빛처럼 깜박거리고 있었다. 그러나 다리의 저쪽은 건물에서 비교할 수 없는 찬란한 빛이 드러났는데 어둠속의 그녀가 가기는 너무도 두려운 곳이었다. 일전도 섶을 지고 불속으로 들어가는 나방이었었다. 그녀는 절망을 느끼며 무심코 다리의 아래 강물을 내려다보았다.

그런데 그곳이 너무도 편하게 보였다. 어두운 시골과 찬란한 도시의 그림자가 겹치는 곳이었다. 또 자신의 뜨거운 열병을 식히는 물이 춤추는 곳이었다. 그것은 결코 두려운 것이 아니었다. 어린 시절 부끄러운 것도 모르고 개구리처럼 수없이 강물에 뛰어들었던 기억도 떠올랐다. 그녀에게 강물은 결코 죽음을 인정하는 곳이 아니었다.

철새처럼 물을 헤엄치고 개구리처럼 자맥질을 하는 곳이었을 뿐이었다. 그녀는 자신도 모르게 그 시절로 돌아가고 싶었다. 그 시절은 어떤 중압감도 있지 않았다. 그녀는 전체의 하나였고 그것은 전체를 이룰 뿐이었다.

강물은 오늘도 그 모습을 바꾸지 않았다. 일렁이는 모습이 그녀를 어서 오라고 손짓을 하는 것 같았다. 그녀는 더는 망설일 수 없었다. 아니 망설일 까닭도 없었다. 그것은 어린 시절의 회귀였으며 중압감의 해방이었다.

자신도 모르게 난간으로 다가가며 그곳을 오르려했다. 손에 힘을 주고 엉덩이를 끌어올렸다. 그러나 엉덩이가 이렇게 무거운 줄 몰랐다. 하긴 자식을 낳은 곳이니 사내처럼 가벼울 수 없는 것은 당연했다. 그래서 무거운 엉덩이를 올리려고 끙끙대는 데 뒤에서 허리춤을 붙잡는 사내의 굵은 손이 있었다. 그녀는 하마터면 바닥에 주저앉을 뻔 했는데 넓은 사내의 가슴이 그것을 받아주었다.

"이게 무슨 짓이지?"

"저곳과 하나가 되고 싶었을 뿐이라고요. 아무 것도 모르면서 남의 일에 끼어들지 말라고요."

"부도가 충격을 준 것이 분명하군. 하지만 그것이 결국은 널 구원으로 이끌 것이거든. 그러니 그것을 알기 전에는 죽을 수도 없다는 것을 알아야지. 그래서 내가 네 죽음을 허락할 수 없는 것이기도 하고."

"부도가 나를 구해요? 나보다 선배가 먼저 머리가 이리 된 것 아녜요?"

"차라리 그리 되었다면 나도 좋겠지만, 난 그럴 능력조차 없다. 오직 한 사람만이 가능할 테니까!"

"한 사람? 설마하니 나를 두고 그러는 것은 아니겠지요? 더는 나를 오욕의 구렁텅이로 밀지 말란 말이에요. 난 저곳에 잠기고 싶단 말이에요."

순애는 종래의 품안에서 주체할 수 없는 설움을 쏟아내기 시작했다. 그녀의 눈물은 그의 가슴을 적셨고 가슴을 타고 흐르더니 급기야는 강으로 떨어지는 것 같았다.

그러나 강물은 아무런 말도 없이 오늘도 일렁일 뿐이었다. 수면의 조명도 산 그림자도 어둠에는 그저 고마울 뿐이었다. 그렇게 어둠은 달빛을 닮아갔다.

13,탄광

아직도 순애를 후배로 아끼는 종래를 거부할 명분을 찾을 수 없었다. 부도를 당했다는 오욕보다 함께 해 준다는 사실에 어둠은 두려움이지 않았다. 이제는 그의 참견을 비난하거나 반항할 생각도 없었다. 다만 고향의 미련이 뒤통수를 잡아당겼지만 이별은 피할 수 없었다.

종래는 전부터 생각한 곳이 있다며, 각오를 준비하라고 미리 겁주었다. 후일의 반전을 기약하려면 움츠리는 것은 개구리와 다르지 않았다. 낯선 곳이라 처음은 두려웠지만 생각이 독해질수록 적응하려는 각오도 닮아가지 않을 수 없었다.

종래는 아직 불씨가 꺼진 것이 아니라는 말로 용기를 북돋우어

주었다. 한 번의 실패는 병가의 상사이니 부도가 그렇다는 말이었다.

재기를 하고 돌아온 기학을 봐도 그것은 틀린 말은 아니었다. 더욱이 그가 의지를 불태운 권고의 관심을 외면할 까닭도 없었다. 그래서 비록 산촌이라는 말도 두려움이 없이 열차에 올랐다. 기대는 하지 않았지만 보물을 찾아내겠다는 마음은 다르지 않았다.

산촌에 오르는 열차처럼 어둠과 힘겹게 철로의 오르막을 함께 올랐다. 창 쪽으로 그녀의 곁에 앉은 종래는 무정한 얼굴로 고민을 방해하지 않으려는 듯 창밖으로 눈길을 주었다.

순애도 그의 구상을 방해하지 않기 위해 침묵을 받아들였다. 창밖의 청아한 산의 모습과 맑은 계곡은 아픔을 씻어주었다. 그런 그들을 태운 열차는 계곡을 지나고 터널을 향해 기적을 울렸다.

터널은 어둠의 함정이란 우려와 달리 끝은 예상하지 못한 환호를 안겼다. 굴속의 어둠은 일시적인 절망이란 점이었다. 열차의 굉음과 어둠에 눈을 잠시 감았다. 하지만 눈을 뜨자 뜻밖의 경관에 두려움은 있지 않았다.

환상을 찾아 온 것은 아니지만 터널은 순간 아픔을 주었다. 부도로만 몰리지 않았어도 이렇지는 않았을 것이었다. 그녀는 눈을 감고 이를 외면하려 종래의 얼굴도 지웠다.

그런데 그 절망감은 오래가지 않았다. 철마는 힘을 다해 터널의 끝을 향했고 그 끝은 새로운 희망을 안겼다. 갑자기 드러난 산촌의 빌딩은 마치 도시를 연상시켰다. 저도 모르게 탄성을 터트리며 종래의 반응도 살폈다.

그간 어려웠던 현실을 종래가 선물한 것처럼 또 그런 희롱을 내민 것 같았다. 갑갑했던 가슴은 숨통이 터지며 눈에는 이슬까지 맺혔다. 죽 끓듯 한다는 것이 마음이라지만 이런 현상을 당하고도 그러하지 않는다면 그것은 여심이 아니었다.
그녀의 부활은 예정되었다는 듯 종래는 미소를 그렸다. 산촌의 건물을 손가락으로 가리키며 자신도 미처 예상하지 못했었다고 말했다. 그가 예전에 이곳을 한 번 온 적은 있었지만 그때는 이렇지 않았다는 말이었다.
대학시절 이곳에 사는 친구의 초대로 왔을 적에는 여느 산촌과 다르지 않았다. 검고 초라한 개 딱지 같았던 초막은 차라리 사람의 집이 아니고 새둥지란 말이었다. 화전민이 모여 나뭇가지를 얽어 만든 그런 집을 떠올렸다.
그런 산골은 아무리 세월이 흘러도 변화를 받아들이기 힘들었다. 그런데 이런 변화를 바라보니 그녀의 처지도 그러하리란 기대감까지 들었다. 처음은 사실 산촌이라 망설였지만 그 걱정은 이제는 낙엽처럼 떨어져 굴렀다.
순애의 얼굴에 희망이 나타나자 종래는 이곳의 친구를 소개했다. 그가 대학에서 만났는데 광부처럼 우직한 사내라는 것이었다. 그러니 하는 짓도 광부의 아들이었고 아직도 이곳을 떠나지 않는 까닭이었다.
종래가 학생운동에 뛰어들자 기자란 이름의 친구는 처음은 관심을 주었다. 하지만 얼마가지 않아 종래가 체포되자 그는 나타나지 않았다. 운동을 잘못 이해해 그런 줄 알았지만 그것은 아니었다. 그는 굴속의 어둠이 더 문제라는 말이었다. 감옥에 갇힌 종래는 처음 그런 말을 이해하지 못했다. 하지만 두 사람의 연락은 간헐적이었을 뿐 끝나지는 않았다.
기자가 실체를 드러낸 것은 탄광을 찾아온 날이었다. 기자는 광산도 학교와 다르지 않은 곳이라 말했다. 학문에 매진하지 못한 종래는 그의 말이 틀리지 않다고 화답했다. 그가 감옥을 가는 것을 보고 기자는 굴로 들어간 이후 소식은 한동안 어둠이 메웠다.
순애는 처음은 종래의 말을 이해할 수 없었다. 그렇게 어두운 곳을 사랑하면서 왜 학교를 그만 두었냐는 의혹이었다. 종래는 웃으며 그것은 그의 생각이 그릇된 것이 아니라 색안경이 문제란 말까지 더했다.
순애는 점점 속도를 늦추는 열차처럼 미로를 헤매는 느낌을 지울 수 없었다. 지난날을 돌아보아도 이곳은 만만한 곳이 아니라는 생각이었다. 냇가에 검고 흐린 물이 그녀의 생각을 물들였다.
광산의 흔적은 아직도 곳곳에 남아 있었다. 곳곳의 길가와 지붕에도 아직은 잿빛의 먼지로 과거의 흔적도 드러내었다. 물을 거슬러 오르는 연어처럼 예전에 이곳을 찾았다면 인생은 허무로 결말지었을 일이었다.
그런 반응을 종래는 예상하고 있었다는 여유로운 표정을 흘렸다. 하지만 그녀의 경악은 기우란 듯 머지않아 연기처럼 사라지리라는 것이었다. 그러며 이곳을 떠난 광부들은 철새처럼 돌아오지 않는다는 말도 전했다. 대신 길거리를 지나는 사람들은 새로운 희망을 찾는 사람들이란 말이었다.
열차는 그러는 사이 서서히 속도를 늦추더니 승강장에 멈추기 시작했다. 종래는 목적지에 다다른 것을 알고 자리에서 일어섰다. 순애도 짐을 챙기려는 듯 일어나며 창밖으로 눈길을 주었다. 종래는 작은 옷가방을 들었다. 들을 짐이 그것밖에 없었던지라 그녀는 서 있을 뿐이었다. 아무도 아는 사람이 없었으니 마중을 나올 이도 없었다.
종래는 기자가 마중을 나온다는 것을 거절했다고 말했다. 오랜만에 그를 만나는 것임에도 불구하고. 아쉬움은 그것만이 아니었다. 광부들이 예전에 살았다는 말을 들었을 때 그녀는 어둠만 떠올렸다.
그래서 희망까지 검은 줄 알았는데 다행히 그리 보이진 않았다. 산촌도 사람이 사는 곳이고 건물로 빌딩인 탓에 여느 도시와 다르지 않다는 생각이었다.
"굴속의 어둠이 광명으로 바뀐 것 같지 않아요?"
역의 구내를 빠져나오며 개찰구를 향하는 종래의 귀에 대고 작은 목소리로 속삭였다. 그러자 그녀의 말에 종래는 웃음을 띠며 짧게 받았다.
"약속의 땅이니까."
"광부가 찾아들던 예전은 그랬겠지만 지금은 그들이 떠났잖아요?"
"그럴까? 그런데 친구가 지금까지 버티고 사는 까닭은? 사연이 없다면 왜 이곳을 진작 떠나지 않았겠냐고. 열혈한 정의감만으로 버틴다는 생각은 요즘은 연기처럼 사라졌잖아. 이제는 광산의 흔적도 다 지워졌잖아."
종래는 지난날의 기억을 비교하듯 여유로운 표정으로 말했다. 그러며 기자는 호남아라는 말도 이었다. 그와는 동기로 지냈으니 전우 이상이라는 말이었다. 그러니 어려워말고 자신처럼 편하게 대해도 좋다고 말했다. 예전의 광부 흔적만 지웠다면 만남이 기대될 사람 같았다.
새로운 변화를 거부하는 것은 오랫동안 기억을 실어 나른 기차의 선로뿐이었다. 그 선로를 따라 육교를 건너 역의 구내로 나왔다.
구내에는 환영을 나온 사십대의 후반 여자가 대합실에서 반가운 호들갑을 떨었다. 어찌나 목소리가 컸던지 그녀의 귀를 어지럽혔다.
"십리도 못가 발병이 난다고 했잖아? 다시 이곳으로 올 것을 왜 떠났냐는 말이지.”

“떠나기 전에 그것을 알 수 있었나? 가보니 이곳만이 행운을 주는 곳이라는 것을 알았지. 이제는 지옥이라 해도 결코 떠나거나 원망하지 않을 거야.”

“병이 들어도 단단히 들었지 않아? 그 짓은 이제는 죽음밖에 해결할 수 없다는데 어쩌면 좋지?”

여자의 허탈한 좌절에도 사내는 웃음으로 다가오더니 가슴으로 안아주었다. 옷차림이나 말투로 보아 산골의 사람이 아닌 것은 분명했다.

여자는 미리 전한 연락을 받고 나와 있다가 거친 말투로 부끄러움도 모르듯 분기를 쏟아내었다. 그러나 사내는 그것에 아랑곳하지 않았다.

종래는 뒤따르며 웃었고 순애는 억지로 참았다. 반가움은 둘의 포옹을 오랫동안 풀지 않았다. 민망하여 눈길을 능선이 이어지는 산으로 돌렸다. 잎이 물든 관목들이 키를 정렬하고 서있었다. 산세가 장엄한 산촌을 고향을 찾아가는 철새들만이 자유자재로 넘어가고 있었다.

역의 앞에 도로는 산골의 특성상 넓지 않았지만 좌우로 들어선 건물이 구분지어 주었다. 언덕의 아래로는 산골과 어울리지 않는 현대식 빌딩이 위용을 드러내었다. 우후죽순으로 곳곳에 드러난 빌딩은 산촌의 쇠말뚝과 다르지 않았다. 길가에 선 장승만이 초라할 뿐이었다.

역의 광장에서 보이는 것 중 또 인상적인 것이 있었다. 언덕의 위편으로 서있는 철탑의 위용에 새삼 놀라지 않을 수 없었다. 멀리 떨어져 있어 선명하지는 않았지만 위용은 빌딩이 따르지 못했다. 예전의 광산을 한 흔적이라지만 피라미드처럼 자리까지 못 박았다.

주변을 살필 여유는 그녀에게 길게 주어지지 않았다. 마중을 나온 이도 없었지만 갈 곳을 찾지 않을 수 없었다. 종래는 연어처럼 목적지를 들려주지도 않았다. 길가의 이정표를 보고서야 시장이 가깝다는 것을 알았다.

시장이라는 글만 봐도 아픔과 함께 미련이 먼저 닥쳤다. 안막과 비교해도 작지 않은 곳으로 사람들의 왕래도 도시에 못지않았다. 재래의 흔적도 지워버린 현대식의 건물이었다.

이층으로 건물과 주차장이 양쪽으로 어깨를 대었고 처마에는 간판이 외래어가 그림을 그렸다. 그 틈을 좁은 곳에도 상인들이 자리를 지켰는데 물건마다 새로운 흔적은 없었다. 그래서인지 가게의 진열된 상품도 백화점에 뒤지지 않았지만 빛을 잃었다. 그 시장의 마지막 집은 안막에서 한 닭튀김 집이었다. 닭과 오리를 동시에 진열하고 있었다. 순애는 애정 어린 눈길이 갔으나 구석으로 밀린 사정이 다르지 않았다.

순애는 고개를 내미는 중년의 여자와 마주쳤다. 여자는 산골의 약초와 약수로 기른 닭이라며 자랑을 늘어놓았다. 곁에서 종래가 인사를 하고는 목적이 닭이 아니라 사람을 찾는다고 말했다.

그 여자는 실망하는 표정으로 내민 쪽지를 보더니 통로의 구석을 가리켰다. 그리고 기자를 안다는 듯 고개까지 끄덕였다. 종래는 웃음으로 감사를 표하고 구석의 집을 찾아갔다.

집은 탄광을 하던 시절처럼 검고 어두웠으며 대문은 갈대처럼 누워있었다. 손으로 집의 문패를 가리키자 종래도 고개를 끄덕이었다.

종래는 잠시 기다리라는 신호를 하고는 대문의 안으로 들어갔다. 대문을 살피는 그녀는 다시 주변을 둘러보았다. 종래가 들어간 집은 굴과 다르지 않았다.

대문이 기운 사이로 보이는 기둥은 겨우 버티는 정도였고 문은 빛바랜 격자의 무늬였는데 장석까지 녹슬었다. 사람이 산다는 것이 의심스러울 정도였다.

그래서 빌딩이 들어선 곳과 너무도 대비되는 지라 우려는 끝을 몰랐다. 그런 속에 기자가 산다면 사정은 곰과 다르지 않았다. 그런 우려는 곧바로 현실로 드러났다. 종래의 뒤를 따르는 기자의 모습은 우려 그 자체였다.

철 이른 잠바를 걸친 모습에 얼굴은 검고 머리는 텁수룩했다. 우람하다는 말이 마른 멸치로 바뀌었으며 음성은 부드럽지도 않았다.

"이런 굴속까지 선녀가 찾아오다니 기다린 보람은 헛것이 아니었지요?"

"선녀란 말은 그르지 않지만 굴 안에 옥녀 탕이 있을지 몰라요."

"옥녀 탕이 없는 것이 문제이겠어요? 날개옷을 숨기는 찰나가 문제이지."

"하하, 그 말은 선녀의 옷을 감추겠다는 의도까지 드러낸 말인데, 조심해야겠지?"

기자의 침묵에 종래는 너털웃음을 터트리며 긴장하지 말라고 말했다. 기자는 몇 걸음 다가오더니 곰발 같은 손을 내밀어 악수를 청했다. 그는 이곳이 자신의 고향으로 대를 이었으니 자신도 광부이지 않느냐고 이죽거렸다. 그의 표정이나 말은 너절했으나 그렇다고 지저분하지는 않았다. 그는 또 자신은 광인이라는 소리도 들었다고 겹주었다. 하긴 그런 모습에 틀린 말은 아니었다.

그런 기자를 대하는 종래의 눈길은 달빛처럼 희고 부드럽기까지 했다. 그의 외양과 대비된 모습이지만 여유까지 넘쳤다. 그러나 그것은 속살이 아닐지 모른다는 생각도 들었다. 산골의 약초와 온실의 화초는 같지 않은 법이었다.
기자는 종래에게 거처할 곳을 마련했다며 길을 안내하겠다고 나섰다. 순애와 거리를 두고 앞서 걸어가는 종래의 얼굴은 그제야 안도의 빛을 띠었다. 사실 그녀도 처소의 문제를 머릿속에서 지우지 못하고 있었다.
그런데 도로로 접어드는 입구에서 오리발 같은 손을 순애에게 내미는 초라한 노파와 마주쳤다. 얼른 얼굴을 살피니 주름은 골을 이루었고 입은 옷은 헤어져 겨우 뼈만 가렸다. 노파의 입술은 말라있었고 굶주림으로 음성도 힘없이 떨고 있었다.
"거지한테 한 푼 적선만 하면 그 돈으로 점심은 할 수 있을 텐데."
"아직 점심을 먹지 않았다고요?"
순애도 아직 점심을 하지 않은 터라 뱃속이 요동을 치는 소리를 냈다. 어제 밤부터 열차를 타고 온 터라 뱃속이 대롱처럼 비었다. 하지만 그 노파의 초췌한 얼굴을 보자 자신의 사정은 뒤로 하지 않을 수 없었다.
젊은 자신은 궁기를 잠시 견딜 수 있지만 노파는 사경을 다툴 것이 틀림없었다. 그렇다면 궁기는 같은 것이 아니었다. 우선 노파의 궁기를 해결해주는 것이 순서이고 도리였다. 어깨에 멘 손가방의 사정을 속으로 헤아렸다.
하지만 가방의 지갑은 열어보지 않아도 알고 있었다. 부도를 당한 터에 차비까지 종래가 내었다. 그러니 돈이 있을 턱이 없었다. 황급히 바지의 주머니를 만지작거렸다. 닭을 팔았던 낙엽이 그나마 남아 있었다. 노파의 내민 손에 헛손질을 면해준 것이 그나마 다행이었다.

돈을 받아든 노파는 감사하다며 허리를 거듭 굽혀대었다. 그녀의 얼굴에 안도하는 미소까지 전했다. 그런 모습을 보자 노파의 얼굴이 낯설지만은 않았다. 어디서 많이 낯익은 얼굴이었지만 명확히 떠오르지 않았다.

어둠이 어리는 모습은 보았지만 이내 어둠은 물러가지 않았다. 기억을 한다는 것은 혼란스러움을 부를 것이 분명했다. 망각은 새로운 충만감에 밀리며 얼굴빛이 한결 밝아졌다. 곁의 종래와 기자도 노파를 바라보았다.

노파를 뒤로하고 그녀는 걸음을 재촉하여 기자의 뒤를 따랐다. 시장을 벗어나 도로를 걸어가자 철로 밑의 다리가 앞에 나타났다. 다리는 작은 길로 나뉘었고 옆으로는 아직 철거하지 않은 건물들이 보였다.

기자는 검은 손으로 쌍 굴을 가리키며 예전에는 안경다리라 불렸다고 했다. 종래는 알고 있었다며 주변도 살폈다. 그 과거도 기억의 어둠처럼 명암은 다 드러내지 않았다.

다만 기자의 입은 옷이 검고 거칠어 안경다리의 굴과 무관해보이지 않았다. 이제야 처음 기대했던 환상이 구름처럼 밀리며 암울한 모습을 드러내는 것이었다. 그런데도 기자는 예전의 그 시절을 그리워하는 것 같았다.

앞서가던 종래가 걸음을 멈추며 그 까닭을 알 것 같다고 속삭였다. 그래도 순애는 이해가 되지 않아 고개를 끄덕이지 않았다. 그러자 종래는 광산의 이야기는 군대의 이야기와 같다는 말로 설명을 마치었다. 하지만 순애는 그 생각에 동의할 수 없었다. 지난 기억을 아무리 용해한해도 아쉬운 것은 남았지만 그럴 생각까진 없었다. 지난 기억은 그녀에게 굳어버린 암석일 뿐이었다. 부도를 당한 장사나 첫사랑이 다르지 않았다.

그녀의 표정에 종래는 고개를 끄덕이며 눈짓으로 바라보이는 건물을 가리켰다. 바라보이는 건물은 빛이 바랬지만 아파트가 분명했다. 쓰러진 집도 보였는데 아파트라는 데 그나마 안도의 숨이 새어나왔다. 많은 광부들이 아침에 일을 나가고 저녁을 아내가 해두고 기다리던 집이었다. 순애도 잠시 그런 모습을 그려보았다. 종래가 일을 나가면 그녀는 그의 퇴근을 기다릴 일이었다.

지금은 탄광의 위험으로부터도 해방을 이룬 곳이었다. 시간이 조금 지나고 안정을 이룬다면 그것은 환영이 아니었다. 순애도 집에서 쉬고만 있지는 않을 것 같았다. 그의 배웅을 마치고 가사를 도울 일을 참아낼 것이었다. 그녀가 어려움을 겪은 장사를 다시 생각하여 보았다. 칠전팔기라는 말을 생각하면 그것은 부도를 두려워할 일만도 아니었다.

앞서가던 기자는 걸음을 멈추더니 순애에게 이곳에 뼈를 묻을 생각이 없냐고 물었다. 소망만 이루어진다면 어두운 모습만은 아니라고 생각했다. 하지만 지금은 기자의 눈빛을 쳐다보는 것만으로 그쳤다. 그의 표면적인 말에 미래의 결과를 남용할 수 없었다, 그것은 광부가 굴로 들어가는 눈빛과 다르지 않은 모습이었다.

기자의 바라보는 눈길이 예사롭지만은 않았다. 그것은 소나기를 맞은 종래라 다르지 않았다. 동병상련을 같이 공유하는 마음이 닿지 않을 수 없었다.

그때였다. 순애의 등 뒤에서 숨이 차고 앙칼진 노파의 목소리가 터졌다. 점심은 아직도 하지 않았던지 목소리에 힘까지 없었다. 다만 앙칼진 느낌은 고양이의 발톱보다 날카로웠다.

“점심을 하지 않았지?”

“점심을 하시라고 주었잖아요.”

“자선인지 함정인지 먼저 확인을 하는 일을 잊었지 뭐야? 뭐야,

거시기 지폐인지도 모르잖아?"
"뭐라고요? 그럼 설마하니 위조지폐를 주었다고 생각하는 거예요?"
순간적으로 북받쳐 오르는 분노를 억제할 수 없었다. 노기를 띤 순애의 표정에 노파는 아랑곳하지 않았다. 야릇한 미소를 짓더니 그녀를 힐끔 쳐다보았다. 그러더니 노파는 손에 쥔 지폐를 들어보였다. 조금 전에 순애가 건넨 지폐로 접힌 흔적이 분명했다. 그 모습을 바라보는 종래나 기자도 어이가 없는 표정은 마찬가지였다. 어이가 없는 표정에 이를 물며 지켜보았다.
하지만 노파의 행동은 그런 짓에 구애받지 않았다. 노파는 돈을 펼쳐 보이는 것으로도 모자란다는 듯 펴진 지폐로 하늘의 해를 가렸다. 그러더니 지폐를 좌우로 돌리며 무엇인지를 찾기 시작했다. 그러다가 드디어 무엇을 찾았다는 듯 환한 표정으로 탄성을 질렀다.
"음, 가짜는 아니었군, 고마워!"
노파의 말을 듣는 순간 어이가 없는 것은 물론이고 기분은 분노로 폭발하지 않을 수 없었다.
"빌어먹는 주제에 사람을 믿지 못하는 것도 그렇지만, 지폐마저 위조인지를 따지는 것을 보니 평생 이 짓을 면할 길이 없을 것 같군요."
그녀의 말에 종래도 시원하다는 표정을 지으며 고개를 끄덕였다. 그러나 곁에 기자는 그들을 번갈아보면서 노파의 행동을 이해하지 못하겠냐는 것이었다. 노파가 오죽하면 그런 짓을 했겠냐는 얼굴이었다.
하지만 참을 수 없는 모욕을 당했다고 생각한 그녀로서는 복어처럼 입을 부풀리지 않을 수 없었다. 참을 수 없다는 표정은 종래도 다르지 않아 지폐를 바라보는 노파의 환한 얼굴을 노려보기까지 했다.

그러나 노파는 그들의 시선에 아랑곳하지 않았다. 지폐를 잡은 손은 광부의 손처럼 검었고 피부는 갈라져 까마귀와 다르지 않았다. 그녀는 분기가 동정심으로 바뀌기를 기다리지도 않았다.

순애는 차분히 목소리를 낮추며 말을 건넸다.

"이러는 까닭이 없는 것은 아니겠지요?"

"모르는 사람으로부터 선행을 그대로 받아들일 수 없잖아? 그렇다면 또 감사한 마음을 준비도 해야지. 그러니 햇빛에 드러나는 그분을 보는 기쁨을, 보답하고 싶었을 뿐이야. 난 말을 탄 그분의 얼굴을 또렷이 보았지만 정작 돈이라고 내게 준 사람은 보았냐고 묻고 싶잖아?"

"아! 그랬군요. 그렇다면 점심의 대가치고는 너무 초라했어요."

"아니지, 이처럼 귀한 대접은 없어, 자네도 아직 점심을 하지도 않았잖아?"

"어떻게 그 사실까지 알았어요?"

노파는 그녀의 물음에 아랑곳하지 않고 말을 이어갔다.

"나는 한 끼를 해결하겠지만 점심을 하지 않은 사람은 배를 골리려는 생각은 보통이 아니었을 거야. 비록 배가 부른 것과 골린 것은 다르지만 마음까지 달랐겠어? 고맙다는 말을 전하고 싶었지."

"아니에요, 말씀을 듣고 보니, 이 한 끼 점심으로 모자란 내게 그런 기쁨을 주다니요. 이제야말로 배가 고프다는 것을 진정 알 것 같아요."

"고마워할 것까지는 없지. 오늘 이 고마움을 답례하는 값치고는 미약한 우행일 따름이었으니까."

노파는 대답을 마치자마자 말문을 닫은 그녀를 뒤로하고 사라졌다. 노파와 떨어진 기자는 산길로 오르는 곳에 서 있었다. 서둘러 오십여 보를 뒤따르니, 길이 나뉘는 곳에 다다랐다. 기자는 서둘러 오르막을 향해 오르니 허름한 아파트의 입구가 나타났다. 언덕 위의 아파트는 여러 동이 줄지어 있었는데 예전의 광부들의 사택이었다. 지금은 비록 퇴색하고 금이 간 아파트였지만 어둠속의 과거는 흥청거리는 도시의 건물과 다르지 않았다.

하지만 세월의 망각은 영화로운 시절을 물결처럼 지워버렸다. 빈 건물은 허물처럼 껍데기로 남았고 사람들은 번데기처럼 그곳을 빠져나갔다. 다만 이곳을 벗어나지 못한 사람이 아직 남았는지는 알 길은 없었다.

그녀도 종래의 뒤를 따라 아파트의 정문에 다가갔다. 종래는 헐떡거리는 숨을 몰아쉬며 이마의 땀을 손으로 훔쳤다. 그의 시선도 격세지감을 이해하기에는 허전함이 가득했다. 기자를 보며 말을 더듬기까지 했다.

"사람은 살지 않는가?"

"살지 않다니? 아직도 버티고 있는 사람도 있지."

"아직도 광부가 남아있다는 거예요? 마치 폐허를 당한 것과 다르지 않은 이곳에? 저 늘어진 거미줄을 좀 보라고요. 그 사람은 뭘 해 먹고 사는지 궁금하지 않을 수 없군요."

"뭘 하긴요? 일해서 먹고 사는 것은 어느 곳이나 다르지 않아요. 자세한 것은 두고 보면 알겠지만 다만 차이가 있을 뿐이지요. 그러니 그 노파를 평범한 시선으로는 이해되지 못하는 모습도 이상한 것만은 아니라니까요."

"그렇다면 다행이고요. 조금 전에 만난 기인처럼 말이지요?"

"그런데 너무 삭막하잖아?"

종래의 질문은 그녀의 불안을 키웠고 눈앞의 아파트는 안식을 주기에 불충분했다. 그녀는 기자를 따라 아파트로 들어섰는데 그 예상은 그르지 않았다.
두 개의 방과 주방이 자리한 집은 채 이십여 평이 되지 않았다. 실내는 허름하기 그지없었고 온기는 사라진지 이미 오래였다. 그래도 예전에 서너 식구가 살았다는 말을 기자는 자랑스럽게 늘어놓았다. 순애의 눈길이 두려움을 받은 곳은 복도의 벽이었다. 벽에는 낙서와 문구가 먼지 속에 암각화처럼 그려져 있었다. 광부의 애환이 아직도 귓가에 들리는 것 같았다. 그녀는 종래의 외침을 떠올리며 머리카락을 손으로 쓰다듬었다.
"부족하지만 그래도 정리하면 이슬은 피하지 않겠어요?"
순애는 기자에게 고개를 끄덕이었고 기자는 종래를 바라보았다. 하지만 더 이상의 선택을 할 수 없는 그로서도 받아들이지 않을 수 없었다. 종래는 순애를 물끄러미 바라보았고 기자는 준비할 일이 있다며 밖으로 나가며 한마디를 던졌다.
"점심도 하지 않았으니 무엇이라도 먹어야하지 않겠어?"
"그럼 미리 준비한 것이라도 있다는 거야?"
"아무려면 첩첩산중이라고 그만한 예의도 차릴 줄 모르는 사람만이 사는 줄 알았어?"
"아무렴요, 이곳은 약속의 땅이잖아요."
기자가 환영식을 하겠다며 밖으로 뛰쳐나간 사이 그녀와 종래는 방을 정리하기 시작했다. 다행히 버려진 수도에서 물이 나왔다. 수건을 빨고 바닥을 닦자 땟물이 연탄의 색으로 흘렀다.
순애가 이곳저곳 닦으며 청소를 하자 종래는 신고식을 기다리는 마음을 털어놓았다. 그녀의 뱃속도 다르지 않았지만 기자의 처지나 행색을 미루어 큰 기대는 하지 말자고 말했다.

14,노파

청소가 거의 끝나갈 무렵 기자가 돌아왔는데 기대한 대로 손에는 빵빵한 비닐봉지가 들려있었다. 그러잖아도 저녁과 아침을 간식으로 때운 터에 그가 들고 온 봉지의 기대는 크지 않을 수 없었다. 기자는 허기를 달래주려는 듯 자리에 앉더니 봉지의 입구를 벌렸다. 금강산 구경도 식후경이라고 한 말은 거짓이 아니었다. 음식의 냄새만 맡아도 시장한 뱃속은 요동을 치기 시작했다. 친구를 위해 식사를 준비해온 기자의 배려에 순애도 고맙다는 말을 거듭 해대었다.

기자의 표정은 자신을 믿고 이렇게 여기까지 찾아온 친구에게 이런 정도로는 아직도 미흡할 뿐이라는 말이었다.

그녀는 허기를 면할 수 있는 음식을 보자 비로소 생기가 돌았다. 자리에 둘러앉더니 소매를 걷어붙이고 봉지의 안을 들여다보았다. 우선 시장기라도 면하자는 욕구는 체면보다 우선했다. 지금은 반찬이라는 말이 사치일 뿐이었다.

비닐의 안에는 보기만 해도 침이 솟는 쌀밥과 따로 구분한 반찬이 있었다. 물론 국까지 기대한 것은 아니었다. 입안에 도는 군침만으로도 국을 대신할 수 있었다. 그녀는 종래에게 권하기 바쁘게 음식을 떼어 입에 넣었다. 입에 구겨 넣은 밥은 혀끝에서 녹았다. 마파람에 게 눈 감추듯 삼키는 음식은 오직 고소함뿐이었다.

이윽고 등과 배가 서로 분리되자 모처럼 찾아온 이곳이 그래도 살만한 곳이라는 여유를 느낄 수 있었다. 기자는 두 사람이 먹는 모습이 고맙다는 듯 그들을 바라보았다. 자신은 아침을 먹은 것이 과했다며 배에 바람을 불어넣었다.

종래는 얼마나 시장했던지 너절한 반찬까지 깨끗이 핥았다. 봉지에 찌꺼기가 없어질 때까지 아무런 말도 없었다. 봉지의 음식이 바닥을 드러내자 그제야 밥의 고마움을 알겠다고 말했다.

기자는 껄껄 웃으며 이것만으로 축제를 가름할 수 없지 않겠냐며 다른 기대감을 은근히 드러내었다. 검은 잠바의 속주머니에서 작은 술병을 꺼내었다. 병에는 분홍색이 잘 드러난 복분자주가 담겨 있었다. 그것을 바라보는 종래의 눈에서는 눈물이 이슬처럼 맺혔다.

순애도 술병을 바라보자 김씨를 푸대접했던 지난날이 용렬함으로 바뀌었다.

굶주림을 면한 배에 술기까지 돌자 이곳의 두려움도 이제는 사라지고 만용까지 흘러넘쳤다.

궁지에 몰린 처지를 면케 한 기자는 이제 반가움을 넘어 은인으로 보였다. 곁에 종래도 웃으며 좋은 구원자라고 입술을 거듭 핥았다.

기자는 손사래를 쳐대며 그 말에 겸손함을 드러내었다. 자신의 이러한 접대는 사람이라면 누구나 할 수 있는 인정이 아니겠냐며 물러났다. 그러며 이웃으로 서로 정을 듬뿍 주고받는 것이 좋지 않겠냐고 말했다.

기자의 겸손에 순애는 자신도 모르게 울컥하지 않을 수 없었다. 기자에 비하면 자신은 언제나 그림자였을 뿐이었다. 기자의 의도를 처음은 의심했지만 이제는 거둘 수 있을 것 같았다. 비록 그가 준비한 정성이 조잡하기는 하지만 맛은 때에 따라 가치를 달리하는 법이었다.

이렇게 미리 준비를 해두고 정성을 다한 걸로 봐 의리도 진주일 것 같았다. 친구에게 이렇게 정을 베풀고 도와주는 그라면 불신은 결례이지 않을 수 없었다. 그의 도움을 받아서 그런 것이 아니라 진심을 보자 그를 새로이 바라보게 되었다.
“두 사람의 사이가 친구이니 제게도 그런 것 같아요.”
“그럼요, 그렇게 보아준 것만으로도 감사할 따름이지만 보답을 할 수 있는 기회는 이 친구가 허락하지 않을까요?”
“정겨운 말은 아니지만 그러잖아도 이곳을 오면서 내내 불안했는데 친구로 받아주고 도움도 주었으니 이제는 다리를 뻗고 자겠어. 그러면 나도 한결 마음이 가벼울 수도 있고. 머지않아 생활이 안정되면 저곳의 화려한 아랫마을로 이사도 가겠지?”
“하하, 그럼. 사실 진실도 알고 보면 때로는 별것도 아닐 때도 있는 법이지. 하지만 그 기대는 내게도 도움이 될 것 같네. 하지만 농 같은 말이겠지만 희망이 크면 실망이 큰 법이라고 하지 않던가?”
“맞아요. 아직 첫걸음도 떼지 않았는데 너무 서두르지 않겠어요. 비밀이란 간직할 때 신비스런 법이지요.”
“네, 지당한 말이지요. 오늘은 이쯤으로 음식을 맛있게 대접하는 것으로 되었고. 미흡한 나를 친구로 받아주었으니 다른 문제는 차차 상의하기로 하지요.”
“고마워요. 그 말을 들으니 불안했던 마음이 안개처럼 걷히는군요. 그런 말만으로도 이제는 이곳이 탄광촌이라는 오명을 벗는 것 같아요.”
순애의 말이 끝나자 기자는 관심을 우직한 손으로 다 먹은 봉지를 감았다. 작게 둘둘 말더니 고리로 묶었다. 순애가 바라보니 그는 탁구공만한 뭉치를 호주머니에 넣었다. 뱃속을 든든히 채워준 봉지치고는 어이가 없었다.
뱃속이 여유를 찾으니 이제 내일을 생각하지 않을 수 없었다. 너무도 오랜만에 집의 소중함을 생각하는 계기도 된 것 같았다. 예전에 초막이라고 투정을 부린 모습이 부끄럽지 않을 수 없었다. 비록 좋지는 않더라도 배부르고 등 따듯하면 부족한 것이 없는 것이 삶이었다.

그녀는 지금까지 그 맛을 너무도 도외시 한 것 같았다.

'부도를 당한 것은 가게의 일만이 아니었지 않아?'

"무슨 생각을 하고 있어요?"

"아니에요. 제게 이곳은 영원히 잊을 수 없는 곳이란 생각이지요."

"정녕 그랬으면 좋겠어요."

종래의 대답에 기자도 그르지 않다는 듯 고개를 끄덕이었다. 불안하고 긴장되었던 기분이 종래의 얼굴에서 옮어졌다. 그렇다고 현실을 타개할 의지가 드러난 모습도 아니었다. 금방이라도 이곳을 뜨자고 하면 그는 대답을 하지 못할 것 같았다.

그녀는 자리에서 일어나 벽을 손으로 두드려보았다. 이웃한 집에 누구라도 소리를 답할지 모른다는 생각이서였다. 그러나 아무런 반응도 없이 침묵만 고요히 이어졌다. 그런 모습을 본 기자는 웃으며 끼어들었다.

"북적이던 광부들이 떠난 지 십년이 넘었어요."

"그래요? 그런데 아무도 살지 않는다는 느낌이 들지 않는 걸요?"

순애는 창백한 얼굴로 안타까운 듯 말을 흘렸다. 종래는 고개를 돌려 창밖을 바라보았고 기자는 뜻밖에 밝은 표정을 보였다. 순애가 유령이 나타날 아파트에 온 것을 겁낼지 모른다는 생각을 한 모양이었다.

"이웃이 없지는 않아요."

"그럴 줄 알았어요. 사람 사는 냄새가 나는 것 같았어요. 어서 인사를 나누고 싶다는 생각이 드는 걸요?"
"아, 그럼요. 상면의 소개도 미리 생각해 두었지만 조금 전에 일 나갔다가 돌아오는 것을 보았거든요. 하지만 씻고 정리할 시간은 주어야하지 않겠어요? 그런 다음 인사를 하러 가자는 말이지요."
"좋아요. 이곳의 사정도 좀 알아보고 또 일을 나갔다 왔다고 하니 할 만한 일자리라도 있다면 도움을 청해야겠어요. 비록 어두운 탄광을 찾아온 광부의 처지와 다르지 않지만 빛만 있으면 길은 보이지 않겠어요?"
"일은 누구나 할 수 있지만 그 분 같은 일은 쉬운 일이 아니지요."
기자는 점점 미궁 속으로 빠져드는 말을 내뱉듯이 말했다. 그녀의 심정은 터널 속으로 들어가던 열차의 경우를 떠올렸다. 하지만 열차가 터널을 빠져나올 때 빛은 눈부시게 현란했다는 것을 잊지 않았다.
"맛있는 음식을 조금 남겨둘 걸 그랬죠? 이웃한 분인데 그런 일을 부탁하려면 빈손으로 갈 수 없다는 것을 미처 생각하지 못했어요."
"하하, 그렇게까지 맛이 있었어요?"
"네, 시장이 반찬이라는 말을 넘어서는 뭔가 더 깊고 오묘한 가령 야릇한 맛이 느껴졌다고나 할까요?"
"야릇하다는 말을 이해하지 못하겠는 걸요?"
기자는 그녀의 대답에 반신반의 하는 얼굴로 고개를 갸웃거렸다. 그녀는 더는 자리에 있을 수 없다는 듯 일어났고 종래도 뒤따랐다.
문밖은 정리를 한 것이 아니라 물건을 버려서 어지러웠다는 말이 옳았다. 기자는 그들의 앞에서 복도를 걸어갔다. 복도의 끝에 자리한 그 집까지는 삼십여 미터를 넘지 않았다.
“그나마 상태가 나은 집을 고르다보니 이웃이 조금 멀지요.”
“그렇지 않아요. 그럼 그 집의 사정은 이집보다 못하다는 거예요?”
“도토리 키 재기이겠지만. 그분은 그런 집이 편하다는 거예요.”
기자의 말에 종래는 고개를 끄덕이었을 뿐 아무런 말을 더하지 않았다. 기자의 말대로 그 아파트는 너절하기 짝이 없었다. 출입문이 열려있는 안의 광경을 보니 현기증을 느끼지 않을 수 없는 지경이었다.
기자가 옆으로 몸을 틀어 웅크리고 앉아있는 사람을 드러내어 주었다. 그곳에는 한 노파가 앉아있었는데 작은 불상과 형상이 다르지 않았다. 그녀와 종래는 그 사람을 쳐다보다가 서로 얼굴을 마주했다.
노파의 모습이 전혀 낯설지 않은 느낌이 들었고 시장에서 만난 노파란 것을 이내 알았다. 그런데 노파가 돌아앉아 음식을 먹고 있는 광경에 아연실색하지 않을 수 없었다. 기자가 내어놓은 음식과 다르지 않았기 때문이었다.
그 모습을 보자 종래는 단발마적인 신음을 내다가 드디어는 구역질을 하기 시작했다. 곁에 그녀도 이를 물고 억지로 참았지만 버티는 것은 오랠 것 같지 않았다. 뱃속을 맴도는 음식이 목까지 치밀어 올랐지만 끝까지 참은 것은 자존심이었다. 그녀는 도리 상 얼굴을 돌리었다.
인사도 채 나누지 못하고 돌아오는 기분은 바닥을 헤매었다. 기자도 겸연쩍었던지 이내 다음에 보자는 말만 남기고 돌아가 버렸다.
순애는 밤이 깊어지도록 새우잠도 들기 힘들었다. 침구도 언을 생각도 하지 않고 걸친 옷으로는 산골의 추위가 잔인했다. 마음의 핍박과 추위의 떨림이 몸을 휘감았다. 거기에 더 견디기 힘든 것은 잊으려 해도 오후에 먹은 음식이 소화가 되지 않는 것이었다.

순애보다 더 견디지 못하는 종래는 음식물을 금방이라도 토해낼 듯 헛구역질만 거듭했다. 헛구역질이 심했던지 배까지 움켜쥐는 사태가 벌어졌다. 그러나 누구에게도 그 사실을 말할 수 없었다. 기자의 어처구니없는 배려와 인도를 받은 궁색이 이토록 자존심에 상처를 입힐 줄 몰랐다.

하지만 그렇다고 이대로 죽을 수도 없는 노릇이라 생각했다. 어둠속에서 고리를 풀면서 난국을 헤쳐나 갈 생각을 이었다. 외나무다리를 만났고 바라만 보고 있을 수 없다는 생각에 독기를 꽂지 않을 수 없었다.

더는 이런 봉변을 당하지 않기 위해서라도 날이 새면 일자리를 찾는 것이 우선이었다. 조금 전까지만 해도 뒹굴던 종래는 참을만 했던지 일어나 옆방을 살폈다. 그곳도 안방과 나을 것이 없었기에 망설이었다.

종래를 바라보는 그녀의 마음도 다를 수 없었다. 해법은 오직 일자리였고 종래보다는 그녀가 먼저 일자리를 찾을 것 같았다. 광산이 폐업한 지금은 남자보다 여자가 하는 일이 더 수월한 곳이었다. 이곳은 괴정처럼 농사를 짓는 집도 많지 않았다. 비탈길에 스러져가는 집은 귀신이 나올 정도였다. 그런 집에 일이 넘쳐 사람을 구할 까닭이 없었다. 그녀의 머릿속이 번민을 거듭할 때 떠오른 것이 안막의 꽃수레 다방이었다.

다방은 이곳도 아직 곳곳에 보였다. 그만큼 일자리 얻기는 어렵지 않지만 그만두기도 쉬운 곳이었다. 목구멍이 포도청인 지금 물불을 가릴 처지도 아니었지만 쉬 결정을 내릴 수도 없었다. 다만 이 촉박한 순간의 고통이 일자리를 재촉할 뿐이었다.

"무슨 생각을 하죠?"

"고향을 찾아가는 철새를……."

"하도 적막한 기분이 되고 보니 어릴 적 쌀밥 보리밥을 하던 생각도 나잖아요?"

"하하, 아직도 그 놈의 밥이 준 충격을 헤어나지 못하는군."

종래는 그녀가 손을 벌리고 다가오는 모습이 보인다는 듯 대수롭지 않게 받았다. 그의 안색은 아직도 충격이 가시지 않은 모습이었다. 그의 손을 잡아보고 싶었지만 종래도 용기가 생기지 않는 것은 마찬가지였다.

"이젠 뭘 해 먹고 살아야지?"

"찾아야겠어요. 이젠 구직 말고는 다른 방법이 없잖아요."

"쉽지는 않을 거야. 이런 곳인 줄 미처 모르고 산골로 새로운 삶을 약속하며 가자고 한 것이 너무 미안하기 짝이 없군. 기자를 전적으로 믿은 것은 아니지만 이런 정도일 줄은 몰랐어. 그러나 이제와 어떻게 할 수도 없고 사과를 할 방법도 모르겠고."

종래는 갑자기 그녀에게 무릎이라도 꿇을 태세였다. 그녀는 당황하여 움켜쥐려던 손으로 그의 어깨를 잡았다. 그녀의 손에 그의 어깨는 가늘게 떨고 있었다. 오히려 힘없이 떨리는 그녀의 손도 떨리는 것은 마찬가지였다. 잠시 시간이 지나가고 그제야 종래는 힘이 솟는 듯 몸을 곧추세웠다.

"너무 걱정하지 마. 무슨 일이 있어도 이곳에서 굶어죽게 하지는 않을 테니까. 목숨을 버리는 일이 있더라도."

순애는 그 말에 감격하여 자신도 모르게 그를 품으로 안았다. 그는 가볍게 품안에서 떨고 있었다. 떨기는 그녀도 다르지 않았다.

종래는 잠시 망설이더니 민망하다는 듯 고개를 들었다. 그러나 그 얼굴에는 아직도 후유증이 가시지 않은 것 같았다.

“광산만 있었어도 이렇게 일자리 걱정은 하지 않아도 되었을 텐데.”

종래는 그녀의 품이 답답하다는 듯 벗어나 창밖을 하염없이 바라보았다. 어둠이 몰린 곳에 갇혀있다는 것이 힘들지 않을 수 없었다. 고향을 떠난 사연이 그에게 안타까움으로 남은 것 같았다. 그런 생각은 그녀도 다르지 않았다. 고향이란 말만 들어도 가족의 얼굴이 달 속에 옥토끼처럼 떠올랐다. 어두운 그림자가 뭉쳐지면서 한 얼굴이 드러났는데 자세히 바라보니 혁이었다. 혁의 얼굴에는 눈물이 흘러내리고 있었다.

그녀도 덩달아 눈가에 눈물이 고드름처럼 흘러내렸다. 그녀의 모습을 가린 것은 방안의 어둠이 그나마 다행이었다. 경주댁도 잠들지 않았다면 멀리 간 그녀를 생각하고 있을 것은 그녀와 다르지 않을 터였다.

이튿날 아침 시장의 입구에서 본 구인광고를 찾아가니 시장은 적막하기까지 했다. 기억대로 매점과 다방에서 사람을 구한다는 전단이 붙어있었다. 우선 그녀의 눈에 들어온 것은 편의점이었다.

그것은 안경다리와 인접한 오거리의 삼층 건물에 자리했다. 가게의 뒤로는 작은 계곡이 소리를 내었고 앞으로는 도로에 차들이 열을 지어 달렸다. 가게는 그리 넓지는 않았으나 몇몇 손님들이 앉아 있었다.

순애를 맞이하는 주인은 창가의 의자에 앉아있었다. 사십은 되어 보였는데 나이에 비해 팽팽한 얼굴이었고 말은 어눌했다. 초보이지만 오토바이를 탈 줄 안다는 말에도 고개를 쉽게 끄덕이지 않았다. 그러한 태도의 속내를 순애는 이내 알 수 있었다.

광고를 내기 무섭게 젊은 학생을 구했다는 것이었다. 기대를 가지고 찾은 곳에서 기대는 허탈로 끝났다. 그렇다고 그만 포기할 수도 없었다.

더욱 용기를 내어 찾지 않을 수 없었다. 하지만 그 다음도 허탕은 마찬가지였다. 끝으로 다방을 들르지 않을 수 없었다.

한동안 마음에 들지 않는다는 듯 마담은 창만 바라보았다. 그녀는 일을 해야 한다는 생각에 일의 고됨이나 소문도 생각하지 않았다. 자신 있는 것으로 오토바이를 잘 탄다는 말을 더했다. 배달은 다방의 꽃으로 백마처럼 차를 전하는 일은 자신의 몫만 같았다.

마담은 초보자 환영이라는 글만 아니었어도 거절을 했겠지만 좋다고 허락했다. 그러며 일에는 순서가 있으니 홀에서 분위기를 먼저 익히라고 호의를 베풀었다. 접대도 배달 못지않게 중요하며 손님의 접대를 왕처럼 모실 줄 알아야한다는 것이었다.

순애는 다방의 명운이 자신의 어깨에 있다는 생각으로 받아들였다. 이제야 우물 속의 개구리를 진정 벗어날 기회란 생각도 들었다.

마담도 웃으며 그런 각오라면 됐다며 일을 맡기겠다고 웃었다. 사실 다방이란 곳이 갖가지 사람이 드나드는 곳으로 꽃잎을 따는 곳이란 사실을 모르는 바는 아니었다. 그래서 당분간은 그 사실을 종래에게 말하지 않고 숨길 생각이었다. 그리고 첫 출근을 한 그녀의 앞으로 깔끔한 중년의 사내가 순애를 불렀다.

나이는 오십은 넘게 보였지만 얼굴은 공처럼 팽팽했다. 예전의 광부의 모습은 전혀 없었고 이곳을 찾아온 외지인이라는 생각에 기분까지 가벼웠다. 물 잔을 쟁반에 올려들고 그의 앞으로 다가가 미소를 건넸다.

그녀를 힐끗 본 사내는 의외라는 듯 눈알이 커지며 그녀를 옆의 자리에 앉으라고 손을 잡아끌었다. 처음은 앙탈로 버티었지만 새로운 각오를 되새기지 않을 수 없었다. 사내는 안색을 살피며 이런 애교를 떠는 그녀에게 작은 목소리로 을러댔다.

"이런 일은 처음이지?"

"네, 그런데 그것을 어떻게 알았어요?"

"아는 수가 다 있지. 그래서 하는 말인데 이런 곳에 뭣 하러 왔지?"

사내의 물음은 빛이 났고 그녀는 대답에 잠시 망설이지 않을 수 없었다. 은근히 위로해주는 척하며 속내를 떠보려는 짓만 같았다. 그녀가 미처 대답을 하지 못하고 망설이자 사내는 통 크게 쌍화탕과 커피를 마담 몫까지 시켰다. 아침부터 이런 천사를 만났으니 이런 보시는 당연하다는 투였다.

"운명이지 않겠어요?"

"운명? 그렇지. 누구나 그놈의 운명대로 살아야하니 울화통이 터지지. 그렇지만 이 자리에서 이런 만남이 운명적이라면 싫지 않단 생각이 들거든."

사내는 그녀의 사연이 궁금하다는 듯 자리를 당겼다.

순애는 잠시 미소를 지우지 않은 채 커피를 입에 대었다. 그러다가 커피 잔을 탁자에 놓으며 그의 날카로운 눈을 바라보았다. 음험한 시선은 자애를 드러냈지만 정작 눈독을 들이는 것은 다른 곳에 있었다. 그녀는 솟는 분기를 누르며 대답을 쉬 하지 않았다. 사내가 급하다는 듯 다시 말을 이었다.

"이런 만남도 인연이 아니겠냐고?"

"아니에요. 그것은 하나같이 해대는 포장이라는 것을 모르지 않아요. 그 속은 비었잖아요."

"속? 속까지 투시한 자가 있다는 말인데. 그런 자보다 내가 더 나을 것 같지 않아?"
"낫다고요? 그보다 더 누가 진실하냐가 문제이지요."
순애는 사내의 말에 실망하며 한 얼굴을 떠올렸다. 기자의 얼굴도 그런 시선을 보였던 것 같았다. 사내도 그처럼 눈빛은 깊었고 하는 말마다 만용만 흘렸다. 다만 다른 것은 허접한 말이 적다는 것이었다. 사내가 그녀의 얼굴을 살피는 동안 전화기가 요란스레 울렸다. 배달을 주문한 것이었고 직원이 없었다. 마담은 그녀를 불렀고 사내는 그녀의 손목을 잡았다. 그러자 마담이 사내의 앞으로 나타났다. 사내는 마담이 실망스럽던지 다방에서 나가버렸다.
순애의 손은 보따리를 들었고 발걸음은 이내 오토바이에 닿았다. 오토바이를 타고 달린다고 생각하니 기분은 어느새 감옥을 벗어나는 것 같았다. 차를 부른 곳은 한적한 여관이었는데 외곽진 곳에 자리했다. 도로를 따라 찾아가는 것은 안막과 같아서 어렵지 않았다.
그녀가 다다른 여관은 오층의 건물로 입구에는 큰 입간판이 반겨주었다. 듣기로 예전은 광부들의 사택 자리였으나 허물고 큰 모텔로 환골탈퇴 했다. 오토바이를 주차장에 세우고 커피를 부른 객실을 찾았다. 객실에는 나이가 젊은 사내가 홀로 있었는데 얼굴은 길었고 눈매는 날카로웠다.
"어렵지 않게 용케도 찾았군."
"배달은 제가 제일 잘하는 일이거든요. 예전에 배달한 경험도 많거든요."
"그래? 그렇다면 대화가 어렵지 않게 진행되겠는 걸?"
"차를 시키는 이곳의 사람들이 하는 소리란 탄처럼 어두운 말이 아니겠어요?"
커피를 따르며 하는 그녀의 말에 사내는 입가에 게걸스런 웃음을 지으며 고개를 끄덕이었다. 그녀와 거리가 있었으므로 커피를 전하려고 자리를 곁으로 다가갔다. 한식의 온돌방에 온기가 그녀의 찬 엉덩이를 따뜻이 녹여주었다.

그녀의 떨리는 손에 든 커피를 받아든 사내는 그녀에게 옆자리를 권했다. 거절을 할 수 없어 옆으로 다가앉자 사내는 손을 내밀었다. 그러며 얼굴을 유심히 살폈다.

순애가 놀라 뒤로 물러서려하자 사내의 손길이 빨랐다. 그녀는 손목을 잡혔고 확 당겼기에 그의 가슴에 안기지 않을 수 없었다. 사내는 목의 갈증을 마른 침으로 적셨다. 불안한 예감을 하지 않을 수 없어 양손으로 사내의 상체를 떼밀었다.

그러나 사내는 얼굴에 미소를 흘리며 두려워하지 말고 편하게 거래를 하자는 것이었다.

낯선 사내의 그런 말에 순애는 오히려 움츠러들지 않을 수 없었다. 그녀의 눈길은 불안감에 떨기 시작했다. 그녀의 그런 모습을 그대로 보고만 있을 사내도 아니었다. 손을 내밀어 어깨로 손이 갔는데 드러난 팔목을 보니 용을 그린 문신도 드러났다.

그녀는 커피를 시킨 목적이 달리 있었다는 것을 이제야 알았다. 하지만 자신도 모르게 몸부림을 치며 하소연을 던졌다. 그러나 사내의 대답은 아랑곳하지 않았다.

“촌스럽게 왜 이러지? 다방의 여자란 게 다 그렇지 않아?”

“난 그런 여자가 아니에요.”

“배달이 처음은 아니라면서? 그럼 원하는 것이 미흡해서 이러나?”

“아니지요. 배달은 커피를 배달한 것이 아니라 닭을 배달했다는 말이지요.”

“닭이라고? 다방을 나온 여자가 닭을 배달했다면 지나가던 개도 웃지 않겠어?"
"닭은 개와 다르잖아요."
그녀의 항변을 귀담아들을 사내도 아니었고 탐욕만 이글거리는 눈길은 이미 제정신을 잃고 있었다. 그녀의 저항을 두고 보지 않겠다는 듯 사내는 헛소리처럼 설레발을 휘둘렀다. 그것은 야수의 비열함이었고 어둠의 이중성이었다. 하지만 사내의 탐욕에 무작정 당할 수만은 없었다. 그것은 지난 시절의 사랑을 더욱 지키고 싶었다.
하지만 기울어진 전세를 확인한 사내에게는 그런 저항이 통할 리 없었다. 기고만장한 정복자의 수탈과 은폐된 거짓이 얼굴을 덮었다. 그것이 이 방안의 법이었고 그녀를 목 조이는 힘이며 사랑인 냥 위장한 만용이었다.
하지만 그럴수록 순애의 저항도 미약할 수만은 없었다. 온몸의 힘을 다하여 끝까지 저항하였고 억지로 옷을 벗기는 손길을 물어뜯고 있었다. 사내는 처음 그녀에게 협박을 했지만 저항에 대한 처방을 바꾸어버렸다. 그것은 마지막으로 생각하는 최후의 일침이었다. 그것이 무엇인지 바라볼 겨를도 없이 번갯불이 내려치며 눈앞에 어둠만이 흘러내렸다.
그것은 광부가 두려워하는 막장이 무너지는 것이었다. 눈을 떠도 앞을 가린 어둠은 숨도 쉬는 것을 허락하지 않는 곳이었다. 순애는 이내 무의식과 다르지 않는 곳으로 자신도 모르게 떨어지지 않을 수 없었다. 어둠은 소중한 것과 그렇지 못한 것의 구별이 없었다. 사내의 억센 손도 숨이 막히는 완력도 존재하지 않았다. 사내의 손을 뿌리치고 사랑을 지켜야한다는 의지까지 소용없었다. 그녀의 의식이 마지막으로 알려주는 것은 목덜미를 조이는 고통이 끝이었다.

그 고통은 길지 않아 순간과 다르지 않았다. 어둠 속에 서 있는 그녀는 이제 어둠일 뿐이었다. 어둠도 그녀와 하나라는 사실에 포옹을 풀지 않았다. 어둠은 깨진 마음까지도 분리하지 않았다.

그러나 빛은 그것을 그대로 놔두지 않았다. 어둠의 끝에서 개똥불빛만 한 빛이 다가오더니 드디어는 광부의 안전등 만하게 커졌다.

'도대체 저것은 뭐지?'

불빛은 어둠을 한 바퀴 원을 그리더니 달려오기 시작했다. 어둠은 그대로 있을 수 없었다. 빛을 피하려는 의지는 그녀의 안타까움이었다. 이젠 수목과 꽃 그리고 흔한 물도 보이지 않는 곳이 좋았다.

그러나 불빛은 어둠을 그녀에게서 떼어내기 시작했다. 그런데 왜 그런지 까닭을 알 수 없었다. 어둠은 이제 저항이 무의미하다는 것을 알고 걸음도 멈추었다. 그 순간 빛이 환하게 주변을 밝혔다.

그녀가 빛이 눈이 부시다는 것을 알았을 때 느낀 것은 아직도 고통이 가시지 않았다는 것뿐이었다. 그것은 분노함만이 아니라 상실의 아픔이었다. 이내 귀에 요란한 경적의 소리가 들렸고 열차는 여관도 아랑곳하지 않고 지나가버렸다.

15,강탈

사랑을 폭력에 강탈을 당했고 이제는 수치심과 억울함이 현실이란 사실이었다. 그것은 탄광의 폐석더미와 같은 곳에 섞이는 일뿐이었다. 옷도 제대로 걸치지 못한 몸으로 여관을 나오지 않을 수 없었다. 그녀의 발걸음은 자신도 모르게 폐석이 쌓여있는 곳으로 향했다. 그곳으로 가자면 복지관을 지나야했다.
복지관의 앞에는 사람들이 몇몇 모였는데 잡담을 나누고 있었다. 그들의 시선을 피하기 위해 샛길로 방향을 틀었다. 샛길의 좌우에는 허름한 광부들의 집들이 무너지고 지저분했다. 재건축을 기다리는 것 같았지만 그녀의 눈에 들어올 리 없었다. 그런데 기침을 유달리 하던 광부가 그녀의 앞을 막아섰다. 그녀는 발걸음을 멈추고 고개를 들며 막아선 사내를 노려보았다.
"저 노파가 부르지 않소?"
'나를? 무슨 까닭이 있다고?'
"이제 보니 귀도 들리지 않고 눈도 보이지 않는 사람이었던가? 그렇지 않다면 나이 많은 노파가 부르는 데 못들은 척 할 수 없지 않겠어?"
순애는 고개를 돌려 노파를 바라보았다. 허름한 차림의 모습으로 노파는 구부리고 앉아있었다. 그녀는 마지못해 노파를 향해 발걸음을 옮겼지만 또 한 번의 희롱을 당하는 순간이 온다고 해도 무의미하다고 생각했다.
노파의 눈길은 태풍 맞은 벼를 바라보는 것 같았다. 하긴 사람을 믿지 못해 지폐를 햇살에 비추어보고 구걸한 음식을 이웃에게 무책임하게 줘서 사람을 골병 들이는 것을 보면 괴이한 것도 아니었다. 하지만 순애는 지금 그러한 마음까지 있을 수 없었다. 노파의 독기어린 눈길이 오히려 편안했다.
순애가 힘없이 고개를 숙여 인사를 건네자 노파의 나약한 음성이 그녀를 일깨웠다. 그 목소리는 부드러웠고 두려워하지 말라는 것이었다. 노파는 일어나 다가오더니 귀에 대고 그 정도는 걱정꺼리도 되지 않는다는 것이었다.
순애는 그 말에 분노하지 않을 수 없었다. 무엇을 알고 말하는지는 모르지만 노파의 그런 망발은 짐작도 하지 못할 것이었다. 노파는 마른 장작 같은 손으로 그녀의 손을 잡으며 흐트러진 머리카락을 쓸어 주었다. 그러한 짓은 어릴 적 경주댁의 손길과 다르지 않았다. 그녀는 저도 모르게 눈물이 눈 안에서 핑 돌았다.

그러자 노파는 순애의 옷자락을 끌어당기며 다시 어깨를 두들겨 주었다. 순애의 마음이 잠시 진정되자 노파는 정색하며 아파트를 가리켰다.

노파는 자신과 함께 집으로 돌아가자고 하는 것 같았다. 순애는 그런 일을 당해서 비단 그런 것이 아니라, 집은 이제 안식의 공간이 아니었다. 하지만 노파의 고집도 쉬 물러나지 않았다. 그녀는 광부의 눈길을 의식하지 않을 수 없어 폐석으로 향하던 걸음을 단념하였다.

노파는 손에 작은 검은 봉지를 들고 있었다. 그녀는 열어보지 않아도 그것이 무엇인지 알만했다. 노파가 앞서고 순애는 뒤따랐다. 노파는 봉지가 무거운지 숨소리까지 거칠어졌다. 뒤따르던 순애가 노파의 손에서 봉지를 빼앗았다. 그러자 겸연쩍었던지 노파는 거친 숨을 한동안 몰아쉬더니 말을 꺼내었다.

"양파의 껍질을 하나 벗은 셈이잖아?"

"붕락을 당한 광부이지 않을 수 없는데요?"

"하긴, 그것도 알고 보면 밝음과 어둠은 다르지 않다는 거지."

"그 말이 사실이라면 왜 이렇게 사는지 묻고 싶잖아요?"

"흔적을 찾는 것이겠지."

"똥친 막대기가 흔적을 찾아 뭣하지요? 지금 내게 그런 말은 위로가 되지 않아요. 다만 그런 짓을 한 놈을 어떻게 해야 답답한 속이 풀어질지 모르겠어요."

"진정 그 짓이 속 시원하다고 생각해?"

"그럼요, 남의 보물을 힘으로 빼앗았다고 좋아하는 자가 그 환희를 빼앗기는 아픔으로 파멸을 주지 않는다면 시원할 수 없지 않겠어요?"
"그른 생각은 아닌 것 같지만 그래가지고는 영원히 뺑뺑이만 돌지 않겠어?"
"그것이 세상 아닌가요?"
순애는 노파의 말을 억누르듯 생각을 펼쳤다. 그런 생각은 이번의 사건과 의혹으로 인한 것만은 아니었다. 억지로 빼앗겼으니 그것을 되찾는 것은 그런 방법 말고는 달리 방도가 없었다.
노파의 생활도 그녀의 생각과 다르지 않았다. 노파는 그러나 누런 이를 드러내고 웃을 뿐이었다. 나이 탓인지 간간이 빠진 이의 틈으로 나오는 말은 울이 부서진 바람의 소리였다.
"머지않아 좋은 사람이 나타날 거야."
노파의 뚱딴지같은 소리를 듣자 야릇한 느낌도 들었다. 그냥 한 소리이겠지만 이 오지에 그녀를 찾아올 사람은 아무리 생각해도 있지 않았다. 더군다나 무당 같이 내뱉은 말을 어떻게 받아들여야 할지 어리둥절할 뿐이었다.
하지만 노파의 말은 그녀의 오욕을 용서해준다는 것과 다르지 않았다. 처음은 자신을 위로하려는 말 정도로 생각했으나 그런 것만은 아니었다. 용서라는 말을 접하는 그녀로서는 노파의 말대로 끝이 시작이라는 것을 생각하지 않을 수 없었다.
노파는 아파트에 들어오자 그녀를 자식처럼 보살피기 시작했다. 이불을 깔고 어디서 구했는지 비상약이라며 약까지 내왔다. 그녀의 정성이 고마워 약을 먹어보니 비위까지 상했다. 그녀는 비위를 참을 수 없어 헛구역질을 시작했다. 노파는 등을 두들기며 약이 효과를 내는 것이라고 대수롭지 않게 여겼다.

더욱이 노파는 그녀가 집으로 돌아가는 것을 허락하지 않았다. 자신의 곁에서 쉬라는 것이었다. 그러자 심장의 떨림이 진정되며 통증도 미약해지기 시작했다. 죽음의 그림자는 가까스로 피해갔지만 실의의 늪은 벗어날 수 없었다.

노파의 곁에 누워도 집에 있을 종래를 생각하니 마냥 누워있을 수 없었다. 그녀가 돌아오지 않는다면 그는 불안에 휩싸일 것이었다. 그렇다고 여기에 그런 사연으로 누워있다고 할 수도 없었다. 그녀의 마음은 여러 갈래로 찢어졌다.

“그 사람의 처지를 보살펴야 하잖아요.”

“그 사람의 처지가 그렇게 걱정이 되냐?”

“네.”

“그 사람은 걱정하지 않아도 된다. 쌀밥, 보리밥도 못하지 않았느냔 말이지.”

노파는 그녀의 얼굴을 한동안 바라보았다. 그러더니 잔에 물을 따라 마른 입가에 내밀었다. 노파의 표정도 목마르고 있었다. 순애는 입에 물을 마셨다. 그런데 물로는 허기가 가시지 않았다. 마음이 안정을 찾았던지 뱃속부터 난동을 부렸다. 창백한 그녀의 얼굴을 보더니 노파는 일어나 부엌으로 갔다.

이내 쟁반에 음식을 가지고 나타나더니 순애에게 겸연쩍은 웃음을 지었다. 노파는 보아란 듯이 밥과 김치를 자기의 입에 넣었다. 그러더니 입안의 혀를 굴려 음식을 흔들어대었다. 음식은 맛만 있는 것이 아니었다. 향기와 오묘한 의미가 섞여 그녀의 혼을 부르고 있었다.

순애는 먹을 수 없다던 음식이 저렇다면 입안에 침이 고이지 않을 수 없었다. 어쩌면 그것은 예전에 먹었던 음식이라 해도 색다른 맛을 음미할 것도 같았다. 그녀는 자신도 모르게 침을 삼켰다.

그 모습을 본 노파는 인색하지 않았다. 수저를 내밀며 먹어보라는 것이었다. 순애는 수저를 들고 음식을 떠서 물에 적신 입안에 넣었다. 음식은 약과 다르지 않았다.

불안과 고통을 한 순간에 내몰더니 힘까지 불렀다. 그제야 순애의 얼굴에 혈색이 돌고 노파도 안심을 하였다. 그것은 해골의 물맛을 진정 느낀 고승과 다르지 않았다.

그날 오후, 사건의 냄새를 맡은 기자가 얼굴을 내밀었다. 매일 구걸을 거르지 않는 노파가 구걸을 걸렀다는 것이었다. 그러며 순애의 얼굴을 돋보기로 들여다보듯 살피는 것이었다. 여간 난처한 입장은 아니었지만 시치미를 떼지 않을 수 없었다.

때마침 다방은 내부의 수리를 한다며 당분간은 쉬어도 좋다고 하였다. 물론 그렇다고 급여까지 쉬는 것은 아니라고 했다.

기자는 이곳의 생활이 서투른 종래나 그녀를 위해 생활을 돕는다고 나섰다. 토박이인 관계로 노파는 물론이고 군수, 면장까지 모르는 이가 없었다. 그래서 알아보니 그녀의 생활을 지원도 받을 수 있다는 말이었다. 물론 내키지는 않았지만 노파에게 얻어먹는 것보다는 낫다는 말에 고개를 끄덕였다.

그런 덕으로 목구멍이 포도청인 문제는 해결이 되는 것 같았지만 노파의 사정과 다른 것은 아니었다.

“이제 종래만 일자리를 찾으면 고생 끝이 아니겠어요?”

“그렇기는 하지만 지금은 탄광도 다 문을 닫은 처지라서.”

“꿩 대신 닭이라고 하잖아요.”

“닭이라고? 그럼 배달을 할 수 있는 자리가 있다는 말이지? 일전에 보니 닭 집의 장사도 그런대로 되는 것 같긴 했다더두만.”

“호호, 그것으로는 입에 풀칠도 하지 못하지요. 또 그렇다고 해도 언제까지 이런 처지를 벗어날 수도 없고요. 해서…….”

"그래서 뭐지?"

"이곳의 사정을 잘 아니 제발 부탁이지만 그 분을 위해서 아니 나를 위해 일을 하게 도와주세요."

"그래도 되겠어요? 하긴 이젠 선택의 여지도 없을 것이지만."

기자는 안개의 속을 다 드러내지 않았다. 그것은 그녀를 바라보는 눈길도 다르지 않았다. 어찌 보면 진실한 모습을 보이다가도 한편으로는 불투명한 짓도 서슴지 않았다. 하지만 그렇다고 종래의 친구이며 이곳에서 그래도 발 벗고 나서는 그를 경외의 대상으로 묶을 수는 없었다.

다방을 쉬는 하루하루도 마음이 편한 것만은 아니었다. 아침에 구걸을 나가는 노파의 배웅이나 종래의 무기력을 바라본다는 것이 여간 힘든 일이 아니었다. 그렇다고 등을 떼밀 형편도 아닌지라 애가 타는 것은 그녀의 속내일 뿐이었다.

그럴 때 감초처럼 나타나는 것이 기자였다. 그는 노파의 아파트를 돌아보는 것으로 시작해서 폐석더미까지 일순을 시작했다. 물론 표면적으로는 건강을 위한 운동이라고 말했지만 종래의 건더기를 찾고 있는 중이라 했다. 말은 사회의 부조리를 찾아 정의를 세우는 일이었다. 그리고 그 결과도 나쁘지 않았다. 도둑이 제 발 저리듯 그를 만나면 그들은 먼저 허리를 굽히었다. 그들의 웃음 속에는 화해의 뜻을 함께 가지고 있었다.

그러면서도 기자는 결코 자신의 행위를 드러내지 않았다. 선의를 하는 일이란 왼손의 일도 오른손에 알리지 않으려는 속 깊은 행위를 하고 있는 중이란 말이었다.

순애는 그래도 이곳에서 믿을 수 있는 것은 기자뿐이라는 생각을 버릴 수 없었다. 아니 그런 정도라면 굳이 광부가 아니라고 허더라도 일자리를 찾지 못할 까닭도 없을 것 같았다. 그러나 그는 종래의 직장은 자존심을 배려해서인지 적극적으로 나서지 않았다.

그래서 종래도 그에게 더는 아쉬움을 토로하지 않았다. 물론 그의 성격상 그런 말을 입에도 올리지 않았지만. 하지만 순애의 마음은 그들과 같을 수 없었다. 다시 다방을 나간다고 해도 그것은 오래 갈 일이 아니었다. 그렇다고 노파처럼 전락할 수도 없었다.

그녀는 생각다 못해 며칠 후, 시장의 기자의 집을 찾았다. 기자는 자다 말고 나오던지 하품을 연이어 터트렸다. 그는 웃음을 띤 얼굴로 까닭을 물었다. 그러나 그녀도 막상 그를 만나자 말문이 막혀버렸다. 기자는 눈치 빠르게 그녀의 위기를 반석으로 이끌었다.

"하하, 친구가 아직도 방황을 끝내지 못했다는 것을 하소연하려는 것이겠지요?"

"꼭 그렇다는 것은 아니지만 내일을 걱정하지 않을 수 없는 처지라서."

"내일요? 그럼, 이곳을 떠날 생각까지 벌써 했다는 거예요?"

"그게 무슨 말이지요?"

"이제는 겪어보아서 알겠지만 이곳은 약속의 땅이 더는 아니지요. 오히려 죽음의 땅이라면 모를까, 그러니 내일과 희망을 말한다는 것은 이곳을 떠나는 것을 의미하거들랑요."

"그렇다면 무덤 속으로 들어온 꼴인가요? 그것을 왜 진작 말하지 않았어요?"

"아, 그렇다고 화를 낼 필요는 없어요. 누가 알아요? 멋진 축제가 곧 준비를 끝내고 순간만을 기다리고 있을 지를요. 더군다나?"

"뭐지요? 숨기는 것이 있군요."

"아, 아닙니다. 노파를 봐도 모르겠어요? 그런 수모와 고생을 하면서도 살아가는 까닭이 뭐겠어요. 그런 축제가 아니라면 그럴 까닭이 없다는 말이죠."

"아, 그랬다면 이해를 하겠어요. 그것은 아마도 천년을 산다고 해도 결코 쉽게 만날 수 없는 기적이지 않겠어요?"

"그럼요, 더욱이 천사와 함께하는 기적이라면 백번을 죽어도 여한도 없는 짓이구만요."

순애도 눌렀던 불안을 숨기며 심적인 고통을 더는 말하지 않았다. 이왕 망가진 몸과 마음은 이제 고향으로도 돌아갈 수 없는 일이었다. 부도는 그래도 참을 수 있었지만 사랑도 깨어져버린 몸은 이제 폐석이 아닐 수 없었다. 그것은 노파도 위로할 성질이 아니었다.

그런 사정을 이해하겠다는 듯 기자는 시선을 거두지 않았다. 그를 불신해서가 아니라 현실적이지 못한 종래로서는 결코 그녀의 고통을 해결할 수 없다는 것을 인지한 것 같았다. 그는 그녀의 젖어가는 눈길을 더는 바라볼 수 없다는 듯 말을 전했다. 그의 말은 아직은 희망을 놓아서는 안 된다는 것이었다.

"조금만 더 참을 수 있다면 그런 기회는 반드시 올 거예요. 그리고 이곳을 떠날 수 있을지도 모르고요."

"그럴 수 있을까요? 이제는 고향으로 갈 수도 없는 처지인데?"

"꼭 그렇지는 않아요. 눈을 뜬 자는 볼 것이고 길은 로마로 통한다고 하잖아요. 이런 내 말을 믿어 줄 수 있겠지요?"

"그럼요, 이 지경에 어떤 말이라고 하더라도 믿지 않을 수 없지 않나요?"

"아니지요, 옥석이 어찌 같겠어요."

말을 마치는 기자는 창으로 보이는 산 속의 철탑을 바라보았다. 거리는 멀었지만 산 속에 철탑은 쇠말뚝처럼 높고 깊었다. 기자가 말을 이었다.

"다방이 수리 중이라 했죠?"

"휴가를 얻은 것과 같지만 쉬어도 갈 곳이 마땅치 않아요."

"심심치 않은 곳을 몰라요? 노인들도 문전성시를 이룬다던데. 나도 조만간 가볼 생각이거든요."

순애는 이내 종래의 집을 나왔고 시장을 살폈다. 그러나 지갑에 여유가 많지 않아 간단한 물건만을 골랐다. 봉지를 들고 돌아오는 길에 하천에 들렀다.

그곳은 기자의 말대로 유랑극단이 자리를 잡고 천막의 깃발처럼 소문을 날리고 있었다. 시골의 노인이나 광부를 퇴직한 사람들에게 그만한 즐거움을 주는 곳도 없었다. 그녀도 집을 비운 종래를 기다리는 것보다 잠시 마음을 식히러 가보려고도 했었다.

입구는 중앙에 있고 입장료는 없었다. 그들이 연극을 상연하며 그런 시설을 유지하는 것은 그들이 내세우는 건강식품이었다. 탄광의 특성상 폐와 허리, 피부까지 아프지 않은 사람들이 없었다. 물론 보이지 않은 마음의 상처는 그보다 더 깊고 잔인했겠지만.

그런 곳에서 그들이 주장하는 약이란 고통을 잠재우는 마약과 다르지 않았다. 그래서 연일 아픈 사람은 모여들었고 소문에는 병원보다 많은 사람들로 넘치는 모습이었다. 그런데 더 사람들을 흡인하는 것은 약으로 그치지 않았다.

어둠 속에서 일을 하며 살아온 광부들이 아는 것은 검은 것은 탄이고 밝은 것은 빛이라는 것뿐이었다. 그런 그들에게 극단의 공연은 어디에서도 보고 느끼지 못한 생동감을 안겼다. 물론 그런 것을 모르거나 본 적이 없는 것은 아니었다. 그들이 아는 것은 들은 소문이나 텔레비전의 영상뿐이었다.

그런데 얼굴에 화장을 하고 목청껏 뽑아대는 구성진 노랫소리는 그들이 아직 알지 못하는 새로운 신천지였다. 그러한 사정이고 보면 퇴역한 광부들이 모이지 않는 것은 도리어 이상할 정도였다.

그런데 기자의 말은 달랐다. 고지식한 노인을 상대로 그들이 사기를 계획적으로 친다는 것이었다. 그러니 정의를 사랑하고 불의를 용납하지 못하는 그로서는 나서지 않을 수 없다는 것이었다. 그러며 그녀에게 이런 일은 함구하는 것이 좋다는 것이었다. 행여 기밀이 새어나가면 증거를 은폐하며 줄행랑을 칠 것이라는 말이었다. 순애는 입구를 돌아 장막의 안을 들여다보았다. 아직은 공연을 하지 않는 터라 사람의 그림자는 없었지만 기자의 말대로 그들이 준비한 상품과 약은 구석을 지키고 있었다.

약을 바라보자 순애는 노파의 얼굴이 떠올랐다. 돈이 없는 그녀에게 비상약은 이곳의 약이지 않을 수 없었다. 유랑극단은 약의 효용을 증명한다며 먼저 복용하기를 권했다. 물론 효과가 없으면 전량 반품을 받아주는 조건이었다.

전날 밤 순애는 그런 약을 먹었다. 노파의 정성도 분명 고통을 가라앉힐 것이라며 주었다. 그녀는 아무런 의심도 하지 않고 먹었고 그날의 고통은 씻은 듯이 나았다. 그렇다면 이것이 불법인지는 몰라도 사기는 아닌 것 같았다. 하지만 기자의 주장은 물러서지 않았다.

그녀는 시작을 준비하는 공연을 보지 않고 밖으로 나왔다. 아무리 생각해도 집을 비워둔다는 것이 마음에 걸렸다. 그 시각에 종래라도 돌아온다면 자신을 찾을 것만 같았다.

그녀의 짐작은 그르지 않았다. 언덕을 오르고 심장이 뛰는 숨결로 집에 돌아오니 낯선 신발이 보였다. 반가운 마음에 문을 열어보니 술에 취한 종래가 비스듬히 누워 눈을 감고 있었다. 아마 밤샘을 해서 피곤과 수면이 부족한 모습이었다.

순애가 그의 수면을 방해하지 않으려고 뒤로 돌아서려하자 종래의 잠꼬대 같은 목소리가 터졌다. 그녀는 저도 모르게 놀라며 뒤를 돌아보았다.
"날 용서할 거냐고?"
"용서라니요? 무슨 당치도 않은 말을."
"이것은 아니었는데, 결국은 널 어둠으로 몰고 말았어, 그러니 난 무슨 면목으로 고향의 그분을 다시 뵈겠냐고? 그러니, 그러니…."
취한 종래의 모습을 보자 그간의 기대는 여지없이 무너지고 있었다. 미래를 개척할 사내가 눈은 충혈 되었고 머리는 감지도 않은 모습이었다. 정작 문제는 그러한 모습을 끝낼 수 없다는 사실이었다.
그는 한동안 더 깊은 수면에 빠졌다. 그러더니 일어나 차려놓은 밥도 드는 둥 마는 둥 하고는 다시 외출을 준비하는 것이었다. 순애는 그가 잠들었을 적 약간의 지폐를 넣어주었다. 그는 옷을 걸치고는 기약 없는 이별의 인사도 없이 다시 연기처럼 어둠속으로 사라졌다. 그를 기다리는 것이 옳은지 그른지도 판단이 서지 않은 나날이 보름을 넘었다.
종래를 기다리는 새벽에 뜻하지 않은 기자의 출현에 놀라지 않을 수 없었다. 그런데 그는 무엇을 경계하는 눈빛과 함께 커다란 가방을 메고 있었다. 아마 일을 찾아 외지로 떠나는 잡부의 모습과 다르지 않았다. 옷깃을 여미고 서있는 그녀는 까닭을 묻지 않을 수 없었다.
"어디를 가나요?"
그 말에 기자는 대답대신 주변을 살피더니 다가서며 목소리를 낮추라는 시늉을 했다. 고요한 주변의 상황도 그에게는 두려운 모양이었다. 그녀가 차라도 대접을 하겠다는 제의도 고사한 체 현관문을 닫지도 않았다. 그는 시간을 보려고 자주 손목을 보았다. 그의 손목시계는 가죽의 끈이었는데 낡아보였다. 순간 그는 기대하지도 않았던 말을 폭탄처럼 던졌다.
"뜻하지 않은 기회가 왔걸랑요. 이곳을 떠날 수 있는."
"그래서 그런 옷차림이었군요. 일자리라도 찾아내었나보죠?"
"그런 것은 가면서 얘기를 하기로 하고. 저 번에 말한 것처럼 그런 기회가 왔으니 어찌 하겠어요? 버릴 건가요? 아니면 잡을 건가요."
물론 그런 말을 얼마나 학수고대했는지 알 수 없는 말이었다. 하지만 기다리는 사람을 생각하면 갈등을 하지 않을 수 없었다. 그녀가 머뭇거리자 기자는 예상하고 있었다는 듯 재차 독촉을 했다.
"결정은 어렵겠지만 갈림길은 나뉘는 법이지요. 기다리는 사람은 그 소망을 아마 들어주지 못할 겁니다. 그간 보았던 것처럼 이제는 그 병을 치료할 길도 없거든요. 중독이 되었으니까요."
"그럼, 중독이 되도록 친구를 방관했어요? 아니면 이런 기회를 기다리고 있었나요?"
순애는 화가 나듯 그를 노려보기까지 했다. 그러나 기자는 고개를 가로저었다. 그는 만류한다고 그칠 그런 사람이 아니라는 것이었다. 그 점은 순애도 인정하지 않을 수 없었다.
"그러니 길은 갈리었지요. 이곳과 저쪽인데 내게는 저쪽을 갈 수 있는 열차의 표가 있다는 사실이지요. 물론 옆의 자리가 비어 있고요."
"그럼 그는 어찌 되죠? 올 때처럼 같이 갈 수는 없냐는 말이죠. 둘보다 셋이면 좋지 않겠어요?"
"생각은 좋지만, 자리는 두 자리라는 겁니다. 그리고 그것을 그도 인정했다는 말이죠. 그는 자신이 갈 수 없다면 하며 생각했는데 그것은 당신의 행복을 바란다는 뜻이죠."
"그런 소리까지 듣고 어떻게 그를 두고 떠나겠어요. 마음이 그것을 허락할 것 같아요?"

"이번의 선택은 감상적일 수만은 없어요. 모 아니면 도이죠. 그리고 시간이 많이 주어진 것도 아니고요. 이 번의 열차를 놓치면 아마도 그 기회는 영영 오지 않을 테니까요. 자 어찌 하겠어요?"

고심하는 그녀의 눈길에 기자는 다가서며 재촉을 했다. 순애는 고개를 흔들면서도 그의 말에 더는 부정할 수 없었다. 그의 말은 그른 것이 아니었다. 더는 종래에게 기대할 것도 사라진지 이미 오래였다. 집을 나간 지 일주일은 보통이요, 앞으로는 그 날을 헤는 것이 얼마나 길어질지 기약할 수 없었다.

그를 두고 떠난다는 것이 가슴을 짓눌렀지만 기회를 놓친다면 그 고통은 평생을 갈 일이었다. 그녀는 갈등을 피하려 산으로 눈길을 돌렸다. 어둠을 밀어내는 여명이 곧 닫칠 것 같았다. 그것은 거역할 수 없는 철칙이었다. 어둠을 밀어내는 것은 시간문제일 뿐이었다.

순애는 아직도 여관의 악몽을 지울 수 없었다. 종래는 이제 중독을 벗어나지 못할 일이었다. 그것은 여관의 일을 반복하는 일과 다르지 않았다. 그것을 자신의 힘으로 타개하는 길은 모든 사실을 어둠에 묻고 이곳을 떠나는 길 뿐이었다. 그것을 노파도 말리지 않을 것 같았다. 다만 문제는 종래에 대한 죄책감이 남았을 뿐이었다. 비 온 뒤에 땅이 굳어진다는 말을 그녀는 받아들이지 않을 수 없었다. 그것은 단죄가 아니라 용서하는 일이었다. 그렇다면 종래는 자신의 이러한 행위를 용서할 것이었다.

순애는 결심을 굳혔고 기자를 따라 나섰다. 새벽의 어둠은 추위까지 몰고 왔다. 하긴 신골은 여름에도 불을 지피지 않으면 잠을 잘 수 없는 곳이었다. 순애는 위에 옷을 하나 더 입고는 가방도 버린 채 빈 몸으로 기자의 뒤를 따랐다. 기자의 발걸음은 다람쥐처럼 빨랐다. 그는 이곳의 지리에 밝았다. 가방을 들었음에도 내리막을 달리는 것 같았다. 순애도 오리가 물위를 헤엄치듯 그를 놓치지 않았다.

제4편 탈춤 추는 사람들

16,탈출

그들은 얼마 뒤에 역의 구내를 바라보게 되었다. 그러나 기자는 역으로 들어가지 않고 잠시 걸음을 머뭇거렸다. 순애가 영문을 모르겠다는 듯 바라보자 잠시 숨을 고르며 열차가 도착하면 바로 오르겠다는 것이었다. 표를 건네주는 기자에 감격하듯 말했다.

"행운이 이렇게 벼락 치듯 내릴 줄 몰랐어요."

"아무렴요, 이런 기적은 나도 다르지 않아요, 이렇게라도 이곳을 벗어난다는 것은 기적이지 않고 뭐겠어요."

"고마워요, 나를 믿고 찾아준 것이 어차피 세상은 살아남는 자들의 몫이잖아요."

"살아남는 자들이라니요? 누가 죽기라도 했나요?"

"아니에요, 죽기는 누가 죽어요. 말이 그렇다는 것이지요."

기자는 슬그머니 말꼬리를 내렸다. 하지만 순애의 느낌은 예사롭지 않았다. 그러나 열차가 구내를 들어오며 내는 기적소리에 여운을 잊었다.

"열차가 멈추고 있군요. 먼저 타고 있으면 곧 들어가겠어요."

기자는 그녀의 길을 터주었다. 그녀는 기자를 뒤로하고 개찰구를 향했다. 아침의 첫 열차였지만 산촌을 떠나는 사람도 만만치 않았다. 오는 사람의 수만큼 가는 사람도 그런 것 같았다. 그러나 혼자라는 생각은 그녀를 선뜻 열차에 오르게 하지 않았다. 뒤의 기자의 모습을 찾았다.

그런데 기자가 막 역의 구내를 향해 뛰어오는 데 건장한 사내가 그를 막아섰다. 그러자 기자의 행동이 허둥대기 시작했다. 두 사내를 뿌리치고 미끄러지는 열차를 향해 뛰는 것이었다. 그의 손에는 커다란 가방을 든 채.

그러나 그의 걸음은 빈손의 젊은 두 사내를 당해낼 수 없었다. 가방을 잡히더니 빼앗는 자와 뺏기지 않으려는 자의 혈투가 벌어졌다. 순간 가방은 떠나가는 열차의 수레바퀴의 밑으로 굴렀다. 그리고 육중한 열차의 바퀴는 산산조각을 내고 말았다. 이내 구내를 몰아친 바람에 터진 가방안의 지폐는 낙엽처럼 날렸다.

기자의 기적의 탈출은 그렇게 막을 내리고 두 사내에 의해 미리 대기한 차의 안으로 연행되었다. 그를 따라가는 순애의 걸음도 그를 놓치지 않았다.

순애는 마치 자신이 꿈을 꾸는 것으로 착각하는 것만 같았다. 허벅지를 꼬집으니 통증이 전해졌다. 분명 이것은 꿈이 아닌 현실이었다. 다만 굴속을 헤맨 것과 다르지 않았다. 그녀는 허탈한 감정이 되지 않을 수 없었고 그토록 벗어나고자 한 어둠으로 되돌아가지 않을 수 없었다. 하긴 복 없는 년이 자식이나 서방한테 사랑받는 법은 없었다.

그녀가 역의 광장을 막 벗어나려는데 한 사내가 그녀를 향해 걸어오고 있었다. 아마도 기자의 공범으로 여기고 그녀를 연행하려는 형사쯤으로 여기지 않을 수 없었다. 그런데 가까이 다가온 사내의 음성을 듣고서야 한숨을 돌릴 수 있었다.

"혹시나 했는데 역시나 이잖아. 이런 우연이?"

"네가 여기에는 무슨 일로 네가?"

"새벽에 야반도주를 하는 활극을 보러 나왔더니 너도 한패였어?"

"복 없는 년은 뒤로 넘어져도 코가 깨지잖아."

"복이 있고 없고는 끝까지 가봐야 아는 일이고 하여튼 내겐 행운이다."

"행운?"

"그래. 이제야 내가 확신을 얻을 것 같다. 내 사랑을."

"사랑? 넌 사람을 놀리는 소질은 여전하구나."

"놀리다니? 내가 애꾸의 어미와 탈춤을 추는 아비와 애비 없는 아들을 낳은 여자라서 놀렸다는 말이냐?"

"아니기는 한데 네가 날 사랑이라고 하는 말은 믿지 않으니 하는 소리이지."

"그간 나도 너무 망설였다. 마치 어둠을 바라보는 것처럼 그래서 고향에서도 차마 너를 잡지 못했고. 그런데 네가 철새처럼 떠나고 난 또 방황을 하기 시작했다. 고백을 하지 못한 용기를. 그래서 그곳을 그만 두고 너를 찾아 나섰다. 지구의 끝까지라도 찾아가서 너에게 사랑한다고 말하기로. 그런데 여기서 이렇게 일찍 만날 줄 뉘 알았냐고. 그러니 행운을 잡은 것이지."

"아니, 넌 아직 모른 것이 있지. 내가 어떤 사람이고 또 무슨 일을 하며 무엇을 겼었는지를. 그래서 네가 알고 있었던 그런 여자가 아니란 말이야."

"그것은 걱정하지 않아도 된다. 네가 무슨 일을 했던 무슨 직업을 가지고 있었던 그것은 나도 마찬가지란 말이다. 그래서 네가 나를 용서한 것처럼 나도 널 용서할 것이니까."

"용서? 그 참 아름다운 말이다. 하지만 아무리 그래도 용서하지 못할 일이 있다. 난 다방의 배달꾼이었으니까."

"하하, 재주도 좋다. 고향에서는 통닭을 배달하더니 이 탄광에서는 차를 배달하다니. 하지만 그것은 염려하지 않아도 된다. 너도 내가 한 일을 알면 속이 뒤집힐 테니까!"

"무슨 일을 했기에 그렇게 오만할 수가 있는 것이지?"

"약장사! 유랑극단의."

"약장사라고?"

순애는 약장사라는 말에 그만 하마터면 웃음을 터트릴 뻔 했다. 그것은 결코 그에게 어울리지도 않았고 할 만한 일도 아니었기 때문이었다.

꿈에도 생각하지 못했던 기학의 만남은 그녀에게 충격이지 않을 수 없었다. 그의 얼굴을 대하는 것만으로도 얼굴은 진달래를 닮아갔다. 다방의 일이 부끄러워서가 아니라 그가 실처럼 따라왔다는 사실이 운명적이지 않을 수 없다고 생각했다. 부도로 고향을 떠날 적만 해도 다시는 얼굴도 마주할 수 없을 것 같았다.

그런데 낯선 산골에서의 고백과 재회는 대면자체의 충격을 뛰어넘는 충동이지 않을 수 없었다. 비록 어린 시절의 순수함은 사라졌지만 휴화산처럼 내재한 폭발력은 모든 미련을 끊어버리기에 충분했다. 그녀를 아직도 순수 그 자체로 사랑하는 것은 그만 같았다.

물론 종래의 부재로 인해 그런 생각을 하는 것은 아니었다. 이제는 기학을 향하는 마음을 의지로는 어찌할 도리가 없었다. 사실 종래를 향한 마음은 열정적이라기보다, 그의 도움에 대한 의리적인 성격이 강했다. 그의 인도를 따라 온 이곳의 생활도 항상 개울을 사이에 둔 것 일뿐이었다.

그러나 기학의 경우는 그녀의 심장부터가 달랐다. 어쩌면 그것이 싫어 그와 접촉을 피한 것도 사실이었다. 그런데 그는 그림자처럼 용케도 찾아내었고 광야의 회오리처럼 그녀를 삼켜버렸다. 이제는 그의 손아귀를 벗어난다는 것은 불가능할 것만 같았다. 그의 눈길만 보아도 서리처럼 녹았고 가까이만 와도 향기는 휘돌았다. 그것은 유학과 헤어진 이후 처음으로 느끼는 감정이었다. 기자와 같이 역을 가면서도 그런 감정은 아니었다. 막연한 불안이 숨었고 미래가 사상누각을 염려했었다. 어둠은 언제나 주변으로 몰아쳤고 열차를 타려는 순간 자유는 박탈되었다. 하지만 기학의 경우는 달랐다.

"사실은 조금 전까지만 해도 이곳이 지옥이었지. 그래서 무작정 떠나고 싶었고 또 결행을 했었는데 지금은 지옥까지 사랑스럽다면 믿어 주겠어?"

"그렇다면 다행이지만."

기학의 대답이 귓전을 떠나지 않았다. 기학은 그녀를 역전의 휴게실로 안내했다. 그는 손을 들어 유리를 닦았다. 창으로 내다보이는 역의 선로는 두 줄이 선명하게 빛났다. 그 위를 열차는 어김없이 달려왔고 달려갈 것이었다. 순애는 그 열차를 타지 않은 것이 안심된다는 듯 눈길을 다른 창으로 돌렸다. 멀리 하천의 유랑극단의 깃발이 보였다. 유학이 그곳에서 공연을 하는 모습이 떠오르는 것만 같았다. 그리고 공연의 막간으로 건강식품을 팔 것이었다.

사람은 늙어갈수록 삶에 애착심을 갖는 법이었다. 그래서 연일 사람이 북적대고 약을 구한 것이었다. 노파도 그곳이라고 말은 하지 않았지만 약을 샀고 그녀도 복용을 했다.

'효과가 없지 않았다면 그렇다고 사기일까?'

기자의 얼굴이 떠오르며 그렇다고 강요를 하는 것 같았다. 하지만 그녀는 고통이 이유야 어떻든지 간에 나았다. 이번에는 기학의 음성은 아직 귀전을 맴도는 것이었다.

"고통을 치료하는 것은 두 가지의 방법이 있지. 약과 마음이란 것이거든. 그런데 약은 약이겠지만 만능이지 않거든. 그러나 마음은 약은 아니지만 고통엔 만능약이란 말이지. 그러면 어느 약이 진실이고 거짓이 될까?"

기학의 말을 처음은 이해할 수 없었다. 반신반의를 하는 그녀에게 기학은 불신이 두려웠던지 화제를 돌렸다.
"그 자와는 어떤 사이야?"
순애가 명쾌한 대답을 머뭇거릴 때 대로에서 요란한 경적을 울리며 달려가는 응급차의 사이렌 소리가 들렸다. 순애는 자신도 모르게 구급차의 요란한 소리에 심장이 위축되는 것만 같았다. 그러나 기학의 눈빛은 무엇을 노리는 사마귀의 눈빛처럼 경직되어가기 시작했다. 그녀는 나직이 말을 이었다.
"선배의 친구였다면 대답이 되겠어?"
"좋아? 그 정도라면 다행이지만, 하여튼 그 자는 뭐랄까? 뻐꾸기와 같은 자였거든."
"뻐꾸기라니?"
"남의 둥지에 알을 낳아두고 자식을 기르는 그런 짓을 좋아하는 자였으니까."
순애는 기학의 말에 다시 침묵하지 않을 수 없었다. 그에게 희롱을 당했다기보다는 자신의 섣부른 판단이 우둔하기 짝이 없었다.
"자세한 것은 조사를 하면 드러나겠지만 그가 그럴 수밖에 없었던 까닭이 궁금하지 않을 수 없잖아?"
기학은 아직 드러나지 않은 빙산의 숨겨진 부분을 말하지 않았다. 그는 급히 갈 곳이 있다며 자리에서 일어섰다. 순애도 종래가 집으로 돌아왔는지 걱정이 되어 집으로 돌아가지 않을 수 없었다. 그가 만일 돌아왔다면 지난 일을 사과하지 않을 수 없다고 생각했다. 기학은 시간이 있으면 유랑극단으로 오라는 말을 남기고 휴게실을 나갔다.
순애가 아침의 소동을 끝내고 아파트에 돌아왔을 때 해는 중천에 가까웠다. 물론 종래가 돌아오지 않은 것은 물론이었다. 그녀가 종래에게 실망하며 옆집의 노파의 집을 찾았다. 아침으로 일을 나갔어야할 노파의 문이 반쯤 열려있었다. 인사도 못하고 떠나려했던 마음을 사과하기로 했다.

안으로 보이는 모습은 노파는 아직 자리에서 누워있었다. 어디가 아픈지 끙끙거리는 것 같아 얼른 다가갔다. 노파는 실눈을 뜨고 그녀를 노려보고 있었다. 순애는 미안하기 짝이 없어 미소를 지으며 얼른 말을 꺼내었다.

"어디가 아픈가요?"

"이곳을 잘도 떠난 줄 알았는데 무슨 미련이 남아 다시 돌아온 게지? 또 무슨 일을 더 겪으려고."

"안녕히 계시리라는 인사도 미처 하지 못했잖아요."

"이젠 거짓말에 침도 바르지 않고 뱉는구나."

"그런데 야반도주를 한 사실을 어떻게 알았어요? 지옥도 천국으로 만드는 그런 사람이 찾아왔거든요."

"이젠 미치기까지 했구나."

"미치다니요? 제겐 사랑이고 빛이고 생명인 걸요?"

순애는 노파의 증오를 측은하다는 눈길로 바라보았다. 그러며 그 환영이 사실이라는 말을 하려는데 노파가 먼저 이야기를 늘어놓기 시작했다.

탄광촌인 이곳에서 노파는 젊은 시절 하숙을 쳤었다. 탄광이 활황을 이룰 적에 그녀의 집은 네거리의 이층집이었다. 방마다 전국에서 모여든 사람들로 빈틈이 없었다. 그녀의 손맛도 손맛이지만 인심이 후덕한 관계로 밥을 고봉으로 담은 탓이었다. 그래서 어떤 광부는 살림을 차려나가기를 꺼려할 정도였다.

굴속은 지옥과 비견되는 곳이었다. 빛이 전혀 도달하지 못하는 것은 물론이고 공기까지 밖의 하한치를 맴돌았다. 그러한 형편이고 보니 광부들의 말대로 인생의 막장임이 분명했다.

그런데 어느 날 뜻하지 않은 젊은 처자가 하숙집을 찾아왔다. 탄광촌인 이곳은 광부의 옷처럼 어두운 얼굴에 검은 옷만 입었던지라 흰 옷을 입은 그녀는 외지인이라는 것을 금방 알 수 있었다. 살결은 흰옷보다 고왔고 허리까지 내려온 생머리에 눈은 사슴을 닮았다. 노파가 바라봐도 그녀는 탄광에 올 처자가 아니었다.

광부들은 그 처자를 천사라고 불렀다. 하지만 그 천사는 마음도 고와 손사래를 쳐댔다. 그녀의 생각은 굴속 같은 사랑은 있을 수 없다는 말이었다.

노파가 살펴보아도 장성한 자식의 배필로 누가 모자란다는 것을 알 수 있었다. 그런데 천사는 노파의 눈길을 뿌리치고 자신을 사랑하는 이는 따로 있다고 고백했다. 그런데 노파가 알아보니 그 사내는 그녀와 어울리지 않는 광부라는 사실이 안타까움을 낳았다.

틀림없이 막장까지 넘나드는 광부가 해대는 환상적인 얘기에 어둠을 제대로 알지도 못한 그녀로서는 오판이 부른 환영은 진실이 아니었다.

그래서 노파가 주저할 수 없어 훤칠한 키와 말쑥한 언변에 풀잎을 구르는 사랑이란 말에 현혹되었다고 일렀다. 그러나 사랑에 목마른 천사에게 노파의 말은 시샘일 뿐이었다.

하지만 처자는 노파에게 딸과 다르지 않았다. 위험을 그대로 두고 볼 수 없다는 마음에 접대는 게을리 하지 않았다. 그녀는 수제비며 감자까지 가리지 않고 내주었다.

마음을 살핀 노파는 광산촌을 아느냐고 물었다. 그래도 노파는 천사보다 잘 알았기 때문이었다. 그러자 천사는 자신의 사랑을 검은 탄으로 폄훼하지 말라고 성까지 내었다.

'사랑은 어둠까지도 사랑하는 것이지요.'

앵두 같은 입술에서 내뱉은 말은 노파에게 탄식을 터지게 할 뿐이었다. 더는 사실을 말한다는 것이 소용없었다. 노파는 이곳을 하루빨리 떠나는 것만이 좁은 생각을 벗어나는 것이라 말했다. 그러자 천사의 대답은 의외였다.

'진실은 어둠에 숨고 거짓은 창대하게 환영을 받는 법이지만 그것은 오래가지 못하는 법이죠. 모두 내가 눈이 멀었다고 하는 것은 그와 다르지 않은 것이지요. 머지않아 진실은 곧 드러나지 않겠어요?'

노파는 화까지 치밀었으나 사실을 털어내기로 했다. 그 광부는 노조에서 일을 하는데 광부들한테까지 평판이 좋지 않다고 말했다. 회사의 어용이라는 소리를 듣는다고도 전했다.

그러자 천사는 웃으며 큰일을 하다보면 때론 모함을 받는다는 것이었다. 그러며 진실은 곧 드러나리라는 말이었다. 그러며 고백하는 말이 자신은 이제 부모에게 버림을 받은 처지라는 것이었다. 집에서까지 눈먼 사랑으로 매도된 신세란 말이었다. 그런 얘기를 듣고 보니 노파의 측은함은 더는 입을 여는 걸 허락하지 않았다.

그러던 중 일을 나갔던 광부가 허겁지겁 돌아왔다. 광부가 천사가 걱정되어 돌아온 줄 알았는데 표정이 그것이 아니었다. 회사와 타결한 협의에 이면서가 발각되면서 광부들이 난동을 부린 것이었다.

사실 그때만 해도 회사와 노조는 봄의 왈츠를 즐기었다. 노동자들의 대변이 되기보다 회사의 이익에 하수인으로 전락했다. 그러며 회사와 한 몸이 되길 자청까지 했다. 물론 그들에게는 떡고물은 떨어졌다.

광부는 잠시 고심을 거듭하더니 천사에게 뭐라고 귓속말을 전했다. 그러잖아도 처자의 안위를 걱정하던 노파는 그 모습을 보고 감시할 수호자를 불렀다. 노파의 아들이 자청하여 곁에서 처자의 그림자가 되었다.

그런데 사태가 노파가 예상하는 것보다 심각하게 돌아갔다. 노조를 믿지 못하겠다며 들이닥친 분노를 사과는커녕 힘으로 누르려 경찰을 불렀다. 들불은 바람을 타고 순식간에 사내를 휩쓸었고 급기야는 시내로 번졌다. 이를 알아챈 노파는 천사의 안위를 걱정하지 않을 수 없었다.

하지만 한 번 벌어진 사태는 이제 극으로 치달았다. 총성까지 울리고 주검이 거리에 뒹굴었다. 그러자 광부들의 분노도 감정을 넘어 투석전을 펼쳤다. 그러니 시내는 낮에도 돌아다니기 힘들었다.

천사는 광부가 돌아오기를 기다리는 마음은 수인이지 않을 수 없었다. 그 눈길은 측은하다 못해 안타까움을 더했다. 노파의 위로도 아무런 도움이지 않았다.

시내는 이제 광부들이 맨손으로 총칼에 맞서는 형국이었다. 무력의 진압에 퇴각의 구호로 맞섰으나 그것은 기울어진 씨름이었다. 광부들의 요구는 부패척결이었으나 진압하려는 힘은 반정부적으로 매도했다. 그러는 와중에 힘의 우위를 확보한 총칼은 광부들을 검거하기 시작했다.

그날 밤 사라졌던 광부가 어둠을 뚫고 천사 앞에 나타났다. 그를 맞이하는 천사의 눈에는 눈물까지 맺히는 것이었다. 천사는 노파가 우려하는 눈길을 뒤로하며 그를 따라 나섰다. 그녀를 바라보는 보초도 노파에서 그림자로 바뀌었다. 그림자는 어둠속의 그들을 놓치지 않고 따랐다.

그들이 들어간 곳은 시내의 고급 여관이었는데 그곳은 사태의 소도지역이었다. 천사가 안으로 들어간 지 얼마 지나지 않아 광부는 조심스레 나왔다. 그림자는 천사가 혼자라는 생각에 안심을 하는 순간 다른 사내가 그 방에 눈독을 들이며 나타났다.
얼핏 보니 배는 올챙이처럼 튀어 나왔고 혈색은 붉었으며 눈길은 근엄한 사람이었다. 그가 누구인지는 밝혀지지 않았지만 총칼의 주역이란 것은 짐작할 수 있었다. 사내는 예의 바르게 문을 가볍게 두들기었다. 아무런 반응이 없자 기침 소리를 한 번 하고는 문을 열었다. 광부가 나간 후 문을 잠그지 않은 탓이었다.
그림자는 천사를 지켜내야 한다는 책무에 사내의 그림자처럼 따라 들어갔다. 그림자가 안으로 들어간 이후 바라본 방안의 상황은 숨소리까지 크게 내쉴 수 없었다.
사내는 천사를 노려보는 눈길이 먹이를 바라보는 하이에나의 눈길이었다. 천사는 그의 신분을 물었고 사내는 광부의 목숨이 자신의 손안에 달렸다고 말했다. 그러며 그녀의 저항은 광부를 죽일 것이라고 말했다. 그러며 사내는 천사의 날개옷에 손을 대려했고 천사는 뒤로 물러섰다.
사내는 힘으로 정복된다는 것을 이미 증명했고 천사는 그런 사랑은 사랑이 아니라며 구석에 있는 화석의 조각을 손으로 잡았다. 그래서 일순간에 긴장이 고조했고 야수는 정복으로 위협했다.
정복처럼 매력이 있는 것은 없었다. 도둑질보다 멋있고 강도보다 희열을 주었다. 천사를 평생 노예로 만들어 굴림을 하는 것은 독재자의 관습이었다.
천사는 그런 사내에게서 사랑을 지켜야했다. 천사는 야수를 노려보며 분노를 터트렸다. 사내도 전혀 밀리지 않았다.
"네가 원한 사람은 아니지만 이것은 진정한 사실이란 말이지. 목숨은 사랑의 너머이고 그 광부는 구명으로 사랑을 넘겼으니 넌 억울할 것도 없다는 말이지. 비록 원한 것은 아니겠지만 저급한 사랑과 목숨을 바꾼 그를 탓할게 아니란 말이거든. 그런데 그런 사람도 구분할 줄 모르고 사랑에 목을 매겠다면 그것은 어리석단 말이지."

사내는 화석을 들고 저항하는 천사에게 일갈의 공박을 멈추지 않았다. 긴장은 한 번 침범한 위협으로 그칠 수 없었다. 광부들의 사태를 진압한 사실은 공적을 확증했기 때문이었다. 부드러운 혀로 회유를 다시 둘렀다.

"그래도 잠시 사랑했던 사람의 목숨이 천박한 사랑을 고집하는 것보다 낫잖아?"

"저 살자고 남 죽이는 자라면 내가 찾은 사랑이 이젠 아니지. 그것도 제대로 못 본 눈을!"

그러며 천사는 망설임도 없이 사내가 보라는 듯 자신의 오른쪽 눈을 검은 돌로 찍었다. 그러자 눈에서는 선홍빛 피가 분수처럼 뿜어져 나오며 날개옷을 꽃밭으로 만들었다.

사내는 피를 흘리는 눈을 보자 더는 힘으로 정복을 이루는 것이 부질없다는 것을 알고 방바닥에 침을 뱉었다. 몸을 돌려 문 앞으로 가더니 자신의 몸의 먼지까지 털었다. 거울 앞에서 일그러진 인상도 바꾸며 머리카락도 단정히 쓰다듬었다.

그러며 문을 열고 밖으로 나가며 '독한 년'이라는 독설도 잊지 않았다. 하지만 사내의 퇴각을 지켜보는 천사는 흐르는 피를 닦을 생각도 하지 않았다. 오히려 흥분한 눈길로 울분을 화산처럼 뿜었다.

그런 모습에 더 애가 타는 것은 그림자였고 급한 마음에 다가가 속삭이지 않을 수 없었다. 하지만 천사는 그런 그림자도 같은 시선으로 노려보았다. 사내들의 속셈은 같지 않겠느냐는 것이었다. 그림자는 손을 들어 흔들며 화급함을 말하지 않을 수 없었다.

"피가 멈추지 않잖아요? 지혈을 하지 않으면 실명을 한다고요!"

"그게 네게 무슨 상관이지? 그러는 넌 내 몸뚱이가 목적이 아니었다는 말이야?"
"그래요, 하도 어둠의 진실을 몰라서 걱정이 되어 따라온 것뿐이지요. 그러니 우선 피가 멈추도록 눈을 먼저 치료를 하자고요."
애원하듯 사정했지만 천사는 피를 흘리는 눈에 관심을 두지도 않았고 화석을 잡은 손을 풀지도 않았다. 그러자 눈에서 솟아 흐르는 피는 골을 이뤘고 천사의 얼굴은 피가 칠해져 태양을 닮았다.
그림자가 시간이 없다며 치료를 거듭 독촉하자 그제야 천사는 사내와 다르다는 것을 인정했다. 천사는 맥이 풀렸던지 화석을 방바닥에 던지고는 그 자리에 털썩 주저앉았다. 그리고 자신이 사랑을 제대로 알지 못한 슬픔을 토했다.
그림자는 그런 천사의 슬픔에 안타까움만 잡고 있을 수 없었다. 촉급을 다투는 지혈을 하지 않는다면 실명을 면할 수 없었다.
재차 독촉을 하자 허탈함을 견디지 못한 채 천사는 앙칼진 분노를 다시 내뱉었다.
"사랑도 제대로 구별하지 못하는 눈을 잃었다고 뭐가 대수이지요?"
"그럼, 눈이 사랑보다 소중하지 않다는 말인가요?"
천사는 그림자의 반문이 귀에 들어갈리 없었다. 겨우 울분만 그쳤을 뿐 자리에서 일어서지도 않았다. 그림자는 더 지체할 수 없었다. 다가서 그녀의 손을 잡고 끌기 시작했다. 그제야 천사는 힘이 약했던지 순순히 따라나섰다.
하지만 병원에 당도했을 때 상태는 악화될 대로 나빠진 후였다. 천사를 바라보는 의사는 안경너머로 눈알을 좌우로 굴렸다. 사내에게 배신을 당한 것치고는 상처가 적지 않다며 희망을 뱉지 않았다.

한동안 치료가 이어지고 있는 가운데 새로운 문제가 생겼다. 천사는 사랑에 상심한 나머지 다시는 사랑을 하지 않겠다는 말이었다. 그것은 또 다른 상처였고 어둠이었다. 그림자는 어둠에 익어있었으므로 그것을 허용할 수 없었다.
그림자는 사랑은 때론 눈을 멀게 하기도 하지만 그 전염은 막을 수 없는 병이라 말했다. 이제 그림자가 천사의 병을 치료하지 않으면 안 되었다. 그제야 광부를 사랑한 자신의 눈이 그르지 않은 것을 알았다.

17,부상

눈의 치료가 거의 끝날 무렵 탄광의 소요도 천사의 소동처럼 평온을 되찾았다. 수명의 사상자와 수많은 사람이 굴비처럼 엮이면서 겉으로는 사태가 평화로 접어들었다.
그림자가 천사를 데리고 하숙집으로 돌아왔을 때 달라진 것은 노파의 반응이었다. 전에는 천사의 모습에서 행동까지 아름답다고 칭송하던 그녀가 상처뿐인 천사를 보는 시선은 예전이 아니었다. 그림자는 천사의 상처 난 눈을 이해하지 않으면 안 되었다.
"이 천사가 아니라면 산다는 의미가 없어요."
"그 처자는 천사도 아니고 뿌리도 알지 못하며 허깨비한테 사랑도 버림받지 않았더냐?"
"비록 늦었지만 진실을 알았고 고개 숙인 모습도 아름답잖아요?"
"그 처자가 문제가 아니라 네 눈이 멀었다는 말이다."
천사는 노파의 고집이 쉬 꺾이지 않으리란 것을 알았고 갈등을 감내하지 않을 수 없었다. 그런 모습을 지켜보던 그림자의 가슴은 타들어갔다. 그는 결단을 서둘렀다. 하지만 천사는 그의 결단을 받아들일 수 없었다.

“그 분의 뜻은 그르지 않아요. 우리는 아직도 진실을 알지 못하잖아요?”

“그럴 리가 있겠어요? 눈을 잃고 사랑을 얻었는데 어찌 내 성한 눈으로 사랑을 모른 체 한단 말이요. 차라리 이 기회에 철새가 되자고요.”

“그것을 말이라고 하는 소리에요? 내가 이곳을 온 내력을 모르고 하는 소리는 아니지요? 설사 그렇다 치더라도 그 결과를 내가 어떻게 감당하라고. 또 내가 그러라고 할 것이라고 믿어요?”

천사는 두 손으로 얼굴을 가리고는 밖으로 뛰쳐나갔다. 천사를 지켜보던 그림자는 노파를 돌아보지도 않고 따라갔다. 그때부터 노파는 그림자를 아직도 기다리며 이렇게 살고 있다는 것이었다.

노파는 그래서 산을 넘어가는 철새를 보기만 해도 남다르다는 것이었다. 순애가 떠난 것을 보며 내심 반기기까지 했었다는 말이었다. 그런데 이렇게 빈손으로 돌아오니 허탈하다고도 했다.

그러며 한동안 긴 호흡을 몰아쉬더니 기구한 팔자를 다시 이어나갔다. 순애의 심정도 기구한 느낌을 이제는 수긍하는 낯빛이었다.

“세상의 일이란 좋은 일은 혼자 오지만 좋지 않은 일은 그렇지 않은지 따라오고 말았지.”

천사와 그림자가 고개를 넘어간 지 얼마 되지 않아 상심한 광부의 남편에게 청천벽력 같은 일이 벌어지고 말았다. 광부들이 제일 꺼리고 두려워한 붕락의 사고를 당했다. 매일 정안수를 떠놓고 기도했지만, 뒤로 닥치는 재앙을 미처 보지 못한 탓이었다.

나중에 들은 얘기이지만 천장에서 암반이 무너지니 탈출도 막혀버렸다. 거기에 소낙비처럼 쏟아지는 사탄에 광부는 목만을 남긴 묻힌 처지였다. 졸지에 검은 탄의 포로가 되어 죽음의 공포에 협박까지 당했다.

그동안 어둠과 검은 것을 친구처럼 살았건만 빛이 사라진 그곳은 허무의 그 자체였다. 광부는 흐르는 눈물을 주체하지 못하며 공포와 투쟁을 벌이지 않을 수 없었다. 그에게는 여우같은 마누라와 시내로 공부를 떠난 토끼 같은 딸과 고개를 넘어간 철새가 있기 때문이었다.

그러나 어둠의 공포도 만만치 않았다. 이번의 기회에 그를 노예로 만들지 않으면 자신의 위력을 두려워하지 인간들이 넘칠 것 같았다. 그래서 끝까지 버티는 광부의 목까지 조르며 항복을 받았다. 광부는 어둠의 탄이 되었다.

노파는 상주도 없이 혼자서 장례를 치르지 않을 수 없었다. 회사에서는 화환을 보냈지만 영정 속의 광부는 침묵뿐이었다. 그날 이후 노파의 가정은 풍비박산을 당했다. 시내로 유학을 간 딸은 이곳을 더는 기억하기 싫다며 그 후로는 돌아오지 않았다.

남은 자식까지 잃어버리고 노파에게 위로는 남편의 죽음으로 주어진 보상비뿐이었다. 그런데 그것이 이해를 하지 못할 정도로 액수가 적다는 사실이었다. 죽은 자는 말이 없었고 그들이 내미는 서류의 증언은 남편의 과실이 액수를 낮췄다.

하지만 그 억울함을 풀길도 없었다. 증언을 해 줄 수 있는 것은 살인한 어둠이었고 한 번도 도리를 어기지 않았다는 그녀의 말뿐이었다. 그것이 한으로 남자 좁은 길을 찾아 나섰다. 그녀는 같은 장소에서 일했다는 다른 광부를 찾았다. 눈물로 진실을 호소했지만 그는 회사를 대변할 뿐이었다.

노파는 이제 생즉사 사즉생의 방법을 받아들였다. 드러낸 흰빛의 가슴을 본 광부는 거친 호흡 속에 진실을 토로하지 않을 수 없었다. 말인 즉 광부의 안위보다는 회사의 이익을 우선한 강요가 그런 사태를 불렀다는 것이었다.

노파는 진실을 들고 광업소를 찾았다. 그녀는 진실을 들이대며 악을 질렀지만 광업소는 잘못을 인정할 수 없다며 억울하면 법에 호소하라는 것이었다.

노파는 쥐꼬리만 한 보상금으로 변호사를 선임해서 정의로운 재판을 하기 시작했다. 그녀는 그저 남편의 억울함을 해결하려는 일념이었지만 재판은 그런 사정보다 힘의 균형을 맞추는 일이었다. 그것이 사회의 정의이고 중용의 미덕이었다.

하지만 지금도 노파는 그런 일로 남편의 생명과 그 대가를 송두리째 날려버린 사실을 잊을 수 없다 말했다. 아직도 광부의 진실을 어둠에 묻고 산다는 것이 미안할 뿐이라는 말이었다. 노파의 긴 얘기를 들은 순애는 그제야 탄동의 실체를 보는 것 같았다.

“그 천사는 아직도 돌아오지 않았죠?”

순애의 질문에 노파는 웃으며 고개를 끄덕였다. 그러더니 노파는 자세를 고쳐 앉았다. 순애는 노파의 얼굴을 똑바로 바라볼 수 없었다. 그러자 노파는 뜬금없는 자살사건의 얘기를 꺼냈다.

“어제 또 한사람이 죽었다는 소식 알아? 난 그런 소리를 들을 적마다 사는 맛이 없어져. 살아보려는 의지를 오죽하면 버리겠느냐만은 그런 각오라면 사는 것이 더 멋지잖아?”

“어둠에 목 졸리면 분별도 할 수 없겠지요.”

순애는 지난 기억을 지우며 얼른 말을 받았다. 사실 그러한 경험을 가진 그녀로서는 동정도 부정도 할 입장이 아니었다. 그러며 내심 노파에게 이러한 생활이 차라리 죽는 것보다 나은 것이 뭐냐고 묻고 싶었다. 그러한 그녀의 뜻을 알았던지 노파는 조심스레 말을 이었다.

"어제 그 사건을 들었을 때 야릇한 느낌이 들더군. 아직 집에 돌아오지 않는 그 사람이 떠오르지 않겠어? 그래서 일도 그만두고 집에 돌아왔더니 집만 텅 비어있지 않았냐고. 이곳을 야반도주하는 사람이 아니라면 문을 열어두고 나가지는 않았거든."

"미안해요, 하도 경황이 없어서."

순애는 대답을 작은 목소리로 하며 안색을 살폈다.

"그런데 안색이 왜 이래요? 어디가 많이 불편한가보죠?"

"왠지 모르게 불안한 생각을 지울 수가 없지 않아? 그 종래인가 뭔가 하는 사내가 아직도 소식이 없다는 것 맞지?"

"네, 그런데 그런 생각은 왜 하는 거예요?"

"이웃이잖아. 그가 없으면 울타리가 부서진 것이나 다름이 없거든. 그자는 아니라고 생각을 하면서도 가슴이 떨리는 것을 보면 이대로 숨쉬기도 불편하지 않을 수가 없거든."

"얼른 내가 나가서 찾아봐야겠어요. 그런데 그는 어디로 갔을까요?"

순애는 노파의 말을 듣고 허둥대기 시작했다. 아침의 그런 소동만 없었어도 덜할 것 같았지만 지금은 그렇지 못했다. 잘못을 만회하려는 생각도 있었다.

"그곳이겠지."

"그곳이라면 철탑의 위 카지노뿐이잖아?"

순애의 의혹에 노파는 아무런 주저함도 없이 고개를 끄덕이었다. 그것을 순애도 염려하지 못한 바는 아니었다. 하지만 아직도 그녀는 종래가 그곳을 가리라고는 생각하지 않았다. 적어도 그는 속물은 아니었다. 목적을 위해서 수단을 가리지 않거나 횡재를 위해서 우둔한 짓을 할 사람은 아니었다. 다만 현실적이지 못한 사람이었을 뿐이었다. 그래서 노파가 투신사건을 이야기했을 적에도 전혀 불안감을 느끼지 않았었다. 만일 그가 그런 사람이었다면 순애의 위기를 간여하지 않았을 터였다.
그러나 노파의 생각은 그렇지 않았다. 아무리 목석같은 사람도 궁지에 몰리면 궁색한 짓을 주저하지 않는다는 말이었다. 물론 이런저런 사연으로 집을 나간 사람은 많겠지만 아직도 집으로 돌아오지 않은 철새를 봤을 때 그 사건은 불길하다는 말이었다.
노파의 그런 얘기를 듣고 보니 순애도 그간 너무 무관심했던 것 같았다. 그것은 서로 신뢰하고 의지하는 모습은 아니었다. 하지만 생각이 들자 몸보다 먼저 마음이 촉급을 다투었다.
"그런 것도 모르고 도망을 쳤으니 그가 알면 나를 어떻게 생각하겠어요."
"지금은 그런 것을 따질 때가 아니다. 경찰에 먼저 신고를 할까?"
"그래야겠어요. 일주일도 넘게 집에 돌아오지 않았거든요."
순애는 말을 마치게 아파트의 열린 현관문으로 몸을 돌렸다. 신발을 거꾸로 신었는지 걸음도 허둥거렸다. 노파가 뒤에서 뭐라고 외쳤으나 그런 소리도 귀에 들어오지 않았다.
그녀가 비탈길을 막 내려가 역과 갈래 길에 이르자 숨과 다리에 경련이 왔다. 잠시 숨을 돌리려는 데 호주머니의 전화기가 울렸다. 그녀를 찾는 기학의 전화였다. 수화기에서 흘러나오는 그의 음성도 많이 흥분한 느낌이었다.
"어디이지?"
"안경다리에서 조금 나온 곳인데 무슨 일이죠?"
"거기에 있어, 내가 달려갈 테니까."
전화가 이내 끊어졌고 채 십분도 지나지 않아 기학은 그의 차를 몰고 나타났다. 그런데 그의 얼굴이 아침과 많이 달랐다. 뭔가 긴장하고 초조하며 무엇에 쫓기는 것 같았다. 그녀의 궁금증을 기학은 풀어주려는 뜻도 없이 어서 차에 오르라고 재촉했다.
순애는 얼른 차에 올랐다. 그러잖아도 연락을 하려던 차에 그의 출현은 여간 반갑지 않았다. 그녀가 차에 오르자 기학은 역을 지나 시내로 차를 몰았고 순애는 행하는 곳이 궁금하지 않을 수 없었다.
"어디로 가는 것이지?"
"놀라지 말라고, 종래가 죽었어."
"뭐라고? 선배가 왜?"
순애의 마음은 낭떠러지기서 떨어지는 심정이지 않을 수 없었다. 그러잖아도 내심 여간한 미안한 마음이 적지 않았는데 기학의 말은 그녀를 망연자실하게 만들었다. 그리고 그것은 그녀가 바라는 최악의 수이지 않을 수 없었다. 순애는 자신도 모르게 기학을 향해 분노를 터트리지 않을 수 없었다,
"무엇 때문에 그런 극단적인 선택을 하게 되었냐고? 그러면 나는 어떻게 하라고."
"더 자세한 것은 조사를 해봐야 알겠지만, 지금까지 드러난 정황은 그는 타살이 되었다는 거지."
"누가 죽였다고? 그는 이곳에 아는 사람도 없을 뿐만 아니라 누구에게도 원한을 살 만한 그런 사람도 아니란 것은 너도 잘 알잖아? 그런 사람을 누가 왜 죽여야 했냐고?"
순애의 말은 더는 이어지지 못하고 거기에서 멈추었다. 비분과 함께 억울함이 앞을 가려 더는 말도 나오지 않았다. 다만 그녀의 눈에서는 저도 모르게 눈물이 고드름처럼 떨어지고 있었다.
차는 역을 지나 시내로 향하는 교차점에 이르자 신호를 받느라고 잠시 멈추었다. 차 안의 밀폐된 좁은 공간이 답답하다는 듯 순애는 창밖으로 눈길을 돌렸다.

종래와 처음 이곳에 왔을 때 걷던 길이었다. 사람들은 어디를 그리 바쁘게 가는지 걸음을 재촉하고 있었다. 그녀의 망연자실한 머릿속은 그들의 목적지는 하나라는 생각을 하지 않을 수 없었다.

목석과 같았던 종래도 아마 그들의 속에 섞여 걸어가고 있는 것 같았다. 이내 신호가 떨어지자 차는 움직였고 동시에 기학의 말도 이어졌다.

"그 자가 범인이었어."

"그 자라니? 누구?"

"아침에 채포되는 것 목격했잖아."

"뭐라고? 기자가? 그는 종래의 친구인데?"

"친구인지는 모르지만 그가 범인이라는 것은 분명해. 누가 목격을 했거든."

"점점 알 수 없는 소리만 하는구나. 누가 목격했다는 것은 무엇이고 또 기자가 범인이라는 것은 뭐냐고? 도대체 네가 알고 있는 것은 뭐냐고?"

순애는 분노에 치를 떨며 하마터면 기학의 멱살을 잡을 것 같았다. 그러나 기학은 침착했고 말도 끊지 않았다. 그는 자신의 의혹과 사실을 정리한 듯 말을 시작했다.

이야기는 그가 하는 유랑극단으로부터 시작되었다. 어느 날, 기자가 유랑극단을 찾아왔다는 것이었다. 기학이 그를 만났는데 그는 다짜고짜로 극단에서 파는 건강식품을 문제 삼았다. 만변통치약으로 시골의 노인들을 현혹시킨 것과 약사법을 위반한 사실, 그 약의 성분으로 따져볼 때 염소 똥만큼 원가도 들지 않은 것을 가지고 노인들의 호주머니를 후리는 짓이 강도란 것이었다. 하도 어이가 없어 대답도 하지 못하자 기자는 그에게 상부상조하는 방법을 제시했다.

문제를 삼지 않는 수많은 구매자들의 명예와 기학의 명예를 지키는 일은 정의로운 대가를 조금은 지불을 해야 한다는 말이었다.

기학은 어이가 없어 허락도 거절도 하지 않았다. 그것은 이런 약장사를 하다보면 흔한 일이고 그런 부류의 인간을 대한 것도 한두 번이 아니었다. 그러면 그들은 큰소리를 치며 설레발은 치다가 제 풀에 꺾여 돌아가는 것이 대부분이었기 때문이었다.

그런데 기자는 그들과 달랐다. 기학의 비협조를 보복으로 되돌려 준 것이었다. 그의 말을 증명하는 서류를 가지고 정식문제를 제기한 것이었다.

결국 법의 정의는 공평하게 이루어졌다. 영업정지와 기학의 구속으로 결말이 지어진 것이었다. 하는 수 없이 기학은 잠시지만 영어의 몸이 되지 않을 수 없었다. 하지만 그의 마음은 기자의 응징에 모아지지 않을 수 없었다.

그는 얼마 뒤에 출소를 하였다. 영어의 몸과 자유의 몸은 다르지 않았다. 사내의 출처를 찾아 뒤지기 시작했다. 그런데 그것은 어렵지 않았다. 기자의 모습이 카지노의 건물에 가끔은 나타난다는 것을 알았다.

기학은 이제 어떻게 하면 그에게 상응하는 선물을 안기느냐가 문제일 뿐이었다. 그런데 그 기회가 지난밤에 다가온 것이었다. 카지노에서 기대하지 않은 축포가 울렸다. 그간 수많은 사람들의 애간장을 녹였던 사실이 드디어 한 사내의 행운으로 모습을 드러낸 것이었다.

그런데 그것은 전혀 예상하지 못한 사람한테 돌아갔다. 그 사내는 어둠에 가려 난간에서 실랑이를 벌리는 모습을 기학이 본 것이었다. 자세한 내막을 알 수 없었지만 둘의 협상은 기학과 다르지 않았다. 결국 기자는 곁의 사내를 난간의 밑으로 밀었다. 그 상대는 의외의 공격에 그만 아래로 떨어졌는데 그 사실을 보지 못하는 사람들은 그를 투신자살한 사건으로 떠벌린 것이었다. 그런 기학의 말에 순애는 의혹이 일지 않을 수 없었다.

"둘은 그렇게 싸울만한 그리고 돈 때문에 우정을 배신할만한 그런 사이가 아니란 말인데?"

"친구사이라면 그것은 다른 사연이 있겠지."

'다른 사연이라니?'

순애가 말을 마치는 순간 차는 목적지이 닿았다. 경찰서의 넓은 마당에는 차들이 가득했다. 물론 순찰을 가는 차나 마치고 오는 차도 보였지만 기학처럼 일을 보러 온 차도 많았다.

기학은 그녀와 함께 사무실로 들었고 기학은 경찰에게 온 사연을 말하는 것 같았다. 경찰은 그를 손으로 가리키며 자세히 안내를 했는데 다가온 기학이 순애에게 나직이 속삭였다.

"그러잖아도 잘 될 것 같아. 그자가 순애에게 할 말이 있다고 한다더군."

"내게?"

"아마 부탁이나 사과를 하려는 거겠지. 아니면 탈출의 실패를 아쉬워하는 말이라도 할 셈인지도 모르잖아?"

기학과 경찰은 다시 한동안 이야기를 나누었다. 아마도 그날 일의 증언이 필요한 모양이었다. 그러면서 곁의 경찰에게 뭐라고 귓속말을 속삭였는데 용의자로 체포된 기자의 면회를 이야기 하는 것 같았다.

얼마 뒤, 순애는 기학과 함께 수갑을 손목에 찬 기자의 얼굴을 마주할 수 있었다. 그런데 순애를 맞이하는 기자의 얼굴이 놀랍게도 사건을 시인한 범인치고는 너무도 오만하다는 사실이었다. 그런 기자를 바라보는 순애의 분노는 가슴에서 끓어오르지 않을 수 없었다. 그녀는 울부짖듯 말을 터트렸다.
"무슨 까닭으로 종래를, 그것도 친구인 그를 죽였냐고요?"
"그것을 설마 몰라서 묻는 말은 아니겠지?"
"뭐라고요? 내가 그 사실을 안다고요?"
순애는 어이가 없고 기도 막혔다. 그를 종래의 친구처럼, 이웃처럼 대하고 맞이했는데 이제와 그를 죽인 원인이 그녀에게 있었다는 말은 그녀는 도저히 받아들일 수 없었다. 곁의 기학의 얼굴빛도 다르지 않았다. 그의 행실이나 전력을 볼 때 그런 억지나 부릴 정도의 인간으로 가르지 않을 수 없었다. 그러나 기자의 태도는 그렇지 않았다. 그녀를 한동안 주시하더니 입가에 미소까지 짓는 것이 아닌가? 그런 후 다시 말을 하기 시작했다.
"종래가 나를 찾아 왔더군. 고생을 곁에서 두고 볼 수 없다는 것이었지. 물론 그의 심정을 이해하지 못할 나도 아니었거든. 그래서 무엇을 어떻게 하겠냐고 물었더니 산위를 한동안 바라보더니 카지노만이 답이라는 거였어. 나는 어이가 없어 웃지 않을 수 없었지. 하지만 요행을 바라기만 한다고 행운이 다 오는 것은 아니잖아? 그는 내게 이러하지 않고는 견딜 수 없다는 거였어. 물론 당신의 고생을 그도 모르지 않았고, 그 모든 것이 자신이 이곳으로 데리고 왔다는 데 죄책감도 있었겠지. 그래서 당신에게 손목 한번 잡을 수 없었다고 말했거든. 그러며 내게 비상금이라도 있으면 빌려달라고 했지. 물론 나는 약간의 비상금은 있었고 그것을 쓸 기회를 찾고 있었다고나 할까? 새벽에 가자고 할 수 있었던 것도 그 정도는 있었기 때문이었지. 하지만 종래에게 그 돈을 그저 내어줄 수는 없잖아? 무슨 말인지 알겠냐고?"
기자는 아무런 말도 하지 않고 듣고만 있는 그녀를 노려보았다. 그녀를 종래보다 귀하게 생각한다는 사실도 부담이지 않을 수 없었다. 침묵을 확인한 기자는 다시 말을 이었다.
“그때가 내겐 가장 탁월한 선택을 할 수 있는 기회였고 또 모든 것을 얻은 기분을 얻는 순간이었거든. 그것은 뱀의 대가리에서만 나올 수 있는 기발한 착상이 떠오르지 않았겠어? 나는 막힘없이 돈을 빌려주는 것은 어렵지 않으나 친구라고 무작정 빌려 줄 수는 없다. 담보를 은행도 원하는데, 나라고 담보가 없어서야 되겠느냐는 것이었지. 물론 종래도 나의 마음을 모르는 자가 아니었고 그렇다고 자신의 뜻을 꺾을 수도 없었거든. 한참을 생각하더니 결심이 선 듯 말하더군. 좋다고, 원하는 것을 이루게 해주겠다고 말했지.”
“그게 도대체 뭐란 말이죠?”
“고기 한 근을 담보로 한 사례를 모르지는 않겠지?”
“고기 한 근만이었지요.”
“그렇지. 하지만 그 정도 묘안은 내게는 약과일 뿐이지. 적어도 이곳의 어둠 속에서 살아본 자에게는 말이지. 난 피뿐만이 아니라 통째를 원했으니까!”
“그럼, 목숨을 담보로 했다고요?”
“그렇지 않다는 것을 알잖아. 친구지간에 그것도 어둠을 알려고 온 당신에게 그렇게 잔인한 인간은 아니라는 말이지. 친구보다는 더 심원하고, 진실하며, 이 세상 어느 누구도 피할 수 없으며. 바라보는 자체만으로도 모든 존재의 가치를 무너지게 하는 그런 것이라는 말이지. 물론 그것은 종래의 것도 아니지만, 담보는 할 수 있지 않겠어?”
“세상에 그런 것이 있기나 하나요? 어둠속에 처박혀 미치더니 이제는 헛소리까지 주저하지 않고 지껄여대는 사람이었어요?”
“하하, 이제 나를 알겠어? 하지만 아는 사람은 다 알고 있지. 눈을 감은 자가 아니라면 말이지. 종래는 고개를 끄덕이었지. 그리고 나에게서 받은 약간의 돈을 가지고 산위로 올라갔지. 물론 처음부터 행운은 오지 않아. 새벽이 다되도록 밑천을 거의 드러내고 말았을 때 곁에서 난 회심의 미소를 화마처럼 지었지. 그래, 이번만 마지막만 날려다오, 그러면 그 보물은 이제 내 것이다. 난 그 보물로 천하를 다 얻을 수 있다고 말이지. 그런데, 그 놈의 신이란 게 언제나 문제이거든. 끝장을 내려는 순간 그만 종래의 손을 들어주는 게 아니겠어? 다 된 밥에 코를 빠트린 심정은 당해보지 않고는 알 수 없는 것이지. 그것은 마치 당신이 이곳을 진정 알지 못하고는 결코 빛의 존재를 알 수 없는 것과 같은 것이겠지만. 종래의 얼굴에 떠오르는 기쁨이란 목숨을 앗아도 결코 알아낼 수 없는 희열 그 자체가 아니었겠어?"

"아, 그런 일이 있었어요? 그런데 왜 그리할 수밖에 없었냐고요."

"상환은 억울하다고나 할까? 그 순간을 보는 순간 난 절망과 또 한 번의 지혜를 발휘했지. 물론 뱀의 대가리가 아니면 도저히 불가능하겠지만. 종래는 기쁜 얼굴로 나를 난간으로 불러내더군. 나는 사색이 된 얼굴로 다가가지 않을 수 없었지. 그러자 종래는 내게 빌린 돈을 내밀었어. 물론 빌려간 돈의 몇 배는 되었겠지. 하지만 나나 종래는 돈보다 더 귀한 것을 알고 있잖아? 조금 전에도 말했지만, 그것은 세상 그 자체라는 것이지. 그런데 그것을 담보로 잡았는데 지폐의 몇 장으로 그것을 되찾아가겠다는 말을 당신이라면 허용하겠어? 도저히 누구나 그러하지 못할 것이지. 입안에 든 여의주를 뱉을 용은 아마 세상에 존재하지 않는 것처럼 말이지. 그래서 종래와 서로 실랑이를 벌리게 되었거든. 이것은 약속의 위반이다, 아니다, 나는 담보를 잡은 이상, 처분의 권리는 내게 있다는 진부한 실랑이였지만, 실은 그것이 아니란 말이지."

"도저히 알 수 없는 짓을 한 것을 보면 어리석은 자가 사내라는 말을 알 것 같아요. 세상에 그런 존재는 어디에도 있지 않을 테니까요, 그저 흙으로 만든 토우들뿐이잖아요."

순애의 절규에 기자는 고개를 가로저었고 기학은 인정한다는 듯 고개를 끄덕였다. 기학과 순애는 얼마 후, 경찰서를 나왔다. 그러나 둘의 표정은 햇살처럼 밝을 수 없었다. 기학이 의혹에 찬 내막을 궁금해 하는 표정을 지었으나 다그치지는 않았다. 그가 다시 차를 몰고 향한 것은 병원의 장례식장이었다.

18,귀향

병원은 커다란 사층의 건물이었는데 예전에는 광부들의 전담병원이었다. 광산이 폐광이 되고 일반 병원으로 전환은 했지만 이용을 하는 사람들은 예전의 광부들이 대부분이었다. 그래서 여기저기서 들리는 기침의 소리는 끊이지 않았다.

종래의 장례식은 노파가 주도하는 가운데 조촐하게 거행되었다. 국화안의 얼굴은 이제 다시는 볼 수 없는 모습이지만 그녀의 가슴에 새겨진 인상은 지워질 수 없는 흉터와 같았다. 장례가 끝나고 집으로 돌아온 그녀를 노파가 찾아왔다. 물론 순애의 슬픔을 외면할 수 없는 기학도 있는 자리였다. 노파는 카랑카랑한 목소리로 눈물에 젖은 그녀에게 더는 이곳에 있지 말고 떠나라는 것이었다. 하긴 이제 종래도 없는 처지에 혼자 노파와 함께할 것을 염려한 말이었다.

그러나 순애의 생각은 그렇지만은 않았다. 갈 곳도 마땅치 않았을 뿐만 아니라 곁에 기학은 그녀에게 더 이상의 방관자가 아니란 생각이었다. 그러나 노파의 말은 달랐다.

"이제 시작점을 알았으니 물을 따라 내려가면 큰 바다를 만나지 않겠어? 그곳이 자네가 살 자리이거든."

"바다요? 구걸을 하지 못한다는 것을 미리 알고 내쫓으려는 짓은 아니고요?"

"그것은 맞아. 잘났다는 사람도 그 짓만은 잘 못하지, 그런데 더 한 짓은 내 나이가 되기 전에도 잘하지. 하지만 이곳의 경험으로 걸식이, 걸식이 아니라는 것을 알았으니 되었단 말이지. 그것은 나에게나 맞는 일이고. 또 내가 공양할 근력도 더는 없지 않겠어?"

"부끄러워 그런 것은 아니고요? 자식처럼 데리고 다닐 수 없잖아요."

"부끄러워 그러는 줄 알아?"

"성스런 일도 아니잖아요."

"성스럽다는 게 도대체 뭐지? 똥친 막대기일 뿐인데."

노파의 말은 귀담아 들을 것도 아니었지만 이곳을 한시라도 떠나라는 말은 그른 말이 아니었다. 곁의 기학에게로 눈길을 돌렸다. 기학의 뜻도 다르지 않았던지 고개를 끄덕이었다. 순애는 더는 이곳에 머문다는 것이 부질없단 생각을 굳혔다. 면목이 없기는 하지만 노파의 말대로 바다를 향하지 않을 수 없었다. 고향의 안막은 바다에서 멀지 않은 마을이었다.

고향을 찾기로 정했으나 열차의 시간이나 노파와의 정을 생각해 그날 밤은 함께 보내야했다. 어둠은 창밖을 채우고 실내까지 밀려들었다. 그러나 노파와 순애에게는 더는 두려움이지 않았다. 낮의 밝음보다 그저 조금 불편할 뿐이었다.

전기가 잘린 아파트는 정적까지 토해내었다. 간간 들리는 바람의 소리와 풀벌레의 소리가 그 공간을 메웠다. 노파는 한동안 어둠처럼 말이 없었다. 그렇다고 순애도 먼저 조잘댈 수 없어 지난 순간의 기억을 머릿속에 밀었다.

짧다면 짧은 시간이었지만 경험은 결코 가벼운 것만은 아니었다. 배탈과 구걸을 통하여 그간의 미련을 버릴 수 있었다. 그리고 꿈같은 기학의 재회도 이루었다. 하지만 무엇보다 잊을 수 없는 것은 종래의 마음이었다. 그것은 아직도 그녀의 머릿속에서 방울이지 않을 수 없었다. 과연 후배를 얼마나 사랑했기에 그런 짓도 서슴지 않았는지 도무지 헤아릴 수 없었다. 그녀는 아무리 생각해도 뚱보의 말마따나 천녀일 뿐이었다. 그런데 더욱 곤혹스런 것은 기자와 같은 마음이었다. 하긴 없는 것도 세 사람만 믿는다면 그리 되는 세상이었다. 이제는 그 공간을 기학이 채울 것 같았다.

"뭘 그리 생각하지?"

"아무 것도 아니에요, 떠난다는 사실이 믿기지도 않아서요."

"그래? 서운하다면 내가 부탁이나 하나 할까?"

"철없는 제게 부탁을 할 것이 있었어요?"

"철없긴, 사내들의 눈을 삐게 만드는 것을 보면 철은 넘치고도 남지. 하긴 사내들이란 단순한 동물이거든. 한 번 집착을 하면 물불을 가리지 않아. 그리고 허망에 잘도 빠지고 그것을 젠체하는데 그 꼬락서니란 눈뜨고 볼 수 없을 정도이거든."

"너무도 사내에게 당하고 굶주리다보니 주름만 깊어진 것 아녜요? 사내란 그래도 사귀어볼만한 존재이고 가슴에 품어볼 만한 존재이지 않겠어요?"

"젊은 혈기가 좋기는 하구나, 그렇게 사내들이게 당하고서도 옹호를 하려드니 쯧쯧 언제나 철이 들려고?"

"방금 전에 철이 들었다고 하지 않았어요?"

하고 순애가 따지듯 대들었다. 그러자 노파는 파안대소를 하며 배를 움켜쥐었다. 금방 한 말도 기억하지 못하는 기억력에 순애도 함께 웃었다.

"그래, 철이 들었으니 부탁하는데 그 철새가 어디에 있는지 좀 찾아볼 수 있지?"

"철새를요?"

순애는 노파의 말에 안막의 강변을 떠올랐다. 그곳은 바다와 강이 만나는 곳과 멀지 않아 새들의 천국과 다름없었다. 계절을 가리지 않고 모여드는 모습을 어릴 적부터 보아온 처지라 철새를 찾는 것은 어렵지 않았다. 노파의 말은 이어졌다.

"이제는 돌아오리란 생각은 하지 않아, 다만 잘 산다는 생각만으로도 난 행복하거든. 하지만 그래도 난 사람인지라 행여 한번은 하면서 살아온 지가 삼십 년이 다 되어가잖아? 그러니 잊었다하면서도 이런 밤이면 문득 생각이 나지 않겠어?"

하며 노파는 그녀를 향하여 몸을 돌리었다. 순애는 노파의 모습이 낯설지 않았다. 희미한 달빛이 창을 타고 들어왔다. 그녀는 아무런 대답은 하지 않은 채 손을 뻗어 노파의 손을 잡았다. 노파의 손은 사람의 손이 아니었다. 뼈에 가죽을 도배한 것처럼 딱딱하기만 했다. 그러나 노파는 좋았던지 입가에 미소를 지으며 나직이 다시 말을 이었다.

"너를 처음 본 순간 난 남처럼 느껴지지 않더라니까. 어찌나 보는 모습만으로도 좋던지 그러고 보니 또 미친 사람이 되었던 게지."

"아녜요, 아니고말고요. 이제는 그 마음을 알 것만 같아요. 너무도 귀한 그 마음을요."

순애의 대답에 더는 노파의 말도 이어지지 않았다. 낮의 구걸과 종래의 장례를 치르느라 피곤했던지 어느새 콧소리까지 내는 것이었다. 이제 순애에게 어둠은 두려운 존재가 아니었다.

그녀는 이내 잠이 들지 않았다. 그렇게 밤을 꼬박 새워도 피곤하지 않았다. 그런데 날이 새어갈 무렵에 잠깐 잠이 들었다가 열차의 시간이 생각나서 눈을 떠보니 화장할 시간도 없었다. 그녀에게 꾸릴 짐도 없거니와 같이 갈 사람도 없었다. 기학도 이곳을 정리하는 대로 뒤따른다고 했으니 작별인사도 필요하지 않았다. 곁의 노파에게 손을 흔들어주면 되는 일이었다. 그런데 그녀가 눈을 떴을 때는 이미 노파는 자리에 없었다. 아마도 간밤의 정을 훼손하기 싫었던 모양이었다.

순애는 발걸음을 서둘러 역으로 향했다. 새벽의 차였기에 어둠이 채 가시지 않은 길이었다. 하지만 일전에 기자와 갔던 기억이 있었기에 어렵지 않았다. 얼마의 시간이 지나지 않아 그녀는 구내에서 기다리는 사람들 속에 섞일 수 있었다.

순애는 그간 한시도 잊을 수 없었던 아니 잊으려고만 했었던 고향을 간다고 생각하니 머릿속은 수정처럼 맑아왔다. 돌이켜 생각해보면 그곳을 잊으려한 것이 아니라 의도적으로 외면했을 뿐이었다. 그녀가 밤에 도망치던 날부터 가족은 돌아오기를 기다린 것 같았다. 하지만 자리에 앉은 그녀는 마냥 낭만적일 수는 없었다. 현실적인 생각이 그녀의 머릿속을 채우기 시작했다.

'다시 닭을 팔던 일을 해야 하나? 그렇다면 정산하지 못한 빚은 어떻게 하지? 유예를 해준다 해도 또 예전과 같은 일을 당하지 않는다는 보장도 없잖아? 그렇다면 어쩐다?'

고향을 향하는 열차에 올랐어도 그녀는 흥분을 할 수 없는 까닭이었다. 이젠 노파의 부탁이나 걱정을 할 틈도 없었다. 내리막을 달리는 열차처럼 생각도 내리막을 달렸다. 자칫 잘못하면 구석에 처박힐지도 몰랐다.

그러한 위기의식은 다시 그녀를 긴장의 도가니로 몰았다. 슬픔은 사흘을 넘기지 않는다는 것처럼 이곳의 일들은 그렇게 어둠속으로 사라졌다. 대신 그녀를 기다리는 사람들의 얼굴이 달처럼 떠올랐다. 이별의 발병은 십리를 가지 않아 발병을 거듭할 처지이었다. 발병은 다시 귀환을 의미했다. 그곳에는 셈이 밝은 낙지가 웃는 모습으로 기다릴 터였다.

그는 한때 자신의 이기를 사랑으로 위장한 적이 있었다. 그 때는 순애도 순진했던 터라 구분이 어려웠다. 그래서 혼란도 겪은 것이 시실이었다. 하지만 이제 산전수전을 다 겪은 처지의 그녀로서는 그를 두려워할 일만도 아니었다. 물론 그렇다고 경계하지 않아도 된다는 말은 아니었다. 그렇듯 물불을 가리지 않는 인간일수록 무슨 일을 저지를지 모르는 까닭이었다.

그녀가 떠난 다음의 안막의 소식은 편린이지만 기학의 말을 통해서 알 수 있었다. 낙지는 문을 닫은 그녀의 가게 앞에서 피자를 성공리에 운영한다는 것이었다. 처음은 그 말을 이해할 수 없었다. 시골과 피자는 결코 어울리지 않으리란 생각이었다. 그러나 결과는 예상을 뒤집었다. 피자는 닭으로 식상한 사람들에게 날개를 달았다는 것이었다.

그런데 더 알 수 없는 것은 젊은 층이 아니라 연로한 층까지 가세했다는 말이었다. 그들은 수천 년을 된장과 고추장에 길들여진 사람들이었다. 그런데 그들이 입맛을 바꾸리라고는 조금도 상상해 본 적도 없었다. 그렇다면 다시 통닭의 장사로 재기를 하려는 생각은 신기루이지 않을 수 없었다.

그녀가 암울한 생각을 이어가다가 그녀는 저도 모르게 한 생각을 했고 웃음을 짓지 않을 수 없었다. 자신의 귀환을 낙지는 은근히 반기리라는 예상이었다.

'이렇게 빨리 돌아오리란 것을 미처 예상하지 못한 걸요? 하지만 이제야 연줄에 매여 있는 연이라는 것을 알았잖아요.'

'철새는 알아도 연이라는 말은 처음 듣는 걸요?'

'허허? 벌써 잊으셨나? 빚이 있잖아요.'

'연줄이라는 것이 그것이었어요? 하지만 걱정하지 말아요. 머지않아 끊어질 테니까요.'

'네, 하루빨리 그러하길 바라겠어요.'

사실 지난 일을 다 떠올리기에는 싫었으나 그의 조우를 미리 예상하지 않을 수 없는 그녀로서는 심적인 대비를 준비했다. 그것은 낙지의 말마따나 아직은 연줄에 잡혀있는 신세라는 사실을 부인할 수 없는 탓이었다. 철마는 다리 위에 자국을 남기며 거침없이 내리막으로 달리고 있었다.

쉬지 않고 달려온 열차는 고민에 빠진 그녀를 역에 내동댕이쳤다. 이젠 열차도 시원한 종착역에서 쉬려하는 것 같았다. 그녀가 역에서 바라보는 다리는 그녀가 해결할 일처럼 길게만 보였다. 하지만 그녀는 그 다리를 피할 수 없었다.

순애는 다시 마음을 정리하려는 것처럼 긴 심호흡을 내쉬었다. 그리운 안막의 정류장에 가까워질수록 가슴은 다시 뛰기 시작했다. 이런 상태로는 그 누구도 만날 수 있을 것 같지 않았다. 범굴에 토끼는 스스로 자중할 필요가 있는 법이었다. 그녀는 안막의 정류장에 내릴 때까지 갈 곳을 아직 정하지 못하고 있었다. 하지만 막상 시장의 건물이며 은행, 장식, 호프집을 바라보자 눈가에 눈물이 먼저 솟았다.

이제는 누가 자신을 알아본다는 것도 두렵지 않을 수 없었다. 그래도 먼저 눈길이 간 것은 친구인 명자의 미장원이었다. 우선 그곳에서 그간의 동태부터 알아보고 누구를 만나야한다는 순서를 정하기로 했다. 아닌 밤중에 홍두깨처럼 나타난 그녀를 바라보는 명자는 눈동자가 왕방울 만하게 커졌다.

"조석으로 바뀌는 게 사람의 마음이라지만, 이렇게 빨리 돌아올 줄 몰랐다."

"고향은 버리려고 해도 그럴 수 없는 거잖아? 그렇다면 시일이 중요한 것은 아니지."

당연한 듯 받아치는 그녀를 명자는 웃으며 자리를 권했다. 그러며 그녀의 옷차림과 머리모양을 유심히 살폈다. 허벅지가 훤하게 드러난 짧은 치마에 얼룩무늬의 겉옷은 매장의 진열품을 산 것이었다. 하지만 그것을 모를 리 없는 그녀의 눈에는 모델로 보이는 모양이었다. 어디서 행운을 잡은 것이 아니냐는 얼굴이었다.

하긴 명자의 기술은 촌에서 썩기는 아까웠다. 하지만 너른 시내나 먼 곳에서는 우물 안의 개구리를 벗어나지 못한 처지였다. 그러하니 먼 곳을 다녀오는 그녀의 외모에 놀라지 않는다면 그것은 이상하였다.

드러내놓고 말할 처지는 아니지만 다방의 생활로 익힌 감각은 뒤떨어지는 것이 아니었다. 더욱이 농사일을 하지 않아 얼굴은 하얀 복숭아의 빛이었고 목은 스카프를 둘러 기린의 모습이었다. 거기에 왕릉처럼 솟아난 가슴은 사내들의 눈을 홀려대듯 용수철처럼 솟아올랐다.

그런 모습에 비해 아직도 철지난 옷을 입고 손에는 엿장수의 가위를 들고 있는 그녀의 모습은 비견할 바가 아니었다. 순애는 목까지 치민 웃음을 겨우 참았다.

일을 하는 내내 명자는 부러운 눈빛을 지우지 못하며 그런 변신을 하지 못하는 자신을 자책하는 것만 같았다. 하지만 명자도 시내에서 가게를 했더라면 순애는 비교를 할 바가 아니었다.

사실 순애도 만약에 이곳을 떠나지 않고 살았더라면 이런 모습을 상상도 하지 못할 일이었다. 우물속의 자신의 모습이 최고라는 생각을 버리지 못했을 것이었다. 그러나 탄동을 다녀오면서 잃고 아픈 것도 많았지만 성숙해진 것도 사실이었다. 그것은 어쩌면 철새도 다르지 않을 것 같았다. 그렇게 잃고 얻은 것이 있다 보니 한결 마음도 여유로워졌다. 그러니 자연 낙지를 대하려는 마음도 예전과 같지 않았다. 순애는 미장원의 밖을 손으로 가리켰다. 예나 지금이나 변한 것은 없지만 거리의 조용함은 달랐다. 명자가 겸연쩍은 얼굴로 이곳의 사정을 먼저 꺼내었다.

“개점휴업한 상태가 어디 오늘 내일의 일이니? 한 집만 빼고.”

“촌이란 다 그렇지, 그런데 한 집이라니?”

순애는 아직도 줄지 않은 약품과 때 묻은 기구를 훑어보며 알겠다는 듯 고개까지 끄덕였다. 가게의 의자, 거울, 그리고 가위까지 새것은 하나도 없고 흐른 시간만큼 때만 붙어 그림자만 깊었다. 순애도 막상 귀향은 했지만 자칫하면 과거의 수레바퀴를 따라갈지도 모른다는 생각을 하지 않을 수 없었다.

“저 집. 그런데 다른 방법은 찾았어?”

그녀의 말에 순애는 고개를 흔들며 불안스런 표정을 감추지 못했다. 그런 모습을 미리 예상하지 못한 것도 아니었다. 하지만 상황은 심각했다.

이제는 순애가 묻힌 의혹을 그녀가 꺼내었다. 이제 이곳은 장사로는 어려우니 직장을 찾는 것만이 최선이라는 말이었다. 그러나 순애는 그 말에 고개를 끄덕이었을 뿐 속내를 드러내지 않았다. 사실 자존심이 허락하지 않은 탓이었다.

그러자 이번에도 다시 명자의 말이 더해졌다. 예전의 일로 낙지가 항시 문 닫은 가게를 살피고 있다는 것이었다. 그러며 어떤 일이 있어도 떼인 돈을 회수하겠다는 집념이 대단하다는 말이었다. 그러나 순애로서는 그에게 줄 돈이 수중에 남아있지 않았다. 그래서 낙지의 생각을 슬쩍 물어보았다. 만일, 돈을 주지 못하면 어떨 셈이냐고 하자 잡아다가 가게의 일이라도 시킨다는 말이었다.

명자는 피자집을 가리키며 수완이 남다른 사람이라고 말했다. 불황을 비켜가는 기술은, 사람의 짓이 아니라고까지 말했다. 그러고 보니 쉼 없이 들락거리는 오토바이의 소리는 지겹지 않을 수 없었다.

순애는 사정도 사정이지만 파자와 통닭의 대결은 피하기로 결정하지 않을 수 없었다. 그 순간 명자는 그 집이 배달원을 구하는 중이라는 말을 던졌다. 순애가 다시 통닭을 하지 말라는 경고와 함께, 일자리를 소개해주려는 뜻이 담긴 것 같았다.

순애는 아무런 대답도 하지 않고 얼굴에 미소를 지었다. 그러자 명자는 그녀의 속을 꿰뚫었다는 듯 목줄을 흔들었다.

"너도 놀고만 있을 처지도 아니잖아? 혼자도 아닐뿐더러 혹까지 붙어있으니 가진 돈이야 봄눈일 뿐이지. 그러니 차라리 일자리를 찾아야지. 난 오토바이를 타지 못하니 그나마 그 자리가 남았잖아."

"그럼 이 미장원을 그만 두려고? 그렇게 귀한 기술을 그럼 썩히겠다는 거야?"

"그만큼 사정이 어렵다는 말이다."

명자의 말은 그르지 않았다. 하긴 그녀가 명자를 속인다는 것은 애당초 그른 일이었다. 장사를 실패하고 야반도주를 한 처지와 고향을 굳건히 지키는 것은 같지 않았다. 그녀는 상처뿐인데 비하여 명자는 이웃을 위한 봉사까지 다니는 중이라 했다. 순애는 어둠의 그림자를 떼지 않을 수 없었다.

“사실 빚만 아니라면 고려할 것도 없는데, 그렇다고 생돈을 지불할 수도 없으니 빚이라도 갚아야하겠지?”

“마침 사람을 구하는 중이니 딱, 때가 맞잖아.”

“그럼, 그렇고말고 내가 배달로 탄동까지 누볐었잖아.”

“탄동, 그곳이 어딘데?”

“너는 그런 것 몰라도 돼.”

순애는 실수를 했다는 것을 눈치 채고 시치미를 떼었다. 그런 순애를 바라보는 명자의 눈빛은 보물을 찾던 어린 시절과 다르지 않았다.

마음의 여유를 찾은 순애는 거울 앞에서 변화된 자신의 모습을 들여다보다가 거울 속에 어리는 얼굴에 깜짝 놀랐다. 낙지가 그녀의 뒷모습을 알아차리고 회심의 미소를 짓는 것이었다. 마치 그물 속으로 고기가 들어온 것을 바라보는 어부의 얼굴이었다.

순애는 명자의 눈길을 피해 얼른 미장원을 나섰고 낙지는 가까운 찻집으로 안내했다. 찻집은 차뿐만이 아니라 간이 음식집도 겸한 집이었다. 순애가 자리를 잡고 나자 낙지는 얼굴에 미소를 지으며 여유를 부렸다.

“향기가 하도 진해서 실례를 무릅쓰고 훔쳐본 것을 용서하겠지요?”

“돌아오는 대로 인사를 한다는 것이 조금 늦었지요. 여자란 동물은 만나기만 하면 수다를 떠는 것이 버릇이라서. 신사라면 그런 것 쯤 이해하잖아요? 그리고 먼저 양해를 구할 것은 나쁜 목적이 있어 사라진 것이 아니라는 점이에요. 그렇지 않았다면 벌써 돌아왔겠어요? 그러니 사과는 예전의 관계를 유지하자는 말로 바꾸어도 좋지 않겠어요?”

순애의 미소가 그믐의 별빛처럼 사내에게 전해졌다. 낙지는 미소를 보는 것만으로도 우려는 떨쳤다는 얼굴이었다. 머리카락을 손으로 쓰다듬으며 벽의 메뉴판을 들여다보았다. 차로는 부족하니 이르지만 점심을 같이 하자는 것이었다. 그러잖아도 차를 타고 오느라 배가 출출하던 판에 그의 호의를 거절할 까닭이 없었다.

낙지는 제일 잘하는 메기탕으로 시켰고 순애는 지갑의 거울을 꺼내었다. 행여 화장이 지워지지 않았는지 살피려는 것이었다. 거울에 드러난 얼굴은 이제 안막의 튀김닭장사가 아니었다.

"세월만큼이나 모습도 많이 변했고요, 예전의 순수는 이제 사진 속에서나 존재할 것 같아요. 어디 바다라도 건너갔었나요?"

"바다 너머라니요?"

순애는 시치미를 떼며 사내의 말꼬리를 잡았다. 그러나 그런 순애의 질문에 어리둥절할 사내도 아니었다. 그도 이에는 이로 답을 했다.

"아름다운 나라가 아니겠어요? 꿈도 크고, 첨탑도 하늘에 닿아 바벨탑뿐이라 않던가요?"

"호호, 그 정도로 크다느니 하늘을 찌른다느니 할 수 있나요? 그런 곳이라면 이곳을 떠나지도 않았을 거예요."

"그래요? 금시초문인데 그런 곳도 있었어요?"

"그럼요. 우리가 너무 몰라서 그렇지 세상은 넓고 할 일은 많지요. 그런데 그럴 수 없다는 것이 안타까울 뿐이지만요."

순애의 말을 듣는 낙지는 입을 벌린 채 한동안은 어안이 벙벙했다. 그러나 그녀의 표정이 그만 사달을 내고 말았다. 주인 여자가 끓인 메기탕을 들고 들어오는 모습을 보자 그만 곤궁함에 침을 삼키고 말았다.

"예전엔 사람을 믿는 것을 미덕이라 했었지요?"

"배신을 한번 한 여자이잖아요."

"배신? 아 그렇지요. 빚을 갚지도 않고 삼십육계를 실행했으니 그른 말만은 아니군요."

하지만 둘의 타협은 오랜 시간이 필요하지 않았다. 화기애애한 분위기는 술이 더해지면서부터였다. 시장하던 차에 삼킨 밀밥에 술의 취기는 이제 오월동주를 즐기고 있었다.

낙지는 피자집의 구조를 탁자에 그려주며 작은 방을 꾸미기까지 했다고 말했다. 일하다가 피곤하면 휴게실로도 사용하고 비상시에는 잠도 잘 수 있도록 배려했다는 것이었다. 확실히 낙지의 아량도 예전의 그는 아닌 것 같았다.

"피곤은 만병의 원인이라고 하잖아요. 좁은 방이지만 불편하지는 않을 겁니다."

순애는 예전에 장사를 하면서 그런 새우잠을 잔 기억이 많았다. 물론 혼자서 장사를 하다 보니 그녀에게 쉴만한 공간이 없었다. 그래서 주방에 딸린 공간을 활용해 틈을 만들었고 그것을 낙지도 알고 있었다. 그런 모습을 알고 새로이 방까지 꾸미었다는 것은 일하는 사람에 위한 배려였다. 사람이 피곤할 때 잠시 눈을 붙이는 것만큼 피곤을 풀어주는 것이 없다는 것을 그녀는 잘 알았다.

"그럼 가게 일을 한다는 것으로 알고 있겠어요. 물론 대우는 일하는 양에 따라 메겨질 것이고요. 연은 연줄에 매여 있으니 차츰 되는 대로 갚으면 되겠고요."

순애가 고개를 끄덕이자 낙지는 건배를 제의했다. 그렇게 지난 일을 우선 마무리하는 것으로 결정이 나자 순애의 가슴에는 무거운 돌이 내려지는 것 같았다. 낙지는 정리가 되는대로 나오라고 했지만 그녀가 정리할 일도 없었다. 이제 어둠으로 장막을 쳤던 김씨와 경주댁의 일이 남았을 뿐이었다. 더욱이 그녀의 마음 깊은 곳에 가슴 졸이며 아파했던 생손의 대면이 남았을 뿐이었다. 생손은 생각을 하는 것만으로도 구름 속에서 얼굴을 내미는 반달이지 않을 수 없었다.

호구를 들어갔다가 나온 기분이란, 형언할 수 없는 기쁨이지 않을 수 없었다. 밤잠까지 고민케 한 문제가 의외로 쉽게 풀리자, 순애는 그 기쁨을 받아줄 이들을 생각했다. 가벼운 걸음과 빈 양팔을 가득 메울 선물을 찾지 않을 수 없었다.

주야장창 그녀를 목이 빠지게 기다렸던 그들의 안타까움을 위로하는 것은 선물뿐이었다. 집나간 아들을 기다리는 심정을 순애는 이제야 알 수 있었다. 혁은 집을 나가지 않았지만 자신의 가출로도 그 심정을 헤아릴 수 있었다. 그런 심정은 혁이나 순명, 경주댁, 김씨까지도 다르지 않았다. 하지만 그들의 슬픔을 달래줄만한 물건이 안막의 가게에는 눈에 띄지 않았다.

시장에서 제일 크다는 가게도 진열대만 화려할 뿐 속빈 강정이었다. 유통기한을 살피니 마감 기간이 임박해오고 있었다. 기한을 탓하지 않는 것은 구석에 진열된 술뿐이었다. 김씨는 술만 보면 얼굴은 해바라기를 닮았다.

그간 주정뱅이라고 투정만 부렸는데 지금은 그렇지 않았다. 화해를 위해 경주법주를 골랐다. 물론 경주댁도 오늘만큼은 이해할 일이었다. 술에 물론 데었겠지만.

이번에는 경주댁의 찌푸린 마음을 보상할 보물을 찾기 시작했다. 밥그릇, 화장품, 밀가루 어느 것도 선물로는 그저 그랬다. 고생을 생각하면 거친 손처럼 마음 아픈 것이 없었다. 추위에 이길 것은 장갑이 제일 이었다. 감색 가죽장갑이 마음을 포근하게 만들었다.

하지만 그것으로는 황량한 마음을 달래기에는 허전했다. 생손의 아픔은 그 무엇으로도 보상할 방법이 없었다. 생각만으로도 눈물부터 솟았다. 눈물진 눈으로 아무리 주변을 둘러보아도 썩 마음을 끄는 것이 없었다.

혁의 선물로는 안막의 가게에서는 구할 수 없었다. 강을 건너는 날, 좋은 것으로 고르기로 하고 불만을 잠재울 사탕을 찾았다. 얼른 눈에 뜨인 것이 초콜릿이었다.

잠시 후, 가게를 나서는 그녀의 두 팔은 나뭇가지처럼 늘어졌다. 그들의 기다림을 달래기에는 턱없이 부족했지만 인사치레로만 여겼다. 미래는 오늘을 이어가는 법이었다.

정류장에서 버스를 기다리기로 했다. 오리걸음으로 갈 수는 없었다. 마을의 고목이 선하게 떠올랐다. 세월을 버티며 마을을 지킨다는 의미가 깊었다. 그것은 철새와 다른 면이었다.

버스를 타고 마을에 내린 그녀는 촌집의 돌담을 돌았다. 담 안의 동정이 한눈에 들어왔다. 행여 그녀를 보았다면 버선발로 뛰쳐나올 일이었다. 하지만 집안의 정적은 깊기만 했다.

하긴 그녀가 떠난 이후를 생각해보면 그런 분위기는 오히려 당연했다. 침묵은 굴의 어둠과 다르지 않았다. 죽음보다 잔인한 것은 기다림이었다.

순애는 경주댁을 생각하면 마음을 어찌 둘지 몰랐다. 집나간 자식이 하나로도 모자라 그녀까지 가세한 것이었다. 거기에 버려진 혁을 돌보는 일은 심장을 찌르는 가시였다.

집나간 자식이 돌아오기를 바랐던지 대문은 활짝 열려있었다. 바람처럼 들어오라는 뜻이었다. 시선을 돌려 담 안의 가건물을 보았다. 이제는 닭도 기르지 않았던지 텅 비어 있었다. 그녀가 떠난 이후의 모습은 폐가나 다름없었다.

그때, 대문 안을 들여다보고 있는 그녀의 뒤편에서 떨리는 음성이 있었다. 보지 않아도 알 수 있는 경주댁의 음성이었다. 경주댁은 나뭇가지를 끌고 오다가 순애를 보고 놀란 것이었다.

순애도 반가운 나머지 목마저 가라앉으며 바라보는 눈가에는 어느덧 이슬이 굴렀다.
“미안해요, 엄마.”
순애는 집을 매정히 철새처럼 떠났는데 경주댁은 우직한 고목처럼 기다렸다. 붉어지는 경주댁의 눈을 바라보니 그녀는 영락없는 고목이었다. 비분은 어느덧 사라지고 영원한 죄인이 고백을 울음 속에 섞지 않을 수 없었다.
“용서해달라는 말을 무슨 염치로 하죠?”
순애는 그 자리에서 언제까지나 장승처럼 박혀있을 뿐이었다. 흐르는 눈물을 주체하지 못하자 경주댁이 다가와 양팔로 품었다. 경주댁은 꼬마를 안 듯 가볍게 안더니 등을 거북이 손으로 두들겨주었다.
“내 이럴 줄 알았다. 문둥아, 정녕 이것이 꿈은 아니겠지?”
“그럼요, 꿈일 리가 있겠어요? 다만 미안한 것은 빈손이라는 사실이어서 얼굴을 들 수 없을 뿐이지요.”
“그게 무슨 가당치않은 소리이냐? 그런 말은 내게는 죄가 될 뿐이니 다시는 그런 말마라. 네가 이렇게 돌아오니 원망과 후회까지도 사치란 것을 알 수 있지 않느냐?”
“아니에요, 이 모든 것이 제가 못난 탓으로 환영을 쫓아간 결과이잖아요?”
“그렇다 해도 돌아왔으니 괜찮아. 젊어서는 고생도 산다는데 살림을 충실하게 할 밑천이지 않겠어?”
“고마워요. 안으로 어서 들어가요. 미흡한 선물이지만 사과를 해야 할 것 같아서요. 내막은 차차 알겠지만 이제야 고생이 끝날 것 같아요.”
“듣던 중 반가운 말이다. 산다는 것이 매사 고생이 아닌 것은 없지만 이런 기회가 네게 있다는 것은 행운이지 않겠니? 네 얼굴에 그렇게 쓰여 있는데 속이라고 다르겠어? 이젠 걱정도 고생도 다 내려놓은 것 같구나."

"아녜요, 고생이라니요. 기운 집도 일으키고 무너진 담도 쌓아야지요. 더는 그 일을 팽개치지 않겠어요."

"그럼 장사라도 다시 할 생각이더냐?"

"망할 일은 한 번으로 족하지요. 그래서 동아줄 같은 직장을 나가려고요. 그래야 다시는 부도를 당하지 않을 테니까요."

경주댁은 일이 잘 풀렸다는 듯 손을 잡더니 안으로 끌었다.

19,아들

낡은 철대문은 좁고 녹이 슬어 기둥에 매달린 모습이었다. 어두운 방에서 김씨가 얼굴을 내밀 것도 같았다. 그런데 그는 집안에 없었다.

"아직도 그 버릇은 여전하나요?"

"그 버릇 개주겠니? 그보다 혁이 궁금하지 않아?"

"왜, 궁금하지 않겠어요. 하지만 도망친 어미가 무슨 낯으로 얼굴을 들이밀겠어요. 자식한테 차마 하지 못할 짓을 저질렀잖아요."

"그런 생각일랑 말아라. 이젠 어른이 다 되었다."

그 말이 채 끝나기 무섭게 순애의 눈가에는 눈물이 주르르 흘렀다. 경주댁에게 미안함은 그에 비하면 티끌이었다. 탄동에서 밤낮으로 홍역을 앓은 것도 혁 때문이라는 것이 옳았다. 그만 아니었으면 돌아오지 않았을 지도 몰랐다.

"어른이 다 되었다니요?"

"그럼, 이제는 공부보다 집안일이며 놀기도 얼마나 잘한다고."
"공부에 열중이지 않고 일까지 매달려요?"
"책보다는 일이 더 공부이잖아."
"그른 말은 아니지만 잘살고 일등을 하려면 그것은 안 되잖아요."
"일등? 그래서 무엇을 하자는 거지? 뽐내고 싶니?"
"그것은 아니지만 이렇게 더는 살 수 없지 않겠어요?"
그렇게 말을 마친 순애는 방안을 살폈다. 방은 예전보다 가재와 옷이 널려져있어 더 어지러웠다. 경주댁 혼자의 힘으로는 하는 수 없는 일이었다. 건넛방에는 순명도 오지 않았다. 경주댁은 그를 기다리던지 돌담을 바라보았다.
순애가 집으로 돌아온 며칠 후 아침부터 뒤뜰에서는 또 다른 소동이 벌어지고 있었다. 예전에 닭을 길렀던 곳에서 꽥꽥거리는 오리의 소리가 난 것이었다. 혁은 지난 기대를 저버리지 못했던지 아쉬움을 떨치지 못했다. 그래서 닭 대신 꿩인 줄 알았는데 오리가 자리를 메웠다.
"이젠 오리를 산 게야?"
"산 게 아니라 날개를 다쳐서 치료를 할 거예요."
"돈도 되지 않는 짓을 공연스레 하는구나. 누가 시킨 것이지?"
"그건 혁의 생각이다."
부엌에서 손을 닦고 나오던 경주댁의 말이었다. 그녀는 혁의 자랑에 대단했다. 닭의 얘기며 학교의 성적 오리를 보살피는 일까지 신이 날 정도였다.
"치료가 끝났으면 강으로 얼른 보내야겠지?"
"그런데, 오리가 혁을 떠나지 않는구나. 정이 든 모양이지?"
"정은 무슨 정이 있겠어요. 날아가면 그 사실도 곧 잊고 말잖아요."

"망각을 오리는 모른단 말이다."
순애는 정도 두지 않고 떠난 오리를 생각해보았다. 어디까지 날아갔는지 모르겠지만 춥고 황량한 곳은 분명했다.
정은 나는 것도 어렵지만 회복하는 것도 쉽지 않았다. 혁의 얼굴이 아직은 해맑지 않았다. 서로 쳐다보는 감정의 골은 하나이지 않았다. 그녀는 이 모든 원인이 자신의 탓으로 돌리지 않을 수 없었다.
그런 어색함과 다른 반가움이 있는 것이 그나마 위안이었다. 가게에서 그녀를 대하는 낙지의 얼굴은 해바라기처럼 웃어대며 장사꾼의 미덕인 친절까지 아끼지 않았다. 그녀가 무거운 것이라도 들면 그는 앞장을 서 일을 나누어주었다.
"더는 장사에 미련은 없나요?"
"가정을 생각하니 장사는 다음으로 미루지 않을 수가 없잖아요."
"그럼, 다시 해볼 생각은 있다는 말이겠군."
"……"
"그런데, 안색이 아직 편하지 않은 모습 같은데? 용서를 한 사람치고 걱정이 아직 남아 있나보군요."
"용서, 그것이 말처럼 쉽지는 않잖아요. 그래서 조언을 구하려하는 데 설마 모른 체 하지는 않겠죠?"
"탈을 쓰지 말라는 말이군요. 그것은 항상 손해를 부르는 일이거든요."
"그래요?"
"아뇨, 그냥 해본 소리에요. 일테면 가깝고 믿는 사람일수록 배신의 상처는 깊은 강과 같은 것이지요. 그런데 용서를 하겠다고 하면서 왜 미련에 빠지는 거지요?"
"그것은 아마도 장사를 한 습성이 아니겠어요? 진정한 용서는 아직 난 멀었거든요."

순애는 그 순간 자존심에 상처를 입은 심정이었다. 자신은 용서와 화해는 물론이고 그런 생각까지 아직 시기상조란 생각을 했었다. 그런데 오히려 낙지의 환대는 용서에 훨씬 가볍고 장애가 없었다. 순애는 낙지의 그런 마음을 이해하면서도 어떻게 대응을 할지 생각하지 않을 수 없었다.

순애를 바라보던 낙지는 목이 말랐던지 그녀를 위한 회식의 자리를 마련했다며 장소까지 잡았다. 그의 적극성은 그녀에게 경계의 담을 허물기에 부족하지 않았다.

저녁을 같이 한 다음 이차로 인근의 술집으로 자리를 바꾸어 앉았다. 그간 싸여있는 앙금을 털어보자는 의도도 거절할 수 없었다. 그런 사정을 모르지 않는 두 직원은 약속이 있다며 자리를 비켜주었다.

그러나 모처럼 술을 마신 그녀는 낙지의 호의를 반박하지 않을 수 없었다. 뚱딴지같은 면이 있는 낙지는 아직도 예전의 고집을 지우지 않았기 때문이었다.

"이제 용서하지 못할 일은 없잖아요?"

"무슨 말을 하려는 것이지?"

"무슨 말이 아니라 용서는 백지가 된다는 사실이 중요하다는 말이지요. 그렇지 않아요?"

순애는 낙지의 물음에 취한 얼굴로 대답을 하지 않았다. 사실 그런 생각은 순애도 다르지 않았으나 그럴 수 없다는 생각을 하지 않을 수 없었다. 낙지는 아직도 연 끈을 잡은 듯 놓지 않고 있었다. 순애의 반응에 낙지는 실망하지 않는다고 했지만 실망하는 빛은 역력했다. 그러나 술에 적셔진 그녀를 그를 이해한다는 얼굴이었다. 순애는 그에게 마냥 끌려갈 수는 없었다.

"아직도 지난 번 게임을 하려는 것은 아니겠지요? 이제는 그런 정도의 게임은 유치해서 않거든요. 물론 같이 지내보면 알았겠지만 이제는 예전의 나도 아니잖아요."

"하하, 어찌 내가 그것을 모르겠어요. 더군다나 이제 그분의 그림자를 넘었으니 이런 게지요."

"그것은 아니지만."

"별다른 의미는 없지만 그림자라는 말이 멋지잖아요? 하나이면서 하나이지 않고 둘이지만 둘이지 않은 그런 것 아닌가요?"

"그런데 하필이면 왜 저에게 그림자를 얘기하는 것인지?"

"그것이 운명일지도 모른다는 생각을 했거든요."

낙지가 이렇듯 거머리처럼 달라붙으려는 이유를 알 수 없었지만 그 말은 이제 그녀에게 거북하지도 받아들여지지도 않았다. 그녀의 처지에서 생각해보면 이만한 사람도 없었다.

그녀만 눈을 감고 선택을 한다면 그녀의 고생은 물론이요 집안의 고난도 바람이지 않을 수 없었다. 사실 기학을 기다리는 마음이 없지는 않았으나 그것은 오히려 기학을 위한 일이 아니었다. 그렇다면 그가 연 줄을 잡은 것을 인정하는 것도 속되게 말해 손해날 일은 아니었다. 하지만 아직은 그녀는 망설이고 있었다.

그녀의 그런 마음을 알았음일까 낙지의 태도가 달라지며 그녀의 심정을 다시 어루만지었다.

"현명한 새는 가지를 가리어 앉는다고 하지 않던가요?"

"손해 보지 않을 장사란 말 같군요. 그것은 여간 매력적이지 않지만 연의 줄은 끊은 다음 일이겠지요."

"다음이라고요?"

"호호, 입에 배어있는 말이다 보니 나도 모르게 실수를 한 것 같아요."

낙지는 술을 거듭 마셨고 어느 정도 절어들자 혀까지 굴리었다. 만면에 미소를 짓고 있었으나 속내의 계산은 흐트러지지 않았다.

"장사란 숨바꼭질과 같은 것이지요. 눈에 보이는 것만이 전부가 아니듯 미래도 담보되지 않는 것이니까요. 그런데 부도를 당했으면서 아직도 장사를 하려드니 어쩌면 좋은지 모르겠어요."

순애는 그의 말이 귀에 들어오지 않았다. 그것은 예전에 기자를 바라보는 심정과 다르지 않았다. 그의 속내는 과연 무엇인지 궁금하지 않을 수 없었다. 손해 보는 장사를 할 그가 아니었다. 그렇다고 성인도 아니지만 속물만도 아니었다. 그런 그가 자신을 이용해 무슨 이익을 얻으려는 것인지는 알 길이 없었다. 그것은 자신이 생각한 탈을 쓴 모습이란 생각과 다르지 않았다.

김씨는 탈이 그의 인생이었다. 현실에 위안이고 출구였다. 그것은 아마도 그의 고된 현실을 의미했다. 그러나 그는 원망하거나 거역하지 않았다. 그저 탈처럼 웃어넘길 뿐이었다.

순애는 낙지의 만남은 그런 것이 아니라 생각했다. 그가 자신을 사랑하는 지도 모르지만 그가 자신을 잡고 있는 동안 연은 그에게서 벗어나지 못할 운명이었다.

그런 내막을 걸머쥔 낙지는 미소로 연막을 피웠다. 그녀의 미련을 아직도 이해하지 못하겠다는 표정이었으나 더는 강요하지 않았다.

"서로 다른 것 같지만 결국은 하나로 맺어질 것으로 생각해요. 여자는 남자의 갈비뼈라고 하잖아요."

"그 말을 비난하지는 않지만 그것이 진실이라고 생각하나요?"

"불가한 것은 아니지요. 결국 흙으로 돌아가야 그것을 인정할 테니까요. 하지만 그러기 전에는 서로 다르다고 고집만 피우며 고통 속을 헤매고만 있잖아요."

"그렇다면 나갈 방법도 알고 있다는 말인가요?"
"내가 생각하기에는 용서만이 모든 것을 해결할 것으로 봐요. 그것이 또 사랑의 완성점이거든요."
"그르지는 않은 말이군요. 하지만 쉽지는 않겠지요. 왜냐면 양보한다는 것은 생각처럼 쉽지 않거든요. 하물며 자신을 비운다는 것은 말이지요. 그러나 방법은 그렇게 말하겠지요. 기다리고 사랑하다보면 결국은 제정신으로 돌아올 것이라고요. 물론 그때까지는 탈을 쓰고 춤만 추겠지요."
얼마의 시간이 더 깊어지도록 술잔을 기우렸으나 둘의 사이는 좀처럼 가까워지지 않았다. 낙지는 이내 시내의 가게를 가야겠다며 일어섰고 순애는 집에서 기다리는 혁을 생각하지 않을 수 없었다. 어둠이 내린 거리는 그녀에게 외로움까지 안겼다. 유학이 떠나고 부도를 당하고 종래마저 곁을 떠났다. 이제는 낙지와 같은 일을 하면서도 그와는 물과 기름 같았다. 그의 열정도 이제는 동료의 탓인지 예전처럼 기고만장하지는 않았다.
낙지를 보내고 길을 걷기 시작했다. 막차의 시간이 지난 탓이었다. 하지만 괴정까지는 멀지도 가까운 거리도 아니었다. 어린 시절 학교를 뛰어다녔으나 엉덩이가 무거워진 뒤로는 주로 버스를 이용했다.
그래서 그곳까지 걸어가려는 심정으로 삼거리의 길에 다다랐을 때였다. 그녀의 옆을 무서운 속도로 다가오는 차가 보였다. 안은 전조등의 화려한 빛으로 인해 바라볼 수 없었다. 그녀는 보행자를 위협하는 운전자를 바라보며 눈총을 쏘지 않을 수 없었다. 그러나 위험으로부터 자신을 피하는 것이 우선이었다.
그런데 옆을 스치듯 달려온 차는 갑자기 앞에서 급제동을 걸었다. 멈춘 차의 운전석에서 얼굴에 짙은 색안경을 쓴 한 사내가 내렸다. 사과라도 하나싶어 그나마 긴장을 풀었다. 사내는 그녀의 곁으로 다가오더니 짙은 안경을 벗으며 입가에 미소를 피어 물었다.

"혹시나 했는데 나의 눈길은 정확했어. 나의 화살은 이제 목표점을 벗어나지 않거든."

"어느 미친 작자인가 했더니 기다리던 철새였잖아? 오랜 만에 돌아온 모습이 반갑기는 한데 마음은 그렇지 못하니 어쩌면 좋지?"

"얼굴에 때 아닌 복사꽃이 핀 것을 보니 혹시 버스가 지난 것은 아니지 모르겠는 걸?"

기학은 흔들거리는 그녀의 곁으로 다가오더니 중심을 잡으라는 듯 팔을 잡아주었다. 사내의 향기가 취기에 섞이었다. 그의 얼굴은 그녀의 의지와 상관없이 다가왔다. 그녀는 상체를 젖히었고 기학은 그녀를 차안으로 밀어 넣었다. 그들은 이내 강둑에 나란히 섰다.

"무슨 일로 나타난 거야?"

"철새가 무슨 일이 있어 날아오나?"

"호호, 그렇지? 오고 싶으면 오고 가고 싶으면 가는 것이지. 하지만 급히 차를 모는 모습을 보니 급한 일이 있었던 것 같은데?"

"물론이지. 더는 미루거나 놓칠 수 없는 일이니까."

"이곳에 누가 살지 않은 것으로 알고 있었는데?"

"네가 있잖아?"

"이젠 너까지 놀리려드는 거야? 하긴 임자 없는 노리개보다 못한 처지이고 보니 누구를 탓할 것도 아니지만."

"정녕 그렇게 생각하니? 나의 속을 너까지 몰라주는 거야? 너를 보낸 후 결심을 하고 온 내게?"

"결심을?"

"그래. 이제 너에게 사랑한다는 말을 다시하고 싶다. 그리고 나를 거두어달라고 말하려던 참이었으니 급할 수밖에. 어느 놈이 솔개처럼 채가게 할 순 없지 않겠어?"

순애는 지난 시간이 주마등이 되어 달리는 것 같았다. 철없던 시절 그와는 농병아리처럼 강물을 헤엄치고 놀았다. 갈대와 버들의 숲을 지날 때면 마치 숨바꼭질을 하던 것 같았다. 그녀는 병아리의 몸을 그에게 보였다는 것이 부끄러웠다. 모래사장을 그녀는 내달렸다.

그러다가 뒤를 돌아볼 때 그들은 하늘이 검어지는 것을 보았다. 머지않아 구름이 몰려오고 비바람이 불 것을 알았다. 그렇게 돌아간 것이 둘의 사이를 강물이 흘렀다.

그녀는 시야에서 새로운 농병아리를 보았다. 그와 놀다보니 예전의 농병아리는 이제 외각으로 밀려났다. 어느새 자란 새 농병아리는 멀리 어디론가 날아가고 돌아오지 않았다. 예전에 농병아리는 기억을 찾아 다시 돌아왔다. 순애도 산을 넘었다가 돌아온 뒤였다. 그들은 만남을 우연으로 생각할 수 없었다. 그들의 머리 위에는 어두운 밤하늘에 별들이 빛나고 있었다.

시내의 밤은 찬란한 조명이 성을 이루었다. 둑에서 보이는 강물에도 내려와 오색으로 물들였다. 그러나 물결은 이리저리 일렁거리며 빛을 찾았으나 검은 속살만 드러낼 뿐이었다. 그들의 시선도 이제는 더 강물처럼 일렁거리지 않았다.

기학은 고개를 들더니 밤하늘의 어둠을 한동안 바라보았다. 어둠을 보는 것이 아니라 별을 바라보는 지도 몰랐다. 그녀는 어린 시절부터 밤하늘의 별을 헤는 것을 즐겼다. 시골의 특성상 하늘은 그녀의 머리위에 있었다. 한동안 흐르던 침묵을 기학이 먼저 깨트렸다.

"끝은 시작과 다르지 않다지?"

누구보다 그를 잘 안다고 생각하고 있었지만 그런 말을 듣고 보니 진의를 의심하지 않을 수 없었다. 그도 사실 누구보다 그녀의 행적을 잘 알고 있지 않는가 말이다. 평소 그가 해온 말을 다 믿은 것은 아니었다. 아니 또 그럴 처지도 아니었다. 그런데 그는 하나이기를 주저 없이 말한다는 것이 반가움에 앞서 공포에 가까웠다.

그는 왔다가 언제 또 떠날지 모르는 철새였다. 먼 곳으로 떠난 철새만으로도 상처는 깊었다. 이제는 그 철새가 돌아오기를 기다리지도 않게 되었다. 그런 사실을 알면서도 그렇게 말하는 것은 희롱이 아니라 오욕에 가까웠다.

그래서 그녀는 아무런 대답을 하지 않았다. 그러다가 어이가 없다는 듯 코웃음을 흘렸다.

"아직도 사랑과 우정을 착각하는 것은 아니지?"

"그렇게 삼십육계를 잘 치다보니 계산도 삼십육계를 치는구나."

기학은 그녀의 냉소를 비웃었다. 주변의 어둠은 어느 것도 실체를 드러내지 않았다. 새벽이 되려면 아직도 많은 시간이 필요했다. 그녀의 침묵을 예상하였다는 듯 서두르지 않았다. 그것은 순애의 심정도 다르지 않았다. 반가운 말이기는 하였고 바라던 바였지만 그것은 장사일 수 없었다. 더욱이 기학은 그럴 수 없는 친구였다.

"아직도 상처를 잊지 못하는 거야? 흐른 세월이 얼마인데? 그것은 누구의 문제가 아니라 본인의 의지가 문제 아니야?"

"그렇지? 나도 한때는 그렇다고 생각도 했지만. 과연 그것이 나의 문제뿐으로 되는 일이겠어? 나는 그럴 자격도 마음도 없거든. 그저 모든 것을 어둠에 묻고 용서를 기다리는 심정이랄까?"

"용서라니? 그런 말은 탄동을 떠나면서 이미 받은 것이 아니야? 그리고 지난날 참고 받은 고통이 얼마인데 아직도 그렇지 못해 하는 말이지? 언제까지 과거에 얽매일 것이냐고."

"그런 말만 들어도 고마운 것이 사실이지만 흐르는 물을 거역할 수는 없지. 그저 흐르다보면 바다에 닿을 테니까."

"아니지, 서슬 파랗던 기개는 어디로 가고, 그렇게 꼬리를 내린 강아지가 되었냐고?"

그 말에 순애는 기학의 얼굴을 쏘아보며 생각에 잠겼다. 그의 말은 그른 것이 아니었다. 시련에 시달리다보니 자신도 어느새 순응하려는 마음이 앞섰다. 그것을 기학은 지적하였고 복원을 바라는 것이었다. 그러나 한 번 꺾인 기개는 예전의 힘이 아니었다.

그녀는 아직도 탄동에서 당한 오욕을 머리에서 지울 수 없었다. 그것은 검은 탄처럼 그녀의 머릿속에서 이리저리 그림을 그리었다. 그것은 불안을 떨치지 못한 그녀에게 압력이지 않을 수 없었다. 그런데 기학은 그런 사실은 이미 그곳을 떠나면서 소멸되었다는 것이었다. 그렇게 된다면 얼마나 좋았겠느냐 만은 그렇지 못했다. 기학의 말이 그른 것이 아니라 그녀는 그럴 수 없었다. 순애는 숨이 막힌 답답함을 터버리듯 말했다.

"그것은 주객이 전도된 짓이지 않아?"

"그럴지도 모르지. 그러나 중요한 것은 그것을 누가 정할 수 없다는 것이 아니겠어? 오직 한사람은 그럴지도 모르겠지만."

"과연 그럴까? 여기에 무엇을 강탈당했다고 가정을 해 보자고. 그런 짓을 한 사람에게 용서를 빌어야 할까? 아니면 그런 짓을 당한 사람한테 용서를 빌어야 할까? 모두들 당한 사람한테 용서를 빌어야한다고 말할 거야. 그런데 강탈한 자는 죄는 고백하려고도 하지 않고 용서를 하겠다고 말하니, 그런 말을 누가 믿겠냐고? 그래서 그곳을 떠났던 날로 용서는 받았다고 말하는 것을 믿을 수 없다는 게지."

"그렇다고 그 말을 누구에게 하소연하지? 네 스스로도 아플 뿐인데."

"그랬으면 좋겠지만 난 아니야. 그런 날 나 자신은 용서를 할 수 없거든."

"그렇다면 내가 모든 것을 용서해준다고 하면 되지 않겠냐고?"

"네가? 그 보다 더 고맙고 반가운 소리도 없다. 하지만 난 내 스스로에게는 결코 용서를 할 수 없다고 하면서도, 네 용서는 받아들이려고 하거든."

순애는 그의 시선을 방어할 힘이 흐려지고 있었다. 멀리 시골의 어둠은 더욱 짙었다. 가로등의 빛만이 선을 그리었다. 그녀는 시간이 너무 지체된 것을 알고 아쉬움을 토해내지 않을 수 없었다. 아직 미련을 떨치지 못한 기학이 차안을 가리켰다.

"빈손으로 올 수 없었지, 혁이 좋아할 선물을 샀다."

혁을 생각하는 모습이 끔찍스러웠다. 아이는 미래라는 말과 함께 필요하면 도움을 회피하지 말라고 덧붙였다. 그 말에 순애는 눈시울이 뜨거워졌다.

20,사랑

기학의 차로 집에 돌아왔을 때 방안에서는 한바탕 소동이 벌어지고 있었다. 저녁을 먹은 것이 체한 줄 알았는데 그것이 아니었다. 배를 쥐어짜는 듯 고통을 경주댁이 호소하자 급히 병원을 찾았다.

환자의 상태를 살핀 젊은 의사는 정밀검진을 해야 한다는 것으로 귀결 지었다. 사태의 심각성은 경주댁이 먼저 알았다. 과거의 통증을 혼자서 은폐한 귀결이었다. 마음 같아서는 경주댁의 우둔을 성토하고 싶었지만 메뚜기처럼 한 철 힘겹게 살아온 그녀에게 화풀이를 할 수 없었다.

“뭐, 귀한 보물이라고 꽁꽁 숨기었어요?”

“우리 살림에 병원비가 말이 되니? 나아지겠지 하는 우려가 이렇게 커질 줄 몰랐거든.”

“그처럼 어리석은 말이 어디에 있어요. 아무려면 사정이 아무리 어렵기니로 병이 커가게 놔두어야겠어요? 의사의 말이 정밀검진을 하자고 한 것은 조금만 늦었더라면 돌이키지 못할 순간을 맞이했을 테지요. 사람이 사는 까닭이 무엇이냐고요. 건강한 몸을 지키는 것이잖아요.”

“난 그렇지 않았다. 그런 고생이 단 것은 너나 순명이 있었기 때문이다. 하지만 고통에는 그 힘도 이젠 소용이 없더구나.”

“그것만은 아니잖아요. 자식한테 잘하려고 한 것은 그른 말은 아니지만 이렇게 고생을 하는 것은 그분 때문이 아닌가요? 어머니한테 그런 짐을 지웠는데도.”

“아니다. 네 아비가 불쌍한 것은 사실이지만 어디 너희들에게 비교를 할 수 있겠어? 이제는 너도 그런 시샘을 하지 않는 눈을 가져야지.”

“이런 지경에 그 말이 가당키나 해요?”

그때 회진을 온 의사를 보자 경주댁의 표정이 일순간 바뀌었다. 의사는 웃으며 고통을 잘 참는 것을 보니 걱정이 없다는 말로 용기를 주었다. 그러며 순애를 따로 불렀는데 결과가 심상치 않다는 말이었다.

순애는 그 말을 믿을 수 없었다. 마른하늘에 날벼락이라고 전일까지만 해도 일을 나갔던 그녀였다. 그런데 마음의 준비를 하는 것이 좋다는 말은 폭탄과 다르지 않았다. 그렇다고 그 사실을 경주댁이나 김씨한테 알릴 순 없었다.

그 사실도 알지 못하는 김씨는 탈처럼 웃음을 지을 뿐이었다. 오히려 경주댁을 바라보며 꾀병을 부리는 것은 아니냐는 말을 할 때는 기까지 막혔다. 그러니 집안의 일까지 관심이 없는 그에게 간병을 부탁하는 일은 상상도 할 수 없었다.

순애는 이런저런 일로 측은하기만 한 경주댁의 손을 잡았다. 손은 거칠었고 가죽은 뼈를 덮었다. 이토록 일과 고생만 한 삶이 측은할 뿐이었다.

경주댁은 그런 와중에도 아직 집을 돌아오지 않는 순명을 걱정했다. 그런 모습을 곁에서 지켜보던 김씨가 처음으로 바른 소리를 했다. 순명의 가출이 자신의 무능 때문이란 고백이었다. 그러나 경주댁은 그런 말에 동의를 하지 않았다. 자신이 교육을 제대로 시키지 못한 탓이라 변호했다.

그 말을 듣는 순간 순애는 이 모든 사태가 자신과 무관하지는 않다고 생각했다. 순애의 그런 표정을 읽었던지 김씨까지 나서서 그녀의 혼인문제를 꺼내었다. 순애는 펄쩍뛰며 자신은 이대로 평생을 살겠다고 고집을 피웠다. 한동안 생각을 하던 경주댁이 말을 꺼냈다

"멀리 간 사람을 기다리는 것보다 등잔 밑도 찾아보자."

순애는 그 말에도 고개를 가로저었다. 기껏해야 낙지나 이웃의 홀아비가 있을 뿐이었다. 대기석에 기학의 모습이 단정했다. 물론 경주댁도 기학의 출현을 싫어하지 않았다. 그러나 그것은 바늘구멍으로 낙타가 들어가는 일과 다르지 않았다.

그러나 전혀 그것이 불가능한 일만은 아니었다. 기학이 모든 사실을 이해하고 받아들이겠다는 말이었다. 다만 아직 순애는 그를 받아들일 준비가 되지 않았을 뿐이었다.

낮에 일을 하고 밤으로 간병을 한다는 것은 젊었다는 이유도 허물었다. 하지만 간병인을 쓸 형편도 되지 않아 순애가 무리를 하지 않을 수 없었다. 병실에서 새우잠을 자는 순애를 경주댁은 집으로 가라고 했지만 의사의 말을 기억하는 그녀로서는 그럴 수 없었다. 병실은 밤을 새는 사람들로 자리를 채웠다. 부인이나 아들이 간병을 하는 이도 있었다. 그녀는 그나마 잠을 잘 참는 편이었다.

잠을 쫓으려고 휴게실에 들렸다. 빈속을 채우려 우유도 샀다. 우유를 들고 빈자리에 앉는데 그녀의 곁으로 다가오는 사내가 있었다. 이른 시간에 나타난 낙지는 미소를 짓고 있었다.

"일에 충실해야 하는 데 효도를 다하니 말릴 수도 없고."

"걱정하지 말아요, 젊다는 것이 뭐겠어요? 용수철처럼 튀어 오르는 힘이지 않겠어요?"

"그렇기는 하지만,"

"새벽부터 무슨 일이죠? 나를 걱정해서 온 것은 아니잖아요."

"그 무슨 섭섭한 말을, 하지만 숨기지는 않겠어요. 당신을 용서한 사람이 나타났다고 하던데, 사실인지요? 그는 모든 죄인도 용서한다고도 하지 않던가요?"

"무슨 말인지 통 모르겠는 걸요?"

"헤헤, 아니, 되었고요. 그렇다는 사실을 들어보고 확인하려한 것뿐이었으니까. 그 정도만으로도 되었어요. 그는 차후에 만나기로 하죠."

낙지는 흡족한 표정을 지으며 이내 병원을 빠져나갔다. 순애도 긴 시간이 남아있지 않았다. 조금 있으면 밝아올 것이고 그녀는 가게로 갈 생각이었다.

그런 얼마 뒤, 순애는 가게의 앞에 도착했다. 그녀는 졸음을 달래기 위해 청소를 시작했다. 물론 매일 해온 일이었지만 밤을 샌 피로가 겹겹이 쌓였다. 물을 바닥에 뿌리고 빗자루를 들고 지난날의 먼지를 모았다. 매일 한 탓인지 먼지도 많지 않았다. 일의 결과가 미미해서 그런지 경주댁의 얼굴이 순간 지나쳤다. 밤을 새다시피 간병을 한 그녀에게 미안한 얼굴이었다.

'쉬지도 않고 일을 하면 나처럼 건강을 해치니 잠시라도 눈을 붙여야지. 아직 날이 다 새지도 않았잖아? 건강이 제일이라고 하지 않았어?'

순애는 그 말을 들으니 눈꺼풀이 한층 무거워졌다. 하긴 경주댁의 지적은 그른 것이 아니었다. 쌓인 피곤에 짓눌려 흐느적거리기보다는 상쾌한 상태로 배달을 해야 능률도 오르고 기분도 좋을 일이었다.

그녀가 젊음을 담보로 견딘 것이 벌써 며칠을 넘었다. 물론 간간이 새우잠을 경주댁의 곁에서 잔 것은 사실이지만 그것은 졸음을 잠시 미룬 것에 불과했다. 전신에 피곤이 한계를 드러내며 그녀를 쪽방으로 몰았다.

순애는 잠시만이라는 생각을 하지 않을 수 없었다. 눈을 감은 모습을 떠올리는 것만으로도 생각은 날개를 접는 것 같았다. 새에게도 그래서 둥지는 필요한 법이었다. 그녀가 자리를 찾아 허리를 펴자 모든 피곤이 몰려들었다. 이제 눈을 감고 잠시만 자고 나면 그러한 피곤을 자취를 감출 일이었다.

방안은 바닥이 따뜻한 온기를 가지고 있었다. 온기는 그녀의 식어버린 전신으로 말없이 전해왔다. 온 몸에 따뜻한 기운이 엄습하자 그녀의 날개도 더는 홰를 치지 않았다.

아니 어찌나 몸이 온기를 빨아들였던지 입은 옷까지 답답할 정도였다. 하긴 집에서 잠을 잘 적에도 그녀는 두꺼운 잠옷을 입지 않았다. 가슴 속에 열병 탓인지는 모르지만 추위보다도 더위를 견디기 힘들었다.

순애는 추위를 피한다고 목까지 잠갔던 단추를 그제야 생각했다. 단추를 끄르자 답답했던 가슴도 한결 편해졌다. 가슴이 편해지자 피곤은 드디어 그녀의 눈꺼풀까지 고인돌처럼 눌렀다.

그러나 아직 잠이 든 것은 아니었다. 생각은 낙지의 선견지명에 감사할 뿐이었다. 가게에 이런 쪽방을 이용해서 일하는 사람들을 위한 배려를 할 줄 아는 인간이라는 것이었다.

일이란 생각처럼 되는 것이 아니었다. 그런 그늘을 미리 대비하는 생각이야말로 부도를 피하는 방법이라 생각했다. 그러나 그의 칭송은 오래가지 않았다.

잠시 어둠이 눈앞에 내리는 가싶더니 생각은 어느새 꼬리를 자르고 도마뱀처럼 사라져버렸다. 생각을 한다는 것이 부질없다는 것처럼.

꿈속의 일이란 종종 현실과 다른 것을 체험하는 법이었다. 그녀의 피곤이 사라진 곳은 꽃들이 만발한 곳이었는데 순애는 들판을 천마처럼 달리지 않을 수 없었다.

꽃밭을 달리는 것처럼 기분이 좋은 일도 없었다. 만발한 꽃들이 그녀의 발에 쓰러지며 향기를 뿜어대었다. 꽃과 향기가 그녀만을 위해 그토록 아름다움을 피어 온 것 같았다.

그런 기분의 그녀는 이제 눈에 보이는 것이 없었다. 세상이 모조리 꽃밭인 줄 알았는데 꽃으로 가려진 해자를 미처 발견하지 못했다. 몸은 어둠의 구덩이에 떨어지고 눈은 하늘을 바라보았는데 구덩이의 입구처럼 동그란 하늘이었다. 그녀는 졸지에 갇힌 처지이지 않을 수 없었다.

순애는 답답하고 억울하다는 듯 목을 잡고 소리를 지르지 않을 수 없었다. 그러나 목에서 나오는 소리는 답답함을 가시게 하기에는 여간 부족하지 않았다.

그녀의 절규는 구덩이의 안을 메아리 칠 뿐이었다. 바깥으로 퍼지지 않는 이상 그녀의 위기를 알아줄 이가 없었다. 그렇다면 이제는 구덩이를 벗어날 길이 영영 없을 것 같았다.

벽은 금성철벽처럼 견고했고, 하늘은 둥근 구덩이의 원이었다. 하늘에는 별이 반짝이고 있었으나 그곳까지는 너무도 멀었다. 그녀에게는 이제 희망마저 남아있지 않았다.

하지만 희망을 놓는다는 것은 마지막을 의미했다. 그녀는 아직은 그런 생각을 받아들일 수 없었다. 아직은 혁이 남아있었기 때문이었다.

희망에 보답이라도 하는 듯 대롱속의 하늘에 작은 점이 나타났다. 자세히 바라보니 새가 분명했고 새의 눈은 탁월하지 않을 수 없었다. 구덩이의 안까지 알아보고 먹이를 찾아오듯 다가오는 것이었다. 새는 어느새 구덩이의 위까지 날아왔고 드디어는 안으로 내리더니 그녀의 곁에서 날개를 접었다.

그런데 더 놀라운 일은 그 새가 그녀가 그간 기름통에 넣고 구워낸 닭이라는 것이었다. 그녀는 순간 여간 미안한 마음이 들지 않았다. 구원을 부탁할 수도 없었다. 기가 질려 바라보는 눈길도 거두지 않을 수 없었다.

그런데 닭은 그러하지 않았다. 피하는 그녀에게 다가오더니 털이 없는 몸으로 그녀의 얼굴에 대었다. 타라는 것만 같았다. 순애는 미안한 마음도 버리지 못한 채 닭의 등에 몸을 얹었다. 그러자 닭은 하늘을 향해 긴 날개를 펼치었다.

털을 다 뽑힌 닭이 날개를 펼쳐서 무엇을 하려는지 궁금하지 않을 수 없었다. 그녀는 살며시 눈을 뜨며 날개를 바라보았다. 그런데 털이 없는 날개가 아니었다. 날개를 펼친 그곳에는 은빛의 세

밀한 깃털이 틈이 없을 정도로 돋아있었다. 그것은 세속의 그런 날개가 아니었다.

닭은 그 날갯짓을 한번 치자 구덩이를 벗어났고 두 번을 치자 어둠의 끝을 향해 치솟았는데 아마도 구만리는 날아간 것 같았다. 그런데 더 놀라운 것은 어둠의 끝이라고 여기었던 그곳이 어둡지 않다는 것이었다. 밝은 빛이 너무도 밝아 감히 바라볼 수도 없을 정도였다. 하지만 그녀가 떠난 구덩이는 너무도 어둡고 먼 허공으로 무서운 나머지 비명을 지르지 않을 수 없었다.

그러나 그 비명은 목에서 터지지 않아 답답할 뿐이었는데 가슴도 터질 것 같았다. 그녀는 저도 모르게 놀라 몸부림을 치지 않을 수 없었다. 그러는 찰나 눈은 떠졌고 눈에 보이는 정경에 그녀는 경악하지 않을 수 없었다.

그녀의 몸이 털이 모조리 뽑힌 닭의 신세였다. 털이 벗겨진 것은 비단 자신만이 아니었다. 나신의 그녀를 짓눌렀던 다른 닭이 피로 배를 불린 거머리처럼 스스로 떨어져 내리는 것이었다. 순애는 저도 모르게 악을 쓰지 않을 수 없었다.

"이 무슨 비열한 강도짓을 했지요?"

"흐흐, 이럴 마음은 없었는데 자는 모습이 너무도 편안했고 드러난 살결이 천사와 다르지 않았으니 내 잘못만은 아니지. 그런 모습을 외면하고 그냥 지나치려했었는데 그 생각이 떠오르질 않았겠어?"

"그 생각이라는 것이 이번이 기회이다. 욕심을 채워 보자가 아니었냐고요? 내가 그런 당신과 같은 배를 탔다는 것이 잘못이긴 했지만. 흑흑!"

"너무 억울하거나 슬퍼할 필요는 없지 않겠어? 내게 한 말이 생각나지 않아?"

"내가 뭐랬기에 그래요? 이러라고 하기라도 했다는 거예요?"

"용서를 받았다고 하지 않았어? 그렇다면 이 짓도 용서하지 못할 일은 아니라는 거지. 그렇지 않아?"

"누가 무엇을 하고 누가 용서를 했다는 거예요? 이 날강도 같은 놈을 누가 용서한다는 거지요? 그렇다면 당신과 다른 점은 뭐지요?"

순애의 악다구니에도 낙지는 기가 죽거나 물러서지 않았다. 오히려 그녀의 흥분이 더해질수록 그에게는 신명까지 불러일으키는 것 같았다.

"너무 흥분하지 말라고. 나도 그렇기에 당신의 죄도 묻지도 따지지도 않았잖아? 그래서 같이 공생을 도모하며 이렇게 행복을 구가할 수 있다고. 그러하니 용서란 대단히 성스러운 일인 것은 분명한 것 같아!"

"뭐라고요? 성스러워요? 남의 사랑을 짓밟은 것을 사죄하는 것도 모자라는데 그 짓을 용서하고 성스럽다고요? 그럼 강도와 다른 점은 뭐지요? 그들도 성스럽다고 해야 하나요?"

"아, 그것은 아니지. 강도는 파렴치범으로 그런 생각조차하지 못하는 그래서 흙덩어리와 다르지 않은 존재들이거든. 그러나 나는 그런 부류는 아니라는 거잖아. 설마 그렇게 여기고 있었나?"

"그렇지 않다고요? 당신은 장사밖에 모르는 속물이 아니라고 말할 수 있어요? 사람과 개를 구분하지도 않으며 이익을 남기는 짓이라면 물불을 가리지 않았잖아요. 입으로는 사랑을 말하면서 얼굴에는 늘 양의 탈을 쓰지 않았나요? 사실 그런 것을 모르지는 않았으나 차마 이럴 것이라고는 생각하지 못했어요."

"흐흐, 한 말이 다 맞지는 않지만, 그르다고 하지는 않겠어. 하지만 사람도 흙으로 만들었다는데 사람은 당연히 흙으로 돌아가야

하지 않겠어? 그러니 땅도 금을 가르고 네 것이다 내 것이라고 주장하며 돈을 주고 사고파는 것이지. 그러며 사는 게 세상인데 그 알량한 사랑에 목숨을 걸어야 하겠어?"

"알량하다고요?"

"그렇지 않다고 생각하는 사람은 아마 당신 말고는 없을 거야. 그래서 그들은 사랑도 돈으로 팔고사고 하지들 않아? 그러니 그들은 사랑의 고귀함을 모른다는 것보다 흙을 사고파는 습관에 익숙하다보니 그런 짓은 아무런 죄가 되지 않는 것이지. 나도 물론 그런 생각에 동조를 하니 당신이 그렇게 억울하게 생각하는 사랑도 살 수 있다는 말이지만."

"그렇다면 물어보겠는데 아직도 예전처럼 진주라고 생각하나요?"

"진주? 하하하하, 아직도 그렇게 생각해?"

"그럼, 진주는 변하기라도 하나요?"

"말하기는 뭐 그렇지만. 이제는 진주가 아니라는 것을 스스로 알잖아. 흙덩어리는 진주의 가치와 같을 수 없지."

순애는 파고드는 아픔을 주체할 길이 없어 통곡을 정방폭포처럼 쏟아내었다. 그러나 속과 달리 입술은 떨렸고 눈물은 말랐으며 독기만 뼈처럼 찔렀다. 그녀는 내심을 가릴 생각도 잊은 채 악몽만 되씹지 않을 수 없었다.

이제 그녀의 심정은 태풍에 쓰러진 갈대의 처지이지 않을 수 없었다. 이성은 감정에 혼돈을 일으키어 독기를 뿜어내는 힘이지 않을 수 없었다. 그런데 이상한 것은 그 독기가 예전의 독기와 다르다는 사실이었다.

충격적이지도 않았고 자책을 하는 강도도 강하지 않았다. 낙지의 말마따나 진주가 아니란 것을 증명하는 것 같았다. 하지만 그렇다고 강도에게 면죄부를 줄 수는 없었다. 수치심과 함께 복수가 일며 다음의 행동을 결단케 만들었다.
"이젠 오월동주의 관계까지 끝내지 않을 수 없지 않겠어요?"
"예상하고 있는 바이지, 하지만?"
"뭐죠? 나의 모든 것을 강도질하고서도 아직 빼앗아갈 것이 남기라도 하나요?"
"빼앗다니. 나라고 염치가 없는 줄 알아? 이것은 강도질이 아니라 정의롭고 평등하며 우호적인 정산을 생각했다는 말이지."
"정산이요? 이런 꼴을 보고도 그런 말이 나와요?"
"조금 전에 말했잖아. 이제는 더 이상의 진주의 가치가 아니라고, 그런데 부도를 대체하자는 것은 정의로운 법이 허용하지 않잖아?"
"법이라고요?"
뻔뻔한 여유를 흘리는 사내를 상대로 이야기를 한다는 것은 처음부터 불가능한 일이었다. 하긴 시내에서 흙을 묻히고 살아온 인간에게 그러한 짓은 어렵지 않게 겪은 일이었고 그런 부류의 여자들은 그런 대우에도 감사한다는 것을 모르지 않았다.
하지만 순애의 경우는 달랐다. 진주보다 고귀한 무엇을 훔치고도 흙덩어리로 치부하는 사내의 생각을 도저히 받아들일 수 없었다. 그것이 그녀가 아는 사랑이었다.
그런데 더 가관인 것은 그러한 짓을 저지르고서도 전혀 죄책감을 찾을 수 없는 것이었다. 아니 죄책감은 고사하고 벌써 혼자서 면죄부이니 용서이니 성인이니 하고 지껄이는 꼬락서니를 두고 볼 수 없었다. 그래서 더욱 그녀는 분노하지 않을 수 없었고 흥분을 가라앉히지 못하는 까닭이었다.
순애는 그러나 언제까지 이렇게 누워있을 수만은 없었다. 혈루를 흘리는 심정을 억누르며 옷매무새를 단정히 하지 않을 수 없었다. 낙지는 어느새 옷을 다 정리한 후였다. 그는 밖으로 나아가려다가 뒤돌아보며 다시 확인을 하듯 말을 던졌다.
"지금은 모든 잘못을 용서하고 사랑하는 세상이니 더는 쓸데없는 생각을 하지 말고 연줄에 노예처럼 순종하며 사는 게 좋을 거야. 그것이 꿩 먹고 알 먹는 일이지 않겠어?"
"알까지 먹겠다고? 도대체 당신은 사람인가요? 아니면 악마인가요?"
"흐흐, 말하지 않았어? 흙덩어리일 뿐이라고."
"네, 맞아요. 그런 것 같았어요. 그렇다면 용서도 할 그럴만한 가치도 없다고요."
"용서라고? 그런 것은 걱정하지 말라고. 당신이 아니라 하더라도 얼마든지 넘치고 그런 사람이 내게도 곧 나타날 테니까."
"곧 나타난다고요? 도대체 그가 누구란 말이죠?"
"그것은 차차 드러날 일이고 그는 이 일을 성스럽게 마무리 지을 것이라고 난 확신하거든."
순애는 낙지와 언쟁을 하면 할수록 자신은 좁은 길을 가는 것만 같았다. 그 길은 험난했고 위험스러운 길이었다. 그렇다고 편하고 좋은 길은 그녀에게는 주어지지 않은 것 같았다. 순애는 말을 마치고 돌아서 나가는 사내의 뒷모습을 노려보았다.
그의 말마따나 멀어지는 뒤통수가 흙덩어리처럼 검게 보였다. 그녀는 사내의 죄악은 심판으로 단죄하지 않는다면 사랑의 믿음은 허상이라고 생각했다. 그것은 그녀의 믿음이었고 고목과 다르지 않았다. 순애는 창가의 돌덩이를 들고서도 항의를 할 수 없었다. 그 사실이 너무도 허전하고 억울하지 않을 수 없었다. 그러면서도 생각이 잡고 있는 것은 복수라는 것뿐이었다.
'복수를 받아들이지 않고는 사랑을 이해할 수 없지 않겠어? 그것은 배신한 그에게 생각한 것처럼 낙지에게도 다르지 않은 까닭이

지.'

'네가? 그것이 그렇게 쉽겠어? 결행은 차제하고서라도 그 결과를 감당하겠냐고? 그것이 오메가가 아니란 것을 지금껏 겪었으면서도 모르겠냐고? 그리고 너 자신도 이미 깨어진 진주라는 사실을 부인하지 못했잖아. 깨어진 진주가 흙덩어리와 다른 바가 뭐냐고. 그러니 알량한 복수보다는 체념이 더 낫지. 그래야 너도 낙지의 빚으로부터 자유로워질 수 있는 명분이 생기잖아.'

순애는 스스로를 달래지 않을 수 없었다. 복수를 하기에는 그녀는 스스로를 돌아보지 않을 수 없었다. 그리고 깨어진 진주는 흙덩어리와 다르지 않다는 것을 인정하지 않을 수 없었다.

새벽의 사건은 복수심도 일으키지 못하고 그렇게 마무리 지어지고 있었다. 이제 그와 오월의 동주도 끝이었다. 그녀는 자리에서 일어나 자신의 짐을 가방에 집어넣었다. 가방은 잠시 후에 공처럼 불룩해졌다. 그러나 그녀는 가방을 들고 곧바로 집으로 향할 수 없었다.

그날의 사건을 발설을 할 수도 없을 뿐 아니라 이른 시간에 가방을 든 그녀를 보기라도 한다면 또 부도를 맞아서 도망을 치냐고 희롱을 걸 것만 같았다. 그래서 그녀는 우선 낮은 몸을 피했다가 어두운 밤에 집으로 갈 생각이었다.

하지만 그런 몸과 마음으로는 어디에도 갈만한 곳이 마땅치 않았다. 미장원의 명자는 물론이요 뚱보조차도 그녀는 피하지 않을 수 없었다. 그렇다면 한적한 강변이 그녀에게는 남아있을 뿐이었다. 순애는 꾸려진 가방을 구석에 두고 강변으로 발걸음을 도둑고양이처럼 옮겼다.

강변은 세월의 변화를 거부하는 곳 같았다. 그 뿐만이 아니었다. 상처와 흔적도 말끔히 지우는 곳이었다. 그래서 그런지 순애는 강변을 오는 것만으로도 악몽을 지워버리는 착각을 일으킬 정도였다. 하지만 그것은 그녀의 바램 일 뿐이었다.

강변의 모래를 밟으며 물가로 다가갔다. 강물은 오늘도 어김없이 바다로 흐르고 있었지만 수면은 거대한 호수를 연상시켰다. 바람에 흔들거리는 수면으로 햇살이 쏟아져 내렸다.

검푸른 수면은 햇살이 거북스러웠던지 일렁거리는 조각에 모조리 토해내었다. 그래서 수면은 알 수 없는 커다란 물고기의 비늘처럼 반짝거렸다.

하지만 순애의 마음은 그런 빛도 받아들일 수 없었다. 앞일을 생각하면 빛은 고사하고 깊이를 알 수 없는 강 속과 다르지 않았다. 깊이를 알 수 없는 강 속은 검은 탄동이었다.

순애는 이 강변과 시절을 다 보냈다 해도 과언이 아니었다. 친구들은 물론이고, 경주댁이나 순명과도 가끔 거닐 던 곳이었다. 그때는 밤이 깊어가는 줄도 몰랐다. 어두운 밤하늘에 별들이 총총할 때 집으로 돌아가야 한다는 것을 알았을 뿐이었다. 그럴 때 순애는 밤하늘의 별을 바라보았다. 그러나 지금은 현란한 햇살이 쏟아질 뿐이었다. 그늘을 지우는 구름도 거리가 멀 뿐이었다.

순애는 강변으로 다가가 손에 물을 묻혔다. 물 비린 냄새가 코를 찔렀지만 그것은 잊어진 냄새였다. 그런 냄새를 좋아하는 것은 주정뱅이뿐이었다.

하지만 그것보다 더 좋아하는 일이 나타났다. 좋아하는 술과 춤이 김씨를 삼켜버린 것이었다. 그때만 해도 어린 마음과 경주댁의 의견이 동조를 이루었다. 살림을 망친 아픔의 위안을 찾았다는 것이었다.

그러한 생각은 한동안 이어졌다. 한 번 머리에 들어온 생각을 바꾸기란 날씨와 같지 않았다. 김씨를 대할 적마다 먼저 색을 칠하는 것이 선입견이었다. 그의 진실은 아랑곳하지 않았다. 의례 그러할 것이라는 생각은 구석으로 몰아붙였다. 그리고 우연하게도 그런 일을 반복하는 김씨를 보면 그런 미움은 정의란 바위를 만들었다. 하지만 그런 생각이 바뀌기 시작한 것은 탄동을 안후부터였다.

어둠은 진실과 거짓의 실체를 드러내지 않았다. 하나이되 하나이지 않다는 것을 처음으로 알았다. 하지만 낙지의 소행은 결코 하나를 이룰 수 없는 짓이었다. 그런데 문제는 그러한 것을 알면서도 그러하게 살아갈 수밖에 없다는 운명이었다.

그녀가 아무리 억울하다고 하여도 사람들은 믿지 않을 일이었다. 그러며 그녀의 진실과 그의 소행을 섞어댈 것이었다. 그리고 컵 속의 진실을 찾으라고 할 것이었다. 그들에게 진실은 중요하지 않았다. 오직 진주를 탐내는 쾌락만이 진위를 판정할 뿐이었다.

순애는 이제야 김씨의 탈을 이해할 것 같았다. 그러며 그런 사실도 알지 못한 지난날의 어둠을 받아들이지 않을 수 없었다. 그것은 그의 행위를 닮는 일이었다.

비로소 순애의 얼굴에 근심이 구름처럼 사라지고 미소가 피어났다. 그런데 그런 의도와는 달리 묘한 심술기마저 떠올랐다. 그것은 그런 것도 모르는 사람들을 사랑하자는 생각이었다. 그것은 혼미한 생각을 지우며 밝은 햇살처럼 쏟아져 내렸다. 그녀의 근심어린 얼굴은 어느새 탈을 닮아갔다. 기우는 사라지고 미소만이 얼굴을 덮었다. 그녀는 절로 자리에서 일어나 춤을 추지 않을 수 없었다.

이제는 아픔의 상처나 악의 복수 따위는 있을 수 없었다. 지난날의 상처는 이제 여유로 치유가 되는 것 같았다. 그녀의 그러한 모습을 훔쳐보는 어둠의 눈동자가 있었다. 그 눈동자는 실체를 이내 드러내려하지 않고 한동안 더 상황을 살폈다. 그녀가 한동안의 춤을 끝내자 드디어 존재를 드러내었다.

"달밤에 춤을 춘다는 소리는 들었어도, 대낮에 이런 모습은 처음인 걸?"
목소리의 주인을 찾아보니 기학이었다. 그녀는 깜짝 놀라며 정색하지 않을 수 없었다.
"어떻게 알고 여기에?"
"낚시꾼은 물가와 버들가지를 등한히 하는 법은 아니지. 큰 고기는 그런 곳을 좋아하거든."
"낚시까지 즐기는 줄 몰랐다. 그래 고기는 많이 잡았어?"
"많이 잡아 뭐하지? 그리고 진정한 낚시꾼은 고기를 잡지 않아. 고기에게 잡히지 않으려 할 뿐이지."
"고기에게 잡힌다니 네가 제 정신으로 하는 소리이니?"
"제 정신이라면 낮에 강변에서 이리 춤을 추겠어?"
기학의 말에 그녀는 웃지 않을 수 없었다. 하긴 그의 말은 그르지 않았다. 그는 모자를 눌러쓰고 낚싯대를 가지고는 있었으나 손에는 고기가 있지 않았다. 행여 강태공처럼 곧은 낚시를 한지 몰라 다시 묻지 않을 수 없었다.
"그래 고기는 잡았다는 거야? 아니면 잡혔다는 거야?"
"손이 비었으니 잡혔다고 하는 것이 솔직하겠지?"
"그런데 여기에 온 사람은 뭐지?"
"나? 흐흐, 허깨비이지."
"그럼, 허깨비는 두고 나는 갈 곳이 있어 먼저 갈게. 피곤한 얼굴인데 쉬었다가 천천히 와. 이곳은 고향이잖아?"
"아니, 나도 병원에 가 봐야지."
"참, 상태는 많이 호전된 것 같아."
"그것이 아닐 텐데? 석양의 일몰이 그렇게 아름다운 까닭을 몰라?"

"그렇다고 고래심줄이 썩은 동아줄일 순 없잖아?"
"고래심줄이라니? 어머니에게 다른 얘기라도 들은 거야?"
"아니, 용서를 한다는데 무슨 말인지?"
"그래? 나도 들었어야했는데."
"뭐라고?"
"차츰 얘기해 줄게, 하지만 오늘은 내가 몸이 세 개라도 모자라겠어. 나중에 보자."
기학은 자리를 털더니 짐을 들고는, 발걸음을 서둘렀다. 그가 어디를 가는지는 모르지만 바쁜 것만은 분명했다.

제5편 그림자는 날다

21,노모

위기의 경주댁을 생각하니 한가한 처지도 아니었다. 하지만 그녀가 병원에 나타나면 직장을 염려할 것이었다. 위기를 벗어나는 데는 거짓말보다 나은 것은 없었다. 휴가를 얻어 들렸다는 것으로 둘러댈 요량이었다. 그녀가 병원에 도착하자 경주댁의 표정은 예상을 뒤엎었다. 밀리는 고통에 사경을 헤맸던지 한숨부터 토했다.

“너를 시집보내기 전에는 죽을 수도 없는데.”

“그게 무슨 뚱딴지같은 말이지요?”

“한시도 잊을 수 없는 생각이 아니겠어? 요즘 그 사람은 만나지 않아?”

“그 사람이라니 누구요?”

“네, 친구이지.”

“서로 바쁘잖아요. 그도 시골에서 살려니 간단한 일로만 살아갈 수 없지 않겠어요?”

“맞다. 문득 생각해봤을 뿐이다.”

“기학을 평소 탐탁하지 않게 생각하지 않았어요? 그런데 새삼스레 무슨 관심을?”

“내가 너무했단 말이다.”

“그래요? 그렇다면 그가 좋다면 허락할 생각이고요?”

“얘는, 내가 언제 반대를 했다고. 다 부질없는 짓인 걸 가지고.”

경주댁은 그 말을 하고는 다시 고통을 입에 물었다. 간호사가 달려오고 진통제를 맞고서야 겨우 잠에 들 수 있었다. 하지만 순애의 마음은 그런 고통에 물들지 않았다. 그 정도의 말이면 반승낙은 떨어진 셈이었다. 그렇게 그날의 하루는 어둠으로 접어들었다.
어둠을 기해 짐을 옮기기 위해 다시 가게를 찾았다. 시간이 늦은 터라 안막은 차들도 사라졌고 바쁘던 일손도 어둠처럼 멈췄다. 문을 닫은 가게에 빈 방을 열었다. 그리고 그녀는 가방을 들고 밖으로 나왔다. 우뚝 선 건물이나 전신주에 붙은 희미한 조명이 길을 밝혀주었다. 어둠을 틈타 가방을 가지고 나서는 일이 이번이 처음은 아니었다. 다만 가는 방향이 달랐다.
짐을 들고 나서는 마음도 같지 않았다. 무거운 짐처럼 마음이 무거운 것은 사실이었지만 기분은 사뭇 달랐다. 삼십육계의 병법을 넘어서는 탈의 미소가 그녀의 속셈이었다.
하지만 그 전술을 믿는 사람은 보이지 않았다. 그래서 어둠을 선택했고 실행을 마다하지 않았다. 입은 옷의 빛깔도 화려하지 않다는 것이 어둠과 하나였다.
순애는 주변을 살피며 지름길로 접어드는 데 옆으로 걸어오는 검은 물체가 보였다. 걸음걸이가 흐느적이고 중심을 잡지 못하는 것을 보니 취객이 분명했다. 그녀는 자기도 모르게 한숨을 내쉬며 취객을 노려보았다.
늦은 시간에 여자를 노리는 강도만 아니라면 하는 생각인데 조명에 드러난 얼굴은 놀랍게도 김씨였다. 그녀는 아버지를 보는 순간 화보다 한숨이 앞섰다. 그가 왜 이 시간에 여기에 나타났는지 따져볼 겨를도 없었다. 분노를 입술로 누르며 허탈한 심정을 한숨으로 뿜었다.
“아직도 이러면 어쩌자는 거지요?”
자신의 손에 가방이 들려있다는 것도 잊은 채 팔을 잡고 흔들었다. 그러자 김씨는 그제야 정신이 든다는 듯 겸연쩍은 웃음을 보였다. 그러나 그의 입술은 변명을 발랐다.

"아픔을 잊으려 한잔을 한다는 것이 이렇게 되었다. 그런데 술이 들어가자 잊으려고 한 악몽은 사라지지 않고 오히려 나를 놀리고 있지 않겠어?"

"뭐가 악몽이고 누구를 놀려요? 취하니 나타나는 병환인데."

"병환? 그렇지. 그것을 이해하는 사람은 그 사람뿐인데 아직도 병상에서 일어나지도 못하니 내가 이렇지 않을 수 없었던 게지. 차라리 죽음이란 자비를 내게 내렸어야 했는데."

"죽음이 자비스럽다고요? 취하시니 못하는 말이 없군요. 어머니에게 죽음은 자비가 아니잖아요. 그것도 구별하지 못하게 마신 술은 이제 구재불능이고요. 제발 건강까지 버리는 그런 자학을 하는 까닭이 뭐냐고요?"

"까닭은 무슨, 다만 아쉬울 뿐이지. 그러니 어리석을 수밖에 없고."

대답을 듣는 순간 순애는 한 생각이 떠올랐다. 강변에서 춤을 추었던 순간이었다. 그녀는 그제야 김씨의 진면목을 알 것 같았다. 그래서 그녀는 그의 뜻에 자신도 모르게 동화되고 있었다.

"아니에요, 아버지는 그런 분이 아니잖아요."

"아니라고? 그렇게 생각해주는 것만도 고맙구나. 하지만 보다시피 이런 모습이 설마 자랑스럽다는 것은 아니겠지?"

"자랑스러운 걸요? 그리고 저도 그렇게 되고도 싶고요."

"그건 안 된다. 이 모습 이대로가 좋지 않더냐? 이제는 너도 좋은 사람을 만나서 가정을 이루면 될 터인데 애비를 닮겠다고?"

"그 아버지에 그 딸인 것은 당연하잖아요."

"이런 모습은 나 혼자로 족하다."

순애는 김씨의 진면목을 보는 것 같았다. 그런데 그 모습은 고독일 뿐이었다. 아무도 그를 알아주지도 않았고 심지어는 미치광이로 손가락질을 해댔다. 그런데 그 모습이 전혀 낯설지 않았다. 그러나 순애는 다음을 생각하며 고개를 끄덕이지 않을 수 없었다. 그녀는 그렇게 살아갈 자신도 없었지만 더 밝은 미래를 꿈꾸기 때문이었다.

"그런데, 넌 이 시간에 무슨 일이지? 그리고 가방은 뭐고? 어디를 다시 가려는 것이냐?"

김씨는 그녀의 행동을 이해하지 못하겠다는 듯 잠시 말문을 닫았다. 그녀의 곁으로 다가오더니 가방을 빼앗으려고까지 했다. 그가 내미는 손도 경주댁처럼 거북이의 손으로 갈라지고 터진 것이었다. 그의 손을 바라보자 가슴이 뭉클하고 코끝이 시렸다. 하지만 옷을 보니 거리를 뒹구는 낙엽과 다르지 않았다. 그렇다고 가방을 지킬 수 있는 형편도 아니었다. 가방을 물끄러미 바라보는 그녀의 얼굴에 골이 깊이 패었다.

그의 삶도 곤고한 사정을 피하지 못했다. 경주댁의 전언에 의하면 그가 태어난 곳은 먼 어느 산골이었다. 산골을 찾은 것은 전쟁을 피하기 위한 수단이었다. 전쟁은 피할 수 있었지만 그 후폭풍은 피할 수 없었다. 살려는 의지는 화전을 일구었고 굴피껍질로 비를 피했다. 그런 속에서 어린 시절을 보낸 그에게는 성실 말고는 친구가 없었다. 묘목처럼 커갈 때 그의 부모는 가난을 벗어나기 위해 다른 곳을 찾았다. 때마침 이웃에 노다지를 캐러 모여드는 사람들이 보였다. 그런데 그 노다지는 똥색이 아니라 검은 색이었다.

검은 노다지는 수많은 철새들을 불러 모았다. 비록 어둠의 길이었지만 결과는 밝았다. 가난은 빛에 사라지는 어둠과 같은 것이었다. 그렇게 가난을 이긴 사람들은 그것으로 만족하지 않았다. 철새는 오고갔지만 둥지에는 오래 머물지 않았다. 그는 둥지를 버리고 철새를 따라 이곳까지 왔다는 것이었다.
철새들이 모여든 이곳은 산골과 근본적으로 달랐다. 살아가는 즐거움과 방법을 찾아 헤매었다. 이웃에서는 그가 성실하다고 칭찬이 자자했다. 성실은 결실을 헛되이 하지 않는 법이었다. 거기에 산골의 순박함은 이웃을 남같이 여기지 않았다. 평소 술과 사람사귀기를 좋아한 그로서는 이제 부족한 것도 없었다.
그러나 흠과 어둠은 곳곳에 존재하는 법이었다. 한창 살림에 재미를 붙이는 경주댁에게 뜻하지 않은 경고장이 손에 쥐여졌다. 그녀의 눈과 입에서는 불길을 뿜었지만 이미 엎질러진 물이었다. 화목이 깨어진 가정에 그는 맨 정신으로 들어올 수 없었다. 여기저기를 기웃거리다가 생기는 공술로 겨우 얼굴을 들 힘을 얻었다. 하지만 밤마다 가위에 눌리는 경주댁을 바라볼 수 없었다.
일말의 양심이 남았던지 그는 어느 날, 거나히 취한 상태로 탈을 쓴 채 집을 찾아들었다. 그것을 바라보는 순간 경주댁은 가위에서 해방이 되는 느낌과 현실을 이해하게 되었다.
경주댁은 고개를 숙이는 그에게 탈은 어디서 났냐고 묻지 않을 수 없었다. 탈을 벗은 김씨는 한동안 아무런 말을 하지 않다가 약장사를 찾은 사연을 들려주었다. 그가 방황을 안고 헤매다 만난 곳이 강변에 자리한 가설극장이었다.
말이 좋아 가설극장이지 약장수라는 말이 옳았다. 그들은 탈을 쓰고 공연을 하면서 막간으로 약을 팔았다. 평소 그런 약을 믿지 않은 그에게 약장수는 이렇게 말을 더했다.
'이것을 거짓이라고 생각하지만 그것은 진실이라는 말과 다르지 않은 것이지. 만일 인간을 진흙으로 만들었다고 하자고. 그 말을 믿지 않는 사람의 눈에는 그렇지 않겠지만 믿는 사람의 눈에는 그것이 다를 게 뭐가 있겠어. 아니라고 하는 것은 선택이지만 그렇다고 하는 것을 아집이라고만 매도할 수 있겠냐는 거지. 탈을 쓰고 공연을 하다 보니 이런 야릇한 생각이 들던 걸. 한 번 써 볼래?'

'잠깐만, 그러면 가짜와 진실의 구별은 없는 셈인가요?'

'하하, 그것은 차차 겪어보면 알지 않겠어?'

그런 이후부터 경주댁은 더는 김씨를 닦달하지 않았다. 행여 자식들이 항거하는 것도 못마땅해 하는 것이었다. 그런 경주댁의 강직을 모르지 않는 그녀도 지금까지 말을 꺼내지 않았다. 순애는 그런 모습을 이해하듯 기학의 얼굴도 떠올렸다. 그도 김씨처럼 할지는 모르겠지만 기대감을 저버릴 수 없었다.

그는 자신의 아픔을 기꺼이 이해한 사람이었다. 타인의 잘못보다 자신의 흠결에는 엄격한 사람이었다. 그래서 그녀가 그에게 선불리 접근하지 못했던 것도 무관하지 않았다.

기학은 순애의 눈을 똑바로 바라보는 것 같았다. 순애는 눈이 부시다는 듯 고개를 숙이지 않을 수 없었다. 그러면서도 아직 풀리지 않는 의문이 있었다. 그가 그녀를 용서하듯 그녀는 유학을 용서하지 못한다는 사실이었다. 그녀는 김씨의 탈처럼 웃지 않을 수 없었다.

'내가 너무 이기적인가? 그렇다면 큰일인 걸? 기학을 무슨 낯으로 볼 것이지? 하지만 그 문제는 기학과 상관도 없잖아. 용서를 받았다고 무작정 용서하라는 거야? 그것참 편리한 생각이군.'

순애는 기학의 태도에 당당히 맞서듯 생각을 이어가고 있었다. 용서를 하지 않는다면 그도 생각을 거둘 것도 같았다. 순애의 생각은 지는 낙엽의 처지가 되지 않을 수 없었다.

'생각을 바꾼다는 것이 말처럼 쉽지 않군. 더는 사랑이니 용서이니 하는 말을 하지는 않을 거야. 어느 것이 이기든 나는 주인이지

않잖아? 다만 어머니란 말만 들을 수 있다면 이대로가 좋지 않겠어?'
'경주댁도 용서했다고 하던 걸?'
'그녀도 아직 고향을 찾지 않았잖아. 아직도 눈은 애꾸이고. 그러니 그런 소리를 했을지 모르지.'
'그럼 탈의 저 미소는 뭐지?'
순애는 질문에 답을 찾듯 김씨의 얼굴을 바라보았다. 김씨는 그녀의 생각은 아랑곳하지 않고 가방을 들고 앞으로 걷기 시작했다. 그러나 걸어가는 걸음걸이는 안정적이지 못했다. 기우뚱거리는 모습이 여간 우습지 않았다.
순애의 마음은 이제 구름 속으로 들어가는 달이지 않을 수 없었다. 기학의 말은 그르지 않았다. 그녀를 용서했듯 유학을, 아니 김씨를, 아니 낙지를 용서하자는 마음도 들었다. 하지만 아직 그것은 짐을 놓은 손처럼 가볍지 않았다. 그녀는 그제야 낙지가 한 말을 기억해내었다. 용서야말로 성스럽다는 것이었다. 그런데 그 생각은 다시 오래가지 못했다. 낙지는 그러한 사실을 미리 알고 그녀를 강탈한 것이었다.
'그렇다면 용서는 성스러울 수 없지. 그것까지도 그렇다는 것은 아니잖아? 흙이 아니라면 말이야.'
어둠은 탄동의 노파의 얼굴을 끌고 왔다. 그녀는 아직도 돌아오지 않는 자식을 기다린다고 했다. 그녀는 구걸을 하며 기다리고 있었다. 생활은 고달플지라도 기개는 휘지 않았다. 어둡지만 어둠을 원망하지 않고 사랑하는 것 같았다. 순애는 고통에 시달리면서도 그녀를 생각하는 경주댁을 바라보는 것만으로도 눈물이 나왔다. 하지만 얼어붙은 입은 열려지지 않았다. 그때, 김씨의 말이 그녀의 생각을 잘라버렸다.

"그자가 나를 찾아왔지 뭐냐?"
"그자라니요?"
"피자 사장. 진작 인사를 했어야 하는 데, 그러지 못해 미안하다며 술집으로 데리고 가더구나. 영문을 모르는 표정에 동료의 사장으로 인사가 늦었다는 거야. 하지만 난 그것이 공술이 아니라는 것을 알았다. 공술도 때와 장소가 있는 법이거든, 낚싯밥인 줄 눈치를 채자 술이 넘어가야지. 그러자 그자가 자리에서 일어서더니 덥석 절을 하려는 거야. 당황해서 만류하지 않을 수 없었지. 사내는 탈춤을 좋아한다며 기회가 있으면 배우고 싶다는 거야. 하지만 난 그런 사람이 아니잖아? 거절을 하자 탈춤이라도 한 번 추어보고 싶다고 하지 않겠어? 그것이라면 술값으로 좋다는 생각에 마시지 않을 수 없었지."
"그 자는 왜 탈춤을 추어보고자 했을까요?"
"글쎄다. 그것은 모르지만 유심히 바라보며 즐거워하는 표정이었다."
"하도 변덕이 심한 인간이니 조심하라고요."
순애는 김 씨의 말에 양의 탈을 쓴 낙지의 얼굴을 지울 수 없었다. 그에게 용서란 말은 적합하지 않았다. 적어도 그녀는 그럴 자신도 없었다. 그녀에게 사랑은 희망이었지만 그것은 그녀를 희롱하며 비켜가는 것이었다. 유학이 그랬고 종래가 그랬다. 이제는 낙지마저 그녀를 피폐하게 만들었을 뿐이었다. 그런 그녀가 이제 기댈 수 있는 것은 기학뿐인 것 같았다. 그녀에게는 그것이 마지막이었고 이제는 그것을 모두 바라고 있었다. 다만 아직은 그럴 수 없는 것은 그의 사정과 집안의 사정이 그렇지 않았다. 하지만 그것은 다가오는 여명과 다르지 않았다.
김씨가 술이 깨어간다는 듯 발걸음을 앞으로 움직이기 시작했다.

그는 길이 어둡다는 것도 두려워하지 않았다. 익숙한 걸음으로 앞서갈 모양이었다. 순애는 걱정이 앞서며 어두운 앞을 바라보았다. 가로등도 없는 길은 한 치도 앞을 내어주지 않는 것 같았다. 그럴 때는 방법이 있었다. 밤하늘의 별자리를 이용해 방향을 잡아 갈 셈이었다. 순애는 자신도 모르게 하늘을 쳐다보았다. 하늘에는 어둠을 비웃기라도 하듯 별이 총총했다.

“별이 아름답기도 하죠?”

“그럼. 아름다운 것은 보이는 것보다 공평하게 돌아간다는 것이지. 그래야 아름다운 것이 아니겠니?”

“공평하다고요?”

“그렇지. 그래야 사랑도 하고 미워하지도 않잖아.”

“그런데 왜 우린 그렇지 못하지요?”

“그렇지 못하다니. 난 그렇지 않은 것 같은데?”

“뭐라고요? 호호, 이제는 술을 마시지 않아도 탈춤을 추자는 것 아닌가요?”

“가방을 들고 춤을 출 수나 있겠어?”

순애는 삼거리를 뒤로하고 길을 걷기 시작했다. 물론 김씨가 곁에 있기에 무섭지도 않았다. 그녀는 문득 김씨의 곁으로 다가서더니 귀에 대고 나직이 물었다.

“그간 어머니가 밉지 않았어요?”

“밉다니? 그게 무슨 말이냐?”

김씨는 까닭을 모르겠다는 듯 눈길을 주었고 순애는 짓궂게 한쪽의 눈을 찌푸렸다. 그러자 김씨는 입가에 빙그레 미소를 지었다. 오히려 궁금해진 것은 순애의 장난기였다. 이를 모를 리 없는 김씨는 정색하며 말을 이었다.

“밉다는 것이 없으니 용서고 뭐도 없더라. 서로 필요한 수족인데 밉다고 잘라내겠어? 그것은 탈을 쓰는 짓과 다르지 않은 짓이지 않겠냐고. 이제야 탈춤을 조금 이해할 것 같다. 하나를 진정 이루지 않으면 얻긴 힘든 일이거든."

"그래서 하나를 이루었어요?"

"그게 어디 생각처럼 쉽겠어? 고난을 당해도 어려운 법인데 식구들도 이상한 소리만 해대니 도움이 되어야지."

"그럼 이제 어떻게 하지요?"

"아직은 모르겠다만 어두운, 어렵고 힘든 겨울을 견디지 않으면 싹은 봄이 고마운 것을 모르는 법인데."

순애는 김씨의 말에 힘을 얻는 것 같았다. 고난이 두렵지 않은 까닭이었다. 어둠속의 김씨의 그림자가 크지 않을 수 없었다. 그녀는 순간 아랫배에 야릇한 신호를 받았다. 주변을 살필 여유도 없이 급히 허리의 단추를 끌렀다. 바지가 고무줄이 터진 듯 내려지고 그 뒤로 그늘에 가려졌던 보름달이 반으로 나뉘어 드러났다. 굳이 하늘의 별빛이 없어도 달은 어둠을 물리쳤다. 이내 달의 계곡에서 폭포수가 쏟아지며 땅을 후벼 팠는데 그 물은 강을 찾아 절로 흘러갔다.

누가 목숨을 고래심줄처럼 질기다고 했는지는 모르지만 그것은 오판이었다. 녹아내리는 빙산처럼 건강이 한 번 무너지자 뒤는 허무하기 짝이 없었다. 집에서 가방을 풀기도 전에 병원에서 위급을 다툰다는 연락을 받았다. 병원에 도착했을 때, 경주댁의 상태는 이미 의식을 잃고 있었다. 얼굴에는 죽음의 그림자가 완연했고 눈은 이제 뜨지도 않았다. 예전의 강직하고 억센 기세는 강변의 갈대만도 못했다. 실핏줄처럼 길리라 생각한 명줄은 나무토막처럼 끝났다. 드러난 얼굴의 광대뼈는 이제 해골과 같았고 피부는 종이였으며 빛나던 눈빛은 꺼진 촛불이었다. 그녀의 쇠한 몸에서 혈류를 따라 흐르던 죽음의 인자만이 신바람을 일으켰다. 아직 남아있는 여력을 마지막까지 빨아들이고 있었다. 하지만 그녀는 지켜볼 도리밖에는 없었다. 경주댁의 죽음은 이제 되돌릴 수 없는 일이 되고 말았다.

그녀의 망연자실한 모습을 지켜보는 김씨가 다가와 어깨를 두들겨주었다. 하지만 상실의 아픔을 지우기에는 턱없이 부족하지 않을 수 없었다. 그나마 용기를 낼 수 있는 것은 혁이 곁에서 그녀의 버팀목이 되었다. 그래도 눈가에 흐르는 슬픔을 주체할 수 없었다. 그러한 순간은 이내 낙엽처럼 떨어졌다. 허탈을 아는지 모르는지 경주댁의 영정은 미소를 지으며 당부를 하는 것이었다.

'모두를 다 용서해라, 죽음은 허망하다는 것을 보였지 않느냐?'

하지만 순애의 슬픔은 아직도 그렇다고 말할 수 없었다. 어차피 맞이한 죽음이 오기를 무기력하게 만든 것만 같았다. 이런 순간은 아직 집을 돌아오지 않은 순명의 생각을 불렀다. 그라도 곁에 있었다면 이 슬픔을 나눌 것도 같았다. 그러나 아직도 순명은 한통의 소식도 없었다.

그나마 다행인 것은 김씨의 변화였다. 늦게 철든다고 하더니 경주댁이 죽은 다음에야 철이 든 것 같아 씁쓸함만 더했다. 하지만 그것도 경주댁의 고귀한 희생의 결과물처럼 생각되었다.

순애는 이제 웃는 경주댁의 얼굴을 제대로 바라볼 용기도 없었다. 그런 순애를 시시때때로 김씨는 등을 두드려주었다. 그도 경주댁의 그림자를 잊을 수 없었겠지만 내색하지 않았다. 드러난 것보다 보이지 않는 것이 위대하다는 것을 알았다.

"제대로 한 번 위해주지도 못했는데 불평 한 마디 없었지."

그 말에 순애의 마음은 슬픔을 덜었고 고개를 인형처럼 끄덕이게 했다. 내심 김씨의 회오가 늦은 감은 없지 않았으나 그나마 자리를 잡은 것 같았다. 그런 모습이 김씨의 전부는 아니었다. 그는 경주댁을 그대로 보낼 수 없었던지 탈을 가지고 나타났다. 경주댁을 생각하는 마음은 알겠으나 성스런 자리를 오욕되기는 할 수 없었다. 그녀가 고개를 가로젓자 그는 망설였다.

그때 기학이 나타났다. 경주댁을 바라보는 눈길이 용서를 비는 것 같았다. 그런 뜻을 경주댁은 외면하지 않았다. 기학을 바라보는 눈길은 웃음을 잃지 않았다.

"다 부질없는 일들뿐이었어."

기학의 도움은 순명의 자리를 채우고도 남았다. 나는 자리는 흔적이 있어도 드는 자리는 모른다했다지만 기학의 자리는 그것이 아니었다.

순애는 이제 경주댁이 자리를 지켰던 것처럼 그 자리를 지키는 것이 할 일이었다. 하지만 그럴 수 있을지 두려움도 들었다. 그런 생각을 멈추게 한 것은 영안실의 입구에 고개를 들이미는 낙지를 보고서였다. 물론 문상을 하려고 온 것이 분명했지만 인상은 일그러지지 않을 수 없었다.

그러나 낙지는 그녀의 반응에 아랑곳하지 않았다. 영정의 앞에 서더니 정정중한 예의를 다했다. 그의 얼굴에도 경주댁은 표정을 바꾸지 않았다. 낙지는 다시 순애에게 허리를 굽혔다. 고개를 드는 순간 그는 눈을 살짝 찌푸렸다. 성스런 자리에서 무례한 짓에 분노하지 않을 수 없었다.

그러나 그것은 면회를 청하는 신호였고 그녀는 접대의 자리에서 얼굴을 마주할 수 있었다. 그가 어떤 내막을 가지지 않았다면 이렇게 일찍 나타날 인간도 아니었다.

순애는 우선 조문에 감사한다는 인사말을 건넸다. 그러자 낙지는 주변을 한 번 살피더니 작은 목소리로 말을 꺼내었다.

“지난 실수도 사과할 겸, 오해를 풀려는 뜻도 있다는 것을 숨기지 않겠어요.”
“그것을 안다면 연기처럼 사라지는 게 도리가 아니겠어요?”
“처음은 그럴 생각이었으나 죽으란 법은 없었던지 구세주가 나타났거든요.”
“구세주라고요? 당신과 같은 악마를 구하려는 구세주도 과연 있을까요?”
“그랬다면 정의로운 세상이 되었겠지. 하지만 유감스럽게도 세상은 그 구세주까지 내 편이니 어쩌면 좋겠어요?”
낙지의 말에 순애는 절망을 하지 않을 수 없었다. 낙지의 말은 그르지 않았다. 바라는 밝은 세상은 언제 오려는지 기약을 할 수 없었다. 순애가 그와 시비를 할 수 없다는 듯 자리에서 일어서려하자 낙지가 옷자락을 잡았다. 그러며 입가에 야릇한 미소를 흘렸다.
“그렇게 급하면 충격이 클지도 모르는 데?”
“충격이라니요? 또 희롱하려는 짓은 설마 아니겠지요?”
“그럼. 아무려면 이 자리가 어디라고. 그런데 우선 물어보고 싶은 것이 있어. 지난 일을 용서하지 못하겠지요?”
“그것을 말이라고 해요?”
순애는 저도 모르게 언성이 높아지고 말았다. 식장을 지키던 김씨의 눈길이 와 닿았고 문을 열고 들어오던 기학도 다가왔다. 그러자 무안했던지 낙지는 자리에서 일어서며 입가에 아쉬움을 흘렸다. 소기의 목적을 달성하지 못한 것도 아쉬울 것이 없다는 여유도 보였다.
낙지가 사라지고 기학이 곁으로 다가왔다. 그는 사무실을 다녀왔다고 말했다. 그러며 경주댁의 보험을 알아보았는데 보험이 든 사실이 없다는데 놀랐다는 것이었다. 흔한 사망의 보험도 들지 않은 사실이 아쉬웠다는 말이었다.

그 말에 순애의 얼굴은 홍당무가 되지 않을 수 없었다. 워낙 비닐의 살림이었던지라 흔한 그럴 여유도 없었다.

기학은 잠시 생각을 하더니 조심스레 질문을 던졌다. 물론 조심스런 태도로 봐서 그는 얼마동안은 갈등을 한 것 같았다. 사실 기학에게 낙지의 접대가 이상한 것은 아니었으나 고성까지 난 것을 그녀로서도 해명하지 않을 수 없다는 생각이 들었다. 그래서 그의 질문을 주의 깊게 받았다.

"모른 사이는 아니었지만 조심할 인간이니 물어보는 것이지만."

"왜 모르겠어? 염려하는 마음이잖아?"

"그자가 일전에 내게 온 적이 있었지. 다짜고짜로 만나자더니 엉뚱한 질문을 하지 않겠어? 용서를 하면 잘못이 사라지냐는 거였지."

"그래서?"

"때론 가끔은 그런 질문을 받거든. 물론 대답은 그들이 먼저 잘 알고는 있지만 원하던 말을 통해서 자신을 정당화하려는 것이랄까? 뭐 그런 것이지만."

"그럼, 가능하다고 한 거야?"

"그게 그러니까? 만일 아니라면 사람들은 어찌되겠어. 지옥을 영원히 벗어날 수 없지 않겠냐고? 그러길 바라는 것은 아니겠지? 저렇게 미소를 짓는 분을 보라니까!"

"나도 그렇게 생각하지만, 그렇다면 뭔가 부족하지 않은 것은 아니고? 그자는 좋아했겠지?"

"적어도 표면적으로는, 그러니까 그런 그를 조심하라고 말하려는 거지."

순애는 그렇게 말을 하는 기학이 고맙지 않을 수 없었다. 그가 곁에 있어준다면 이제는 부족할 것이 없을 것이었다. 지난 세월의 허탈함도 모조리 보상을 받을 것도 같았다. 다만 아직도 마음이 선뜻 내키지 않는 것은 그런 기학이 자신으로 인해 희생을 강요받는 것이 싫었다. 그녀는 애 딸린 미혼모에, 가진 것 없는데 비해 그는 총각이었고, 그래도 반듯한 직장을 나가는 사실에 그렇게 생각하지 않을 수 없었다.

22,유학

그런데 더욱 고마운 것은 그가 순애를 지키려고 나섰다는 사실이었다. 혁까지 여간 관심을 두지 않는 것은 그녀로서는 더 할 말을 막아버렸다. 그런데 경주댁의 장례도 남의 일처럼 방관하지 않았다. 김씨의 곁에서 순명의 역할 이상을 해내는 것이었다. 그런 기학의 말은 그르지 않았다. 더욱이 그녀를 그는 묻지도 따지지도 않고 용서를 했다. 그런데 그 용서를 낙지에게 하지 못한다는 것은 속이 좁을 뿐이었다. 흔적의 유무는 중요하지 않았다. 순애는 속으로 화답하지 않을 수 없었다.

'맞아. 미소를 지어야겠지. 저 분도 저렇게 웃고 있잖아?'

경주댁은 그런 모습을 남기고 이승을 떠났다. 몸은 이제 관안에 들었고 다시는 이곳을 오지 않을 일이었다. 김씨도 그것을 인정했고 기학도 곁에서 증언했다. 다만 순애만이 아직도 미련의 꼬리를 잡고 늘어졌지만 이마저 쉽지 않았다. 칠성판을 거부하려고도 하지 못했다. 이젠 순종하는 것이 미덕이 되었다. 그런 미덕을 지키려는 또 한 사람이 나타났다. 감천에 사는 경순이 슬픈 표정을 지으며 나타난 것이었다. 그는 경주댁의 영정 앞에서 참회를 드러냈다.
“목숨이 이슬이라더니 이렇게 허무하게 떠날 줄 누가 알았겠냐? 이럴 줄 알았더라면 그러지 않았을 텐데.”
“이제는 소용없는 일이잖아요?”
“그러게 말이다. 진작 이런 마음이 들었더라면 손을 잡고 같이 고향이라도 갔어야했는데.”
“진작 그랬다면 이렇게 가슴 아프지 않았을 거잖아요.”
곁으로 물러선 기학도 그 말에 잠시 아쉬움을 토했다. 그도 경주댁의 죽음에 충격을 받은 것 같았다. 그러나 그는 사내여서 얼굴에 이내 나타내지 않았다.
“늦었다고 생각하는 순간이 기회이지 않겠어?”
“그게 무슨 말이지요?”
“모두가 하나가 될 수 있다는 말이다.”
“하나요?”
순애는 입술을 지그시 물으며 지난 일을 용서할 생각이었다. 보증을 해주지 않은 감정이 아직도 있었던 탓이었다. 그런 생각을 알았다는 듯 경주댁의 미소는 여전했다. 그러나 경순은 그런 것만으로는 아쉬움을 다하지 못한다는 표정이었다. 그러다가 경순은 곁에 김씨를 바라보았다. 그러나 김씨는 그의 의도를 알지 못하겠다는 듯 무표정의 얼굴이었다. 그러나 경순의 생각은 굳고 단호했다. 곁의 김씨를 다시 바라보며 재촉을 했다.
“이렇게 누이의 죽음을 허무하게 끝낸다면 도리가 아니잖아? 너무도 고달프고 한스러운 인생이니 눈물도 말라 눈물도 나오지 않는다만. 그러니 이대로 보낼 수 없다는 것이지 않느냐고.”
“그럼 어쩌자는 말이지요?”

"아직도 말뜻을 모르겠어? 하하, 그러고 보니 술이 취하지 않아서 그렇군. 잘하는 짓으로 축제를 벌려야하지 않겠냐고."

"그렇기는 하지만, 그래도 망자에게 지켜야할 법도가 있고, 또 이곳은 술판을 벌리고 즐기는 장소가 아니잖아요. 성스런 죽음을 인정한다면 그럴 수 없지요. 그런 장소에서는 이런 천한 짓은 하는 것이 아니라하더라고요."

"아니지, 내가 평소 동생을 살펴보았는데 진정한 끝이란 미소란 것이었어. 저렇게 아직도 뜻을 버리지 않잖아? 그렇다면 우리도 하나가 되어 보답을 해야 하지 않겠느냐고."

"듣고 보니 그렇군요. 내가 저 사람한데 잘하는 짓이 그것 말고 무엇이 또 있겠어요."

김씨는 탁자위의 술을 한잔 마시더니 자리에서 일어났다. 순애에게 제지되어 구석에 놓여있던 탈을 얼굴에 붙였다. 이제 그의 얼굴은 미소를 넘은 파안대소를 짓는 얼굴이 되었다. 그것은 지난 고생의 해탈을 의미했다. 고생뿐만이 아니었다. 그간의 애증과 한을 초월하는 것이었다.

그는 탈을 쓰자 팔을 들어 경주댁이 보는 마루의 앞에서 춤을 추기 시작했다. 경순도 그대로 가만있지 않았다. 술에 취한 몸으로 거친 곰발바닥의 김씨 손을 잡았다.

그 모습을 바라보던 기학도 끼어들었다. 춤사위는 엉성하였으나 흥만은 그렇지 않았다. 세 사람의 춤은 그야말로 장례를 축하하는지 아니면 난장판으로 만드는 것인지 분간이 어려웠다.

다만 그들의 모습을 순애만이 못마땅하게 흘겨볼 뿐이었다. 그러나 세 사람의 행동은 순애의 시선을 아랑곳하지 않았다. 그들은 손을 잡았다가 놓기도 했고 원을 그리며 돌다가도 어느새 갈지자를 그리었다. 자세히 보면 규칙적이기도 해 보였지만 꼭 그렇지만도 않았다. 그렇지 못한 순애는 불만을 복어의 배처럼 부풀렸다. 그러며 속으로 다시 뇌였다.

'이 자리가 어떤 자리인데 난장판을 만드느냐고.'

하지만 그녀의 우려는 그들의 춤이 끝나는 순간 사라졌다. 영안실을 오가던 사람과 문상객들이 우레 같은 박수를 터트리며 축제를 인정했기 때문이었다. 김씨와 경순은 그것도 모자라 아쉬운 얼굴이었지만 기학은 지친 얼굴이었다.

순애는 한결 가벼운 생각에 지난 일들이 꿈결처럼 지나갔다. 꿈이었다면 고뇌하거나 아파할 까닭도 없었다. 한 두 번이 아니고 거듭된 침탈을 그녀는 아직 풀어내지 못했다. 그 귀결의 모습도 보지 못하고 경주댁은 미소만 짓고 있었다.

그녀는 집에서 경주댁의 자리를 지키며 순명을 기다리고 혁을 기를 것이었다. 그것이 재기요, 꿈이며 끝이고, 시작이었다. 시작은 희망이지 않을 수 없었다. 그것은 꿈처럼 닭을 타고 하늘을 솟아오르는 일이지 않았다. 눈물과 고통 그리고 실수와 후회가 이어지는 것이었다.

그런 생활을 해야 하는 순애는 이제 아량을 가지지 않을 수 없다고 생각했다. 더욱이 기학이 그녀에게 용서를 한 것처럼 그녀는 낙지를 아니 유학을 용서해야할 지도 몰랐다. 하지만 그 일은 결코 쉽지 않을 것 같았다. 그런데 생각해보면 낙지는 그렇다고 말하는 것 같았다. 말이 끊어졌지만 분명 표정은 그것이었다.

그런 생각을 끊은 것은 문상객들이 들어오면서였다. 바라보니 뚱보와 호프집 여자도 있었다. 그들은 슬픈 표정으로 경주댁의 미소를 바라보다가 고개를 숙였다. 이번에는 화훼집의 사내가 들어왔다. 그도 같은 행동을 반복했다. 그는 밤에는 명자가 온다는 귀띔도 해 주었다.

명자는 일찍 어머니를 여윈 탓으로 경주댁을 어머니처럼 따랐다. 그녀의 음성이 귓전을 타고 들었다.

'하늘이 무너져 내린 기분을 이제야 알 것 같다.'

'그 정도야?'

'그럼. 이젠 어머니의 뜻을 저버리지 말아야겠지?'

'그래야겠지만 아직 뜻이 서질 않아, 둘 중의 하나이겠지만 그것이 진주를 찾던 심정과 다르지 않거든.'

'둘 중의 하나? 그럼 기학 말고 다른 사람이 있었던 거야?'

명자는 순애의 의혹을 의심하는 시선으로 바라보는 것이었다.

경주댁의 장례식은 이웃의 슬픔과 가족의 오열 속에서 조촐하지만 절정으로 치달렸다. 죽음은 허무와 비탄만을 주는 것은 아니었다. 망자의 소원대로 미소를 국화 속에 각인시켰다. 아무리 삶의 무게가 무거워도 그것이 귀결이라는 듯이.

이제 경주댁의 삶은 진행을 멈추고 그림자를 따라 날아가 버렸다. 삶의 미련은 어둠에 묻히고 다른 사람의 빛으로 캐어지는 석탄과도 같았다. 다만 순애의 미련은 그림자를 아직도 거부할 뿐이었다. 그것은 아직도 결코 용서를 하지 못하는 낙지와 유학이 다르지 않았다. 그것은 기학을 생각해서라도 쉽게 받아들일 수 없는 일이었다. 하지만 식이 끝으로 달려갈수록 결단을 할 순간이 다가오는 것 같았다.

영안실은 병원의 뒤편에 자리해서 빈소를 찾는 사람은 한 바퀴를 돌아야했다. 그런 다음 출구를 찾아 향내를 맡을 수 있었다. 너른 건물의 일층에 조명은 대낮처럼 밝았다. 조명은 국화에 내려앉아 향기와 함께 화려함을 드러내었다. 다만 아직 나타나지 않는 순명만이 그러한 사실을 모를 뿐이었다. 그가 언제 고개를 들이밀지 몰라 눈길은 항시 출입문을 놓치지 않았다. 이틀을 허탈로 보냈지만 아직 끝이 난 것은 아니었다. 그러한 사정을 아직도 이해하지 못하는 것은 곁의 혁뿐이었다. 혁은 그녀의 곁에 있다는 것만으로도 보물과 다르지 않았다.

"순명은 끝내 오지 않을 것 같다."

순애의 뒤에서 입구를 살피던 김씨의 말이었다. 그는 이제 새 사람이 된 것 같았다. 일을 하는 것이나 자식을 생각하는 애정이 살아났다.

그때, 출입문을 박차고 허겁지겁 빈소에 엎어지는 사내가 있었다. 사내는 주변을 돌아보지도 않고 한동안 엎드린 채 흐느꼈다. 처음은 순명일지 모른다는 생각에 뒷모습을 유심히 살폈다.

그런데 흐느끼는 모습이 이상하였다. 뒤통수가 박처럼 둥근 것과 산발한 머리가 노랬다. 옷차림은 청바지에 재킷이었으나 그런 모습은 순명이 좋아하지 않았다. 그녀의 기억은 어둠속을 헤매고 있었다.

그녀의 기억은 어둠의 과녁을 정확히 꿰뚫었다. 그토록 미워하고 기다렸던 사내라는 생각에 분노는 전율로 떨렸다. 원수는 외나무다리에서 만난다고 용서를 갈등할 때 나타난 것이었다. 마치 기회를 노리고 있었다는 듯이. 그러나 사내의 흐느낌이 터져 나왔다.

"용서해준다는 말도 아직 듣지 못했는데, 이렇게 고인이 되면 어쩌라는 말이지요?"

사내는 다시 머리를 바닥에 대더니 한동안 더 흐느끼었다. 그런 다음 사내는 눈물이 마르지 않은 모습으로 순애를 바라보았다. 그는 순간 미소를 지었다.

순애는 웃음을 보자, 가슴을 눌렀던 분노가 분수처럼 터지며 솟아올랐다. 그것으로 끝이 아니었다. 용서를 생각하던 여유는 종적을 감추고 번개처럼 분노가 내리쳤다. 그러나 사내는 아랑곳하지 않고 머리를 장승처럼 세우고 있을 뿐이었다.

순애의 분노는 장승에게 조명처럼 쏘았다. 그런 사내를 쳐다보는 것만으로도 혐오스럽지 않을 수 없었다. 순애는 더는 참을 수 없다는 듯 외치지 않을 수 없었다.

"여기가 어디라고? 무슨 염치로 여기에 왔느냐고!"

그러나 유학은 그녀의 눈길도 상관하지 않고 다시 바닥에 머리를 대고 속죄를 했다. 그녀의 증오 화살을 등에 맞고도 그는 끄떡하지 않았다.

그런데 유학의 모습을 자세히 살피니 이상한 점이 너무 많았다. 이국인처럼 머리와 옷을 꾸민 것도 모자라 행동도 미개한 모습을 벗어나지 못했다. 공부를 한다더니 대학은 가지 않고 원시인들과 함께 생활하지 않았나 싶었다. 하긴 남의 심장에 대못을 지르고 그가 잘된다는 것은 불공평이었다. 그녀가 고전한 만큼 그도 고생을 한 모습은 그나마 조금 위안이 되지 않을 수 없었다. 고개를 다시 든 유학은 다시 사설을 늘어놓았다.

"변명할 기회를 주지 않는다면 어쩔 수 없지만, 이렇게 고생하고 돌아온 사정은 그래도 들어봐야 하지 않겠어? 외모만 보고 거절을 한다면, 그 고생은 어디서 풀어야 하지? 그러니 우선 사정을 들어보고 서운하면 용서하지 않아도 좋아. 하지만 듣는 것마저 기회를 주지 않는다는 것은 야박하다는 소리를 면하지 못할 테니까. 이렇듯 아름다운 미소를 지었는데 그럴 수도 없잖아?"

"그 따위는 너무도 역겹고 유치한 변명이잖아? 이젠 변명조차 듣기 싫은 걸. 그런 변명을 늘어놓는 자리도 아니잖아."

순애는 변명이 다 그러하리라 이미 예상하고 있었다는 듯 그의 변명에 비관적이지 않을 수 없었다. 유학은 그녀는 외면한 채 경주댁에게 말하듯 속내를 끊임없이 털어내었다.

"왜, 모르겠어, 하지만 한번쯤은 내게도, 구차하지만 변명할 기회는 주어져야 공평하지 않겠어? 그래야 나도 억울하지 않고 용서하지 않아도 좋지만. 평소 고인께서는 야박하다는 소리를 듣지 않았잖아?"
"야박하다고? 지나가던 개도 들으면 웃겠다. 어디에 처박혀 있었으며 엉뚱한 짓을 벌이다가 돌아와서는 한다는 소리가 고작 그런 변명이냐고? 다 끝난 일이니 집어치우고 썩 물러가란 말이야!"
그러나 유학은 순애의 저항에 아랑곳하지 않았다.
"이렇게 끝을 맺을 순 없잖아? 또 그런 정도였다면 그렇게 먼 곳으로 떠나지 않았을 것이고. 그래서 호통도 마다않고, 이렇게 끝나지 않은 일을 다시 이으려하거든. 그래서 염치불구하고 불원천리를 이렇게 날아온 것이 아니겠어?"
사내의 변명을 더는 들을 수 없었다. 둑처럼 터진 입을 막아야했다. 모든 사실을 경주댁의 죽음으로 정리를 하려던 참이었다.
또 구차한 그의 변명을 더 들을 까닭도 없었다. 주변을 살필 여유도 없이 자리를 박차고 달려가 사내의 목덜미를 잡았다.
그러나 유학은 그녀의 행동에 저항하지 않았다. 오히려 순애의 그런 행동을 예상하고 있었다는 듯 여유로운 미소를 피웠다. 유학은 소처럼 무릎을 펴고 일어서며 순애에게 나직이 속삭였다.
"오랜 만이지? 그런데 이 짓을 고인이 보잖아?"
순애는 그 말에 손의 힘이 풀리었고 멀리 보이는 자리를 가리켰다. 사내도 순한 양처럼 그녀의 뒤를 말없이 따랐다.
"이런 추태는 이제 끝내야하지 않겠어?"
"끝이라고? 그것은 시작이 아니던가? 그리되면 부도난 사랑이 어찌 복본을 하지?"
"누가 그런다고 말했어? 십년을 소식도 없이 돌아오지도 않더니 이것을 시작이라고? 외국에 갔다더니 억지만 내세우는 것을 배웠군."

"억지라고? 그리하면 앞뒤가 바뀌기라도 하나?"

"달라질 것은 없지. 이렇게 뻔뻔한 억지를 부린다고 해도. 이제와 그런 말장난을 하는데 이제 난 관심도 없거든."

"이것이 말장난이라면 다행스럽지만, 아직 난 그날의 환희를 생각하며 약속을 잊어본 적이 없는 데도?"

"약속이라고 말했어? 철새도 날아가면 이듬해는 돌아오는 법인데, 십년이 다 돼서 돌아와 한다는 소리가 고작 그 말이냐고?"

"시간이 늘어져 상심이 깊었으리라는 것을 부인하고 싶지는 않아. 하지만 아무리 그 길이 멀고 험해도 그 기쁜 사랑을 잊는다는 것이 말이 되겠냐고. 이 자리에서 구차한 얘기는 할 수 없지만 그냥 돌아가지도 않는단 말이지. 그러니 그 변명하려는 속내도 살피지도 않고 시시하다고만 할 수 없잖아?"

"그렇지. 그러니 모두 애원을 외면했지. 당신의 잘난 부모까지도."

"외면했다는 것은 가치가 있다는 것이지 않겠어?"

순애는 그래도 변명을 하는 유학이 측은하지 않을 수 없었다. 거짓말도 하다보면 느는 법이었다. 그런데 유학의 말은 꺾이지 않았다.

"아직도 내가 억지를 부린다고 생각해? 가령 구름에 숨은 달을 사라졌다고 해대는 말이 억지가 아니라고? 예전에 시작과 끝은 하나라고 말했지. 고통으로 다져지지 않는다면 사상누각이 되는 법이지 않겠어?"

그래도 순애는 유학의 말을 믿을 수 없었다. 그것은 잘못을 두 번 거듭할 수 없는 까닭이었다. 그녀는 고개를 창으로 돌렸다. 강에는 안개가 내린 듯 그녀의 시선을 허락하지 않았다. 순애는 혼잣말을 속으로 뇌였다.

'모습이 측은하다고 속까지 그런 것은 아니라고? 아무리 그래도 난 시간을 낭비하고 싶지 않거든.'

"아무리 그래도 난 빈손으로 돌아갈 수 없어. 아직 매듭짓지 못한 일도 남아 있잖아?"

"무슨 일이 아직도 남았다고?"

순애의 시치미 속에서 장례식은 끝을 맺어가고 있었다. 마치 유학이 순명의 전령사처럼 온 것이 그나마 자리를 채운 효과도 있었다. 하지만 급작스런 유학의 등장은 기학의 입장을 곤란하게 만들었다.

그가 등장하고 달라진 것은 쌍봉의 낙타가 그림자처럼 따른다는 것이었다. 처음은 야릇한 생각에 고개를 갸웃거렸으나 그 까닭은 어렵지 않게 유추할 수 있었다. 낙지는 장사꾼답게 돈의 향기를 잊지 않았다. 예전부터 경성의 부자라는 소문을 가진 유학을 조우할 길을 발견한 것이었다. 혁의 아버지란 사실이 그에게는 열쇠가 되었다.

기학의 타협이 여의치 않자 방향을 돌려 유학에게 접근한 것이었다. 유학도 그의 접근이 싫지만은 않았다. 많은 정보와 친절이 그에게 필요했다. 물론 그에게 떡고물이 주어진 것은 사실이었다. 낙지는 기어에 기름을 칠한 것처럼 유학과 친밀을 유지하는 것이었다.

장례식장에서 푸대접을 당한 유학의 얼굴이 머릿속을 스쳤다. 그런데 장례식을 마친 후 김씨가 그 우려하던 말을 조심스레 꺼냈다.

"혁의 미래를 생각하면 그를 맞이하는 것이 낫지 않겠어?"

"맞아들이다니요? 어림없는 소리이지요. 그리고 그는 머지않아 예전처럼 떠날 것이고요."

"떠난다고? 그렇다면 애를 데려가려하지는 않을까?"

"누구를 데려간다고요? 그것을 허락할 것 같아요?"

"그는 누가 뭐래도 애의 아버지이잖니?"

"누구를 죽이려고 그런 소리를 하는 거예요? 혁은 애비가 없는 자식이라는 것은 학교뿐만이 아니라 동리에도 선포되었잖아요."

"그렇게 부정만 할 게 아니다. 애를 데려 가겠다는 것은 그도 부모라는 것을 말하는 것이고 넌 유학도 보낼 수 없으니 나쁜 것만도 아니잖아."

"유학이란 놀러 보내는 것이 아니지요. 새로운 인생을 위한 선택이 아니라면 보내지 않는 것만도 못하다는 것도 알고 있어요. 그리고 그런 걱정은 하지 않아도 되요. 기학이 다른 길을 모색했다고 했거든요."

"다른 길? 형편이 못해도 가능한 거야?"

"그렇지요. 단 장학생이니 요구하는 조건은 있지만 오히려 그것이 탄탄한 보장을 하는 것이 아니겠어요?

"자유스럽지 않다는 것이 마음에 걸린다. 그리고 이번의 문제는 이젠 너도 그를 용서해야한다는 거다. 언제까지 그렇게 미워하며 살 순 없잖아? 그러니 이 기회에 서로 용서하는 사이가 되면 좋지 않겠냐고?"

"……."

두 사람의 시선은 팽팽해져 서로 줄다리기에 일방적이지 않았다. 김씨의 말이 글러서가 아니라 그녀는 그럴 뜻이 없었다. 순애가 침묵을 한동안 흘리자 김씨는 자신의 뜻이 묵살되었다는 듯 밖으로 나가버렸다. 장례식도 끝났건만 그녀에게 닥친 문제는 끝난 것이 아니었다. 그녀의 사정을 알아차린 듯 전화기의 호출이 그녀의 시선을 잡았다. 멀리한 유학과 맴도는 낙지가 건 전화였다.

낙지는 회관의 고목 아래에 자신의 차를 세워둔 채 기다리고 있었다. 그녀의 출현을 보자 입이 귀까지 걸린 표정을 지었다.

“언제까지 두고만 볼 일도 아니고 이런 일일수록 속전속결로 처리하는 것이 피차에 정신건강이 좋은 법이니까. 무슨 말이지 모르지는 않겠지요?”

“왜, 이러는 지 까닭을 알 수 없군요.”

“흐흐, 시치미를 떼려 해도 이젠 소용없는 일이 되었어요. 빛에 어둠의 진실이 드러나는 것을 거부할 수 없다는 말이지요. 까닭은 더 말하지 않겠어요. 내가 이렇지 않을 수 없는 이유이기 때문이지요. 이제는 예전처럼 어느 하나를 고르는 일만이 남았잖아요?”

“그는 어디에 있지요? 그림자처럼 숨었나요?”

“이런 일일수록 체면을 구기는 일이 많지 않겠어요? 그러니 구전을 바라는 자만이 손에 흙을 묻히자는 말이고요.”

“그럴 줄 알았어요. 둘은 그러나, 오월동주라는 것도 알아요?”

“그럴지도 모르지요. 하지만 이번 일만은 완벽한 협치를 이루었거든요. 그리고 순순히 응하지 않으면 정의로운 법으로까지 가자는데 의견의 일치를 보았고요. 그러니 순순히 양보하고 새 삶을 찾는 것이 그의 뜻이라는 것을 알려주려는 것이지요.”

“참으로 유리한 생각만을 가지고 있군요. 그것도 먼 그곳에서 배운 덕목인가요? 물론 당신과도 궁합이 맞아 떨어졌지만요. 하지만 난 그런 뜻에 당당히 맞서겠어요. 정의로운 법의 심판을 포함해서까지요.”

“그래요? 그것은 본인의 뜻이겠지만 기학의 뜻도 과연 그럴까요? 그리고 가만히 생각해보면 그것이 본인에게도 유리한 것만은 아니잖아요?"

"유리하다고요? 자식을 두고도 그것으로 판단을 하나요? 그리고 기학의 뜻도 다르지 않을 것이지요."

"흐흐, 모르지 않잖아요? 그는 나와 다른 사람이라는 것을 만남을 통해서 알았지요. 뭐랄까? 성스럽다고 해야 하나? 아마 당신도 그러한 점에 이끌려 기학을 사랑하는 것이 아닌가요?"

"당신과 구별이 되는 사람이라는 것은 분명해요. 또 그를 믿고 사랑하는 점도 부인하지는 않겠어요. 그런데 유리하다는 말은 인정을 할 수 없군요."

"하하, 좋아요, 그런 것으로 감정을 상할 까닭은 없으니까요. 하지만 분명히 말하는 데, 이 문제가 결코 그나 당신에게 유리하다는 것은 분명하지 않나요? 혹을 떼 주는 일이잖아요."

"혹이라뇨? 한 번도 그러한 생각을 한 적도 기학도 그러하지도 않다는 것을 말하고 싶어요. 그러하니 그런 말을 하려거들랑 다시는 내 앞에 나타나지 말라고요."

"흥분하지 말아요. 흥분은 여러모로 일을 망치는 악재이거든요. 장사꾼은 결코 흥분하거나 서두르지 않아요. 냉정한 눈으로 독사 같은 판단을 내릴 뿐이지요. 아무리 아니라고 부인을 한다 해도 그 사실은 아니지 않겠어요?"

낙지는 그녀의 감정을 자극하려는 듯 그 문제를 놓치지 않았다. 순애도 그런 그를 대하는 것은 자신의 흥분은 도움이 되지 않다는 생각이었다. 사실 그의 말을 두려워하며 견디어온 세월이 그 얼마였던가? 혁의 최대 맹점도 미혼모의 자식이라는 것이었다. 그녀의 그러한 점을 이해하여주는 이는 아무도 없었다. 이웃은 물론이지만 가족인 경주댁이나 김씨도 두려워하기는 마찬가지였다. 아직도 집을 돌아오지 않는 순명의 마음도 다르지 않았다. 다만 그러한 점까지 이해하는 사람은 기학이 유일했다. 그는 유학까지도 생각하지 못한 마음을 혁을 통해 보이려는 것 같았다. 순애가 그를 최종으로 생각을 굳힌 가장 중요한 계기이기도 했다.

그러한 점을 낙지도 존경한다하면서도 기학의 부담을 덜어주는 것만이 순애가 진정 할 일이라는 것이었다. 순애도 그러한 점을 생각해보지 않은 것은 아니었다. 심지어 혁을 두고 떠났을 때 홀가분한 감정도 느낀 적도 있었다. 그러나 그녀가 귀향을 했을 때 그녀는 그것이 아니라는 것을 알았다. 혁은 그녀의 자식을 넘어 자신의 생명이었고 아니 그 이상이었다.

하지만 장사꾼인 낙지는 그런 점도 어리석임일 뿐이라는 말이었다. 그녀가 만일 그러하게 그와 행복을 꿈꾼다는 것은 오히려 잘못이라는 말이었다. 그것은 폭탄을 가슴에 안고 일하는 것과 다르지 않았다. 낙지는 그래서 유학과 상의를 하여 그녀의 부담을 덜어준다는 말이었다.

23,명판

"이제 미래로 과거의 잘못을 안고갈 수 없잖아요?"

"그것은 자업자득이거든요."

"그래서, 어색한 말이지만 용서와 사랑을 하자는 것 아닌가요?"

"장사를 하더니 포장하는 기술도 뛰어나군요. 하지만 그것은 내용물이 그렇지 못하잖아요. 그러니 상부상조는 애당초 그른 말이지요."

"그렇다면 공멸을 하자는 말인가요?"

"그것을 바라지는 않아요. 다만 당신이 생각하는 자비를 거절하겠다는 거지요."
"흐흐, 이러하니 정의는 사랑하지 않을 수 없는 미덕이 되겠군요."
"그게 무슨 말이지요?"
"서로 애의 반을 나누라는 말을 모르지 않겠지요?"
"정의란 게 그렇다면 너무 잔인하지 않아요?"
낙지와의 타협은 그렇게 결렬로 끝났다. 하지만 그 결렬의 후폭풍은 작지 않았다. 종일토록 일이 손에 잡히지 않는 것은 물론이고 흥분까지 가라앉힐 수 없었다. 고민에 고민을 거듭하지 않을 수 없었다.
그녀는 안 되겠다싶어 미장원의 명자를 찾았다. 그러나 가던 날이 장날이었다. 휴무를 알리는 안내판이 그녀의 기대를 무너뜨렸다. 그렇다고 이웃의 뚱보나 호프집을 찾을 순 없었다. 그녀들은 오히려 불난 집에 부채질을 할 사람들이었다. 그렇게 생각하니 아는 집들은 많았지만 그렇다고 마음을 열 사람은 있지 않았다.
그렇다고 기학을 찾을 수는 없었다. 물론 그가 냉대를 하거나 불을 지를 일은 없었다. 다만 혁의 문제는 그에게도 뜨거운 감자가 분명했다. 그렇다면 그는 아직은 대화를 제외하지 않을 수 없다고 생각했다.
그녀는 시계방의 시간을 보니 혁이 학교를 파하기까지는 한 시간 이상의 시간이 남아있었다. 그래서 그녀는 그 시간을 한적한 찻집에서 보낼 생각으로 풍경이 좋은 집을 찾았다. 찻집은 아직은 사람이 많지 않았다. 넓은 홀을 바라보니 젊은 한 쌍이 차를 나누고 있었다. 순애의 눈에는 아마 그런 시절이 있지 않은 것 같았다. 물론 있었다고 치더라도 그것은 극히 짧은 행복이었을 뿐이었다. 그녀는 그들처럼 행복해지고 그 행복이 오래 지속되기를 바랐었다.

그러나 그것은 한 시절에 끝나버리고 고난이 긴 시절을 메우었다.
순애는 강이 바라보이는 곳으로 자리를 잡았다. 혼자라는 것이 강가의 왜가리와 다르지 않았다. 홀로 외발로 서서 먹이를 찾는지 아니면 생각을 하는지 몰랐다. 그러나 그처럼 그녀도 혼자라는 것이 다르지 않았다.
순애의 귀에는 다시 낙지의 음성이 들리는 것 같았다.
'만일 그 사람이 아이를 데리고 간다고 생각해봐요. 홀가분한 마음과 몸으로 결혼이 가볍지 않겠어요? 그러면 두 사람의 사이에서 혁도 외톨이를 면할 수 있고요. 더욱이 아버지와 외국으로 가서 공부도 하고, 이곳에서 하는 교육보다 낫지 않겠어요? 그렇다면 그런 고집을 부릴 까닭이 없잖아요. 더욱이 그것은 사랑하는 사람에게 죄를 짓지 않는 짓도 되고요.'
'그렇지 않아요. 기학은 아이까지도 사랑한다고 말했다니까요.'
'진정 그렇다고 생각해도 그것은 오래가지 않아요.'
'그게 무슨 말이지요?'
'그도 사람이라는 것은 다르지 않다는 말이지요.'
'답답해서 견딜 수가 없군요. 다르지 않다니요?'
그러나 낙지는 빙그레 웃음을 지어보였을 뿐 실체를 드러내지 않았다. 그녀에게 들꽃차를 가지고온 주인이 미소를 건넸다. 순애는 혼자라는 사실이 그나마 안정을 받는 것 같았다. 주인도 그것을 눈치 채고 이내 자리를 비켜주었다. 그녀가 생각을 하는 동안 왜가리는 어디로 날아갔는지 오리만 헤엄을 치고 있었다.
'그래, 목숨이 붙어있는 한 그자와 낙지는 끊어낼 수 없는 악마이지. 그런데 이제 내게도 도랑치고 가재를 잡을 수 있는 기회가 왔잖아? 이것이 피차 서로에게 도움도 되고 어리석은 정의를 외치는 짓도 아니잖아? 그래, 그것이 더 당위성을 얻을 수 있는 것은 용

서와 사랑, 그리고 행복을 잡을 수 있다는 것이지.'
그런 생각을 하자 어느덧 순애의 생각은 분노의 흥분이 아니라 충만의 행복에 휩싸이기 시작했다. 지금껏 그토록 고생하고 수난을 이겼으며 살아온 나날의 행복이 고스란히 보상을 받는 것도 같았다. 이제는 행복을 느끼는 기분으로 생각을 이어갈 수 있었다.
'입은 비틀어졌어도 말은 바로 하라고 속을 뒤집어 보이라니까? 이런 나의 행복을 그대로 보고만 있을 수 없다는 것 아니야? 오죽하면 못 먹는 감 찔러버리겠느냐고. 하지만 이제 내가 가장 완벽하며 가장 신성하며 가장 충실한 성공을 거머쥐었으니, 아량을 베풀겠지. 그리고 지난날의 잘못도 다 용서를 하겠다는 것이고. 그것이 또한 그분의 뜻이며, 혁의 바람이 아니겠어? 그러면 더는 나도 억지를 부리지 않겠고. 그것이 이제 우리가 같이 손잡고 하나가 되는 것이 아니겠어?'
순애는 그간 속내를 숨긴 채 구렁이 담 넘어가던 그들을 용서한다는 듯 미소를 지었다. 입에 들꽃차를 대니 향기가 코끝을 찔렀다. 그녀에게 익숙한 냄새로 그녀는 강변을 달리는 기분이었다.
순애는 한동안 유학의 제의에 거의 신경질적인 반응이지 않을 수 없었다. 그가 생명을 송두리 채 도둑질을 하면서도 일말의 가책도 없었다. 그리고 잘못을 정당화하려고만 했다. 급기야는 미래까지 솔개처럼 채어가려 시도를 포기하지 않는 것이었다. 그 소행은 낙지의 강도짓과 다르지 않았다.
그런 그들에게서 자신과 혁을 구하는 일은 이제 튼튼한 닭장을 짓는 일이었다. 혁과 김씨도 예전에 한 짓이었다. 거기에 도움을 준다며 기학은 그늘 막으로 노략자의 침입을 막을 수 있는 쇠 그물을 준비할 것이었다. 순애는 그제야 다리를 쭉 뻗치고 쉴 수 있을 것만 같았다. 이제는 더 이상의 충돌이나 화를 내지 않아도 되었다는 생각을 하자 아량을 베풀고도 싶었다. 구석의 자리에서 일어나 혼자 앉아있는 주인의 앞으로 갔다. 얼굴에 미소를 지으며 인사를 건넸다.

"참, 아름다운 날이죠? 이 집의 분위기와 모습이 너무도 좋았어요. 어떻겠어요? 그런 마음에서 들꽃차를 한 잔 나누고 싶은데?"

"고마워요, 오는 손님마다 그런 소리를 곧잘 하지요. 아마도 그것은 저 아름다운 강과 새가 있어서 그런 것이 아닌지 모르겠어요."

"물론 그런 점도 없지는 않겠지만 그것은 전부는 아니지요. 둥지를 찾아오는 새들이 평범하지 않은 탓일 테니까요. 물론 그 속에 들꽃차를 마시는 분도요."

순애는 이제 누구를 만나도 무슨 이야기를 들어도 즐겁지 않을 수 없었다. 그것은 오직 자신의 우환을 거둘 수 있었기 때문만은 아니었다. 가장 견고한 닭장을 지었다는 것도 있었지만 이제는 그 닭장의 닭을 어느 포획자로부터도 안전을 지켜내겠다는 것이었다.

이제 모이만 주고 물도 때를 맞추어주고 그러다가 고가의 판로를 확보한 길로 팔수도 있다는 생각은 행복까지 주었다. 다만 그녀의 뜻을 그들이 얼마나 이해하고 따르느냐의 문제는 그 다음이지만.

이제 그러기 위해서는 우선 혁의 설득이 중요하다고 생각했다. 장례를 치르면서 혁도 유학을 상면했다. 그간 오매불망 찾던 생각이 막상 그를 만나자 주춤한 듯 했다. 하긴 하던 지랄도 멍석을 펴면 주저하는 법이었다. 그것은 순애에게 도움이지 않을 수 없었다.

유학을 따라가겠다고 나선다면 그녀로서는 아무리 좋은 계획이 있어도 하기 싫은 평양감사일 뿐이었다. 그런데 다행히 시큰둥한 표정과 함께 그녀의 치마 뒤로 숨어버리었다. 그렇다면 그녀의 말을 거부할 것 같지 않았다.

그렇다면 혁도 기학의 뜻을 마다하지 않을 것 같았다. 더욱이 그 길은 미래가 대리석으로 깔린 길이었다. 아무리 어리기로 그런 떡을 마다할 혁은 아니었다. 지금껏 지켜봐도 욕심과 지기를 싫어하는 애였다.

이제 문제는 조금만 마음을 어루만져 준다면 혁의 선택은 그녀를 따를 것이었다. 그런 생각을 하자 지나간 사랑마저 와불 같이 벌떡 일어나는 것 같았다. 한번은 강변을 혁과 같이 걸은 적이 있었다.

물론 혁도 강변을 그녀 못지않게 좋아하는 지라 놀기에 여념이 없었다. 강물이 밀고 온 모래사장에 두꺼비 집을 짓는가하면, 백지 같은 모래위에 그림을 그리곤 했다. 그는 그날도 이리저리 막대기로 줄을 끊어지지 않게 이으며 무엇을 그리고 있었다. 순애는 궁금하다는 듯 그림을 보며 물었다.

'무엇을 그렸어?'

'지구의 끝.'

'끝을 알기나하고?'

'그럼, 시작이 끝이잖아.'

'그런데 그것을 어떻게 알았지? 누구한테 배운 것은 아닐 텐데?'

'응, 아저씨한테서. 그리고 학교 지도에서 확인했거든.'

'그런데 왜 그것을 멀게 그렸지? 차라리 그보다 모래성이나 두꺼비집을 짓는 게 더 좋잖아?'

'언젠가는 가봐야 하지 않겠어? 철새도 그곳을 찾아가잖아.'

'하지만 가는 것이 중요한 것이 아니라 돌아오는 것이 더 중요한 법이지. 너는 간다면 그럴 것이지?'

순애는 막힌 가슴을 막대기로 찌르듯 말했다. 그녀의 그러한 마음을 이해하던지 혁은 주저 없이 고개를 끄덕이었다. 순애는 그간의 걱정거리가 해결이 된 듯 얼굴에 안도의 미소를 지었다.

그때 이후로도 그녀의 가슴속은 체증을 다 내리지 못했었다. 누구와도 그 일을 거론하지도 또 당사자도 없기 때문이었다. 그런데 그런 체기도 내릴 때가 있었던지 경주댁의 죽음으로 모든 것이 풀리는 실마리를 제공했다. 유학도 돌아왔고 기학의 구상도 이제는 도장을 찍는 일만 남았다. 그녀는 이제 혁과 이별을 준비하려는 마음도 받아들이기 시작했다. 새도 다 자라면 둥지를 떠나는 법이었다. 그것은 장래를 위해서 조기유학을 떠나는 일이었다. 그런데 그 기회가 태풍처럼 밀어닥쳤다. 문제는 어둠에 엉뚱한 샛길이 드러났다.

순애는 이제 더 이상 혁의 미래를 위한 시비를 벌릴 수는 없다고 생각했다. 타결을 지으려는 생각은 기학이나 유학 그리고 자신도 다르지 않았다. 몰론 급하기는 낙지도 다르지 않았다. 하지만 일치된 생각과 달리 가려는 길은 반대이지 않을 수 없었다. 고난으로부터의 탈출이냐 아니면, 그러한 일의 연속이냐 문제였다. 물론 모두 다른 합리성을 가지고 있었으나 정작 본인은 어린 관계로 주위의 영향을 받지 않을 수 없었다.

순애가 애가 다시 타지 않을 수 없는 것이 바로 그 점이었다. 미래를 생각한다면서 어린 혁에게 사탕발림을 하는 것을 그녀는 허용할 수 없었다. 그것은 자신의 의무이자 권리처럼 여겨지기도 했다. 하지만 정작 혁의 뜻은 모를 일이었다. 혁의 학교가 파할 때를 기해 교문으로 갔다.

학교의 교문에는 뜻밖에도 만국기가 펄럭이고 있었다. 가만히 생각을 해보니 운동회가 내일이었다. 순애는 그간 걱정에 정신이 팔려 그것을 깜빡 잊고 있었다. 혁의 이번의 운동회가 어쩌면 마지막이 될지도 모른다는 생각에 마음은 벌써부터 안달을 내었다. 기억에 남는 운동회를 하지 않는다면 영영 돌아오지 않을지도 몰랐다.

그러나 순애는 크게 염려하지 않았다. 운동회라면 그것은 경주댁으로부터 받아온 전력이 있기 때문이었다. 김밥과 과일도 준비할 것이었다. 목마를 때 마시는 음료수도 준비를 해야 했다. 물론 그녀도 학부형으로 경기에 참여할 생각도 잊지 않았다. 하지만 정작 준비를 게을리 해서는 안 되는 일이 뭐니 뭐니 해도 혁이 결심을 정하는 일이었다.

'미래를 위한다면서 언제까지 마음을 숨기고 있을 순 없잖아? 어릴 적은, 피치 못하게 죽었다고 했지만 이제는 그가 돌아왔으니 거짓말이었다는 것이 들통 났잖아. 하지만 그것은 모두 혁을 위한 일이었으니 이해를 할 거야. 그러니 제발 애비를 따라가겠다는 말만 하지 말아다오. 그것은 네게도, 내게도 도움이 되지 않는 일이거든. 그는 잘못을 인정하면 용서를 하는 것이면 충분해. 하지만 너는 그것으로는 되지 않잖아? 미래가 창창하니까. 내 뜻은 다른 것이 없다. 광영의 길이냐? 아니면 그처럼 제멋대로의 길이냐를 선택하라는 것이지. 물론 네가 내 뜻을 모르지 않다면 판단은 어렵지 않을 것으로 생각한다. 그렇지 않니?'

순애의 생각은 거기에서 멈추지 않았다. 만국기가 바람에 펄럭이는 운동장에는 아직 아이들의 모습이 보이지 않았다. 아직은 그녀에게 생각의 여유를 주는 것 같았다.

'너만 내 뜻을 받아준다면, 난 어떤 일을 당해도 좋아, 네 아버지를 용서하고 할아버지와 이곳에서 여생을 다할 것이야. 너만 잘될 수 있다면 난 개천을 굴러도 좋고 어둠을 영원히 벗어나지 못한다 해도 좋아. 웃으며 죽어가는 달 황소와 새 사자가 기꺼이 될 테니까.'

순애의 눈에는 이제 강변의 오리까지 떠오르는 것 같았다. 수면을 이리저리 헤엄치는 오리는 자유로웠다. 저러다가 성장을 하고 새끼를 기를 것이었다. 그러고는 고향을 찾아 먼 북쪽의 추운 나라로 갈 것이었다. 그 속에는 정다운 얼굴도 있었다. 지금은 그녀의 곁을 떠난 종래의 모습이었다. 그러나 그는 이내 사라져버렸다. 이번에는 유학의 모습이 떠올랐다. 안타까운 표정으로 그녀는 부르는 것만 같았다. 그녀가 고개를 돌렸어도 그는 날갯짓을 계속했다. 그녀는 그를 따를 수 없었다.

아직도 운동장으로 나오지 않은 혁을 부르는 심정이었다. 순애의 마음은 분노와 함께 혁을 놓지 않으려는 오기마저 일었다. 그녀의 앙칼진 갈등에 김씨가 끼어들었다. 그는 순애의 마음을 아는지 모르는지 그녀의 양보를 주장했다. 그녀는 그것이 그의 본의가 아니라 탈을 쓴 가식이라 생각하지 않을 수 없었다.

순애는 순간 머리가 어지러우며 현기증을 느끼었다. 허약한 몸을 지탱한 다리가 힘이 없어지는 것 같았다. 그러자 이번에는 유학이 머문다는 도시의 호텔이 떠올랐다. 건물은 화려했고 조명은 밝았다. 그 안에서 유학이 웃으며 나올 것만 같았다. 그는 순애에게 걱정하지 말라는 말을 하는 것 같았다. 그러나 순애는 그의 말을 믿지 않았다. 더는 거짓에 속지 않을 것이었다.

그때 수업이 끝나는 소리가 들렸다. 동시에 집으로 돌아가려는 아이들이 꿀벌처럼 날았다. 멀리서 달려오는 혁의 모습을 보니 고민은 어느새 사라지고 없었다. 혁을 그녀는 두 팔을 벌려 힘껏 안았다. 그 누구에게도 빼앗길 수 없다는 듯이.

얼마 후 그들은 논길을 걷고 있었다. 집으로 돌아가는 길이지만 얘기를 나누기 위함이었다. 순애는 들꽃이 향기를 뿜듯 나직이 말을 건네었다.

“철새가 간 먼 곳을 안다고 했지?”
“응, 그런데 철새는 돌아왔잖아.”
“아니. 그보다 더 멀고 아름다운 곳을 찾는 새.”
“그런 곳도 있었어? 그렇다면 오리는 찾지 않겠군. 하지만 난 지금 운동회가 더 중요해. 신나고 즐거우니까 포기할 수가 없다고. 경기가 끝난 후 대답을 해도 늦지 않겠지?”
혁은 그렇게 말을 하고는 논길을 위태롭게 앞서 나갔다. 뒤에서 바라보는 순애의 눈길은 좁고 돋은 논길이 위태로워보였으나, 혁은 아랑곳하지 않으며 걸었다.
그런 뒤 다음날 학교에서는 운동회가 열렸다. 운동장엔 만국기가 하늘을 덮었고 아이들은 청백으로 나뉘어 자웅을 결했다. 함성은 백두산을 흔들었고 먼지는 하늘을 물들였다. 그런 모습을 보는 순애도 덩달아 고함을 질렀다. 그런 고함은 어린 시절을 빼고는 질러보지 못한 것 같았다.
‘청군 이겨라, 백군 이겨라!’
순애의 열성적인 모습을 대견히 바라보는 사람이 있었다. 운동장의 고목 밑에서 경주댁은 얼굴에 흥분기까지 띠었다. 순애도 어느덧 경주댁의 모습을 닮아가고 있었다.
옛적 순애의 눈에는 경주댁이 자신을 지키는 고목 이었다. 그래서 그런지 운동회는 순애에게 소망과 환희의 날이었고 경주댁이 함께하는 축제이지 않을 수 없었다. 그래서 어릴 적 운동회 날은 지난밤과 다르지 않았다.
기억속의 그 날처럼 일찍 눈은 떠졌고 준비해둔 재료로 김밥을 말았다. 혁도 기대를 가지고 일찍 일어나 준비하는 김밥에 신바람을 불어넣었다. 김밥의 허리를 칼로 자르는 순애에게 그는 나직이 각오를 드러내었다.

"이런 정성에 걸맞은 것은 일등이겠지?"

그런 말은 그녀도 빠트리지 않았었다. 도장을 찍으면 같은 모양과 다르지 않았다. 그간 말썽만 부린다고 야단을 쳤지만 오늘은 기대감으로 기우를 먼지로 날렸다. 다만 아쉽다면 이런 모습을 경주댁에게 더는 보여줄 수 없다는 사실이었다. 기쁨은 나누어야 커지는 법인데 혼자라는 것이 아쉬웠다.

기학은 일을 준비한다며 다음으로 기회를 미루었고 김씨는 다리가 아프다며 양보했다. 하지만 혁은 순애만이라도 용기가 된다며 주먹을 불끈 쥐었다. 순애는 그것만이 기쁜 일이 아니었다. 호사다마란 말을 경계해서 내심 말을 쉬 할 수는 없지만 가급적이면 혼인을 서두를 생각이었다. 아직 유학이 떠나지 않은 상태라 결심을 진주처럼 감추었다. 하지만 물이란 멈추면 썩는 법이었다.

기학이 운동회에 참석하지 못할 정도의 일이란 그것만 같았다. 기학의 뜻을 안 순애는 일전에 혁의 생각을 묻지 않을 수 없었다. 하지만 전일의 약속도 있고 해서 멀리 에둘러 물었었다.

'개구리에게 우물은 이제 좁지 않을까?'

혁은 한동안 망설임을 지속했다. 그도 철새를 보며 자란 터라 동경하는 곳이 있었다. 그러나 그는 쉬 대답을 하지 않았다. 순애의 심정을 안다는 듯 실망시키지 않을 것이란 말만 남겼다.

생각은 운동장에서도 꼬리를 물었지만 함성은 섣부른 기대를 무너뜨렸다. 응원에 열을 올리지 않을 수 없도록 점수가 역전되어버렸다. 순애는 자신이 나서서라도 점수를 다시 재역전시키어야한다고 생각했다. 하지만 시합은 정체를 유지하기만 했다.

그때, 그녀의 눈길을 한 순간에 동결시키는 모습이 눈에 띄었다. 생각하지 않은 것은 아니었지만 우려가 현실로 나타난 것이었다. 낙지가 색안경으로 눈을 가리고 본부석에 나타난 것이었다. 물론 영국을 응원하려는 뜻이었겠지만 교장 선생님까지도 마중했다. 그의 출현을 보자 다시 우려는 증폭되지 않을 수 없었다. 그나마 다행인 것은 떨어진 거리가 다행이란 생각을 불렀다. 이곳은 본부석과 반대의 방향이므로 그의 시선은 찾아내지 못할 것만 같았다. 순애는 안심하는 생각으로 다시 응원에 목청을 키우지 않을 수 없었다.

그런데 그 안심은 얼마 지나지 않아 뒤에서 터진 사내의 굵은 목소리에 깨어지고 말았다.

"응원을 이토록 열심히 하니 마치 누구의 운동회인지 모르겠어요. 순진한 모습이 너무도 아름답기도 하고요. 하지만 그렇다고 성적은 목소리로 정하는 것이 아니니 그것이 너무 아쉽지요. 응원도 점수에 매겨는 지지만."

낙지의 힐난에 화들짝 놀라며 놀란 가슴부터 쓸어내렸다. 내심 치미는 오기를 느꼈으나 잔치의 분위기를 냉각시킬 수 없어 미소를 전했다. 낙지는 미소까지 비하하진 않았다.

순애도 그의 속셈을 아는지라 경망할 수 없었다. 사내는 고개를 끄덕이며 이런 짓으로는 우열을 가릴 수 없다는 표정이었다.

"오늘은 모두 기쁜 날이니 지난 기억은 잠시 덮어두기로 하죠. 하지만 운동회의 시합은 다르지 않겠어요? 경기의 순차를 보니 함께할 시합이 있는 것 같아요. 우리 거기에서 건곤일척을 겨루어보자고요. 승패는 대결로 나눠지는 것을 설마 포기하지는 않겠지요?"

"그것참 잘되었군요. 기다리던 참이었어요."

"하하, 그래요? 사랑도 이기고 경기도 이기려면 목소리로는 안 되는 법이지요. 시합은 최선을 다하지 않으면 승리를 잡을 수 없거든요. 그러니 이내 사실도 드러낼 것이고요. 그런데 그것은 또 다른 의미도 있잖아요. 강변의 사건 후속편이니까."

"네, 그렇다면 더욱 질 수 없겠군요. 이런 기회를 준 오늘의 운동회는 저를 위한 날인 것 같잖아요?"
"흐흐, 그럴까요? 이렇게 말싸움만 한다고 점수가 바뀌지는 않거든요. 시합이란 워낙 변수가 많고 결과는 대보기 전에는 알 수 없는 법이니 먼저 김칫국을 마시지는 말아야지요."
"옳은 말이에요."
"이렇게 당당한 모습을 보니 꼭 그 분을 닮은 것 같아요. 하지만 그분은 축제와는 인연이 없었지요. 그런데 오늘은 축제의 날이잖아요? 그러니 더는 구차한 얘기랑 하지 말고 다음의 경기에서 승부나 대보자고요."
"그래야겠지요. 그 자신만만한 콧대를 기어이 꺾고야 말겠어요."
순애는 전세를 파악하기 위해 구석의 점수판을 바라보았다. 점수는 아직도 근소한 차이였지만 순애의 편이 올라간 상태였다. 그녀는 이번만 이긴다면 승부는 결정이 나리라는 확신마저 들었다. 그녀는 자신도 모르게 팔을 들어 깡을 불어넣으며 투지를 불태웠다. 순애의 뜻밖의 고함에 놀란 낙지는 야릇한 표정을 지으며 본부석으로 사라졌다.
자신의 팀이 낮은 것을 알자 사내는 자신의 역할이 크다는 것을 확인한 모습이었다. 하지만 두 팀의 점수의 차이란 간발이어서 최종적인 승부는 누구도 점칠 수 없었다. 운동장에서 진행되던 시합이 끝나는 동안 순애는 마음을 진정시키었다. 다행히 입고 온 옷이 통이 넓은 감색의 바지인 관계로 별다른 준비가 없어도 시합에 응할 수 있었다.

24,공굴리기

잠시 운동장에서는 시합을 위한 준비가 완비되었다. 지구만한 공이 양편에게 주어졌다. 속은 대나무로 뼈대를 만들고 겉은 한지를 붙였는데 모양은 팔면체인지 원인지는 분명치 않았다. 아이들은 면마다 색종이를 붙이고 물감을 칠한 것 같았다.

그 공을 바라보는 두 팀은 아이들과 보호자로 구성되었다. 백팀에는 영국과 낙지가 있었고 순애는 혁과 나섰다. 시합은 단체전이라 큰 점수가 걸려있어 이 시합으로 승부의 분수령이 될 것 같았다. 그렇다면 결코 질 수 없는 게임임이 분명했다. 물론 그녀만의 성적으로 승리를 가름하는 것은 아니지만 질 수 없는 것은 분명했다.

낙지는 그녀가 여자라는 점에 여유를 부릴 것이고 그녀는 그런 약점을 파고 들어야했다. 준비된 모습을 보자 공굴리기 경기의 출발을 알리는 호각소리가 길게 울렸다. 청백으로 나뉜 아이들은 커다란 공을 굴리기에 달라붙었고 보호자는 보조를 맞추기 시작했다. 혁과 순애는 뒤에서 그들의 차례를 기다리며 응원을 하기 시작했다. 손뼉을 치며 발을 동동 굴렀다. 그러한 표정과 행동은 낙지도 다르지 않았다.

순애는 반대편의 낙지를 게눈으로 살피고 있었다. 그간 혁에게 공부만 다그쳤던 일이 이 순간만은 틀렸다고 생각했다. 혁의 날렵한 몸과 다리의 근육은 강변을 누비고 논길을 달린 결과였다.

상대편 낙지의 눈길도 다르지 않았다. 물론 아이들의 시합이라고 태연한 다른 보호자와 달랐다. 그도 순애에게 밀리지 않을뿐더러 이 기회에 기를 꺾으려 들었다. 그는 자신의 몸과 영국의 신체를 바라보았다. 그것은 이미 결과를 드러내는 것 같았다.

순애가 여자라는 점은 경기의 최대 약점이었다. 물론 여유를 부려도 결과는 마찬가지라는 표정까지 띠었다. 다만 단체전인지라 다른 주자의 결과가 영향은 미치겠지만 그것은 낙지가 우려할 정도는 아니었다. 그러나 우려는 곧 현실로 이어졌다.

순애의 편이 앞서가는 계기가 발생했다. 나이든 보호자가 신발이 벗겨지는 관계로 순위가 바뀐 것이었다. 그러다가 또 다른 주자에서 역전이 벌어졌다. 순애의 편에서 아이가 엎어진 탓이었다. 운동장에서는 폭소와 함께 탄성이 터졌다.

탄성에 놀란 아이는 오뚝이처럼 일어나더니 공을 굴리기 시작했다. 함성이 터지며 운동장을 열광의 도가니로 몰아넣었다. 지구만 한 공을 받아 굴리는 편을 응원하느라 마음과 몸이 하나가 되었다.

더욱이 간발의 차이는 긴장을 불렀고 공은 방향을 틀어대기 일쑤였다. 일정한 방향으로 구르지 않는다는 것은 인생과 다르지 않았다. 그러기에 양편은 뒤뚱거리는 공을 오리걸음으로 열심히 굴리는 것이었다.

이번에는 순애가 손에 땀을 닦으며 숨을 몰아쉴 여유도 없이 공을 받았다. 오직 빨리 반환점을 돌아올 생각으로 손과 발에 힘을 넣었다. 조금만 틈을 보인다면 낙지에게 자존심이 꺾일 것만 같았다. 진정한 승리는 진실이 다할 때, 이루어지리라는 생각뿐이었다. 그리고 그 기대는 틀리지 않았다. 간발의 차이나마 앞서가는 것이었다. 그러한 사실을 낙지도 모르지 않을 것 같았다. 내심 통쾌한 기분마저 드는 것 같았다. 그녀가 신발이 벗겨지거나 혹이 엎어지지만 않는다면 불가한 일도 아니었다. 뒤통수의 눈에서는 역전되는 점수가 폭죽처럼 번쩍이는 것도 같았다. 물론 그것이 의도적일 수는 없지만 거의 본능에 가까운 절규이지 않을 수 없었다. 그러하지 않는다면 낙지는 패배를 용인하지 않을 것이었다.

이제 남은 것은 반환점을 조금만 더 빨리 돌고 조금만 더 빨리 가면 될 일이었다.
“조금만 더 빨리!”
“네, 좋아요, 조금만 더 힘을 내, 최선을 다하면 승리는 떼어 놓은 당상이라고요.”
“그렇지? 고지가 저기거든.”
“네, 우리가 이긴다는 사실이 꿈만 같아요.”
“그럼, 조금만 더 열심히 하자. 조금만.”
“엄마, 그런데 왜 공이 멈추었지요? 힘이 모자랐나 봐요.”
“옆으로 밀어보마. 앞에 돌이 있나보다. 너는 움직이는 찰나에 앞으로 밀어야한다.”
“네. 어서 밀어보아요.”
“그것이 아니다, 앞으로 밀지 않으니 공이 옆으로만 구르잖니?”
“앞으로 가야할 공이 옆으로만 굴렀어요? 이제 어떻게 하지요?”
“승부에 매이지 말고 최선을 다 하여라.”
“그럼 패배를 인정하는 거잖아요?”
“그것은 아니다. 최선을 다 하라는 말이다.”
“패배에 그것이 무슨 소용이 있어요?”
“너무 이기는 데만 익숙하구나. 하지만 진정 이기는 것은, 질 줄도 아는 것이지 않겠니?”
“지는 자에게 도대체 그게 무슨 의미가 있냐고요. 놀림과 기가 죽기는 더는 싫다고요.”
“아니다, 패배는 인정하지만, 최선을 다하지 않았겠니? 후회는 남아있지 않잖아.”
순애는 말을 마치기가 무섭게 재빨리 공을 앞으로 밀었다. 그러자 앞이 보이지 않을 정도로 큰 공은 럭비공처럼 옆으로 굴렀다.

그녀는 재빨리 앞을 보며 다시 공을 밀자 공은 그제야 제자리를 찾았다. 그런 모습을 본 혁도 더는 방관하지 않고 도왔다.

그러는 사이 낙지의 편은 이미 공을 후순위에게 넘기고 미소를 띤 모습으로 바라보고 있었다. 이제 더는 승부의 재역전은 없다는 눈길이었다. 순애는 이제 승부를 역전시키려는 생각을 접지 않을 수 없었다. 아쉬움이 물론 없지는 않았지만 혁과 함께 최선을 다한 것으로 그날의 승리는 자신이란 생각이었다.

하지만 그 결과는 그날의 승부를 결정하였을 뿐만 아니라 그날의 기분을 결정하는 결과를 낳았다. 패배를 인정하는 것은 혁과 다르지 않았으나 기분은 같지 않았다. 그것은 혁의 부르튼 입술이 기어이 분통을 터트렸다.

"그 사람이었다면 설마 지기야 했겠어요?"

"그게 무슨 말이지?"

"어머니와 같이해서 그렇게 역전패를 당한 것이라고요."

"어미한테 그게 무슨 소리이지?"

"그렇잖아요, 그런데 왜 시합에 진 원인을 인정하지 않으려는 거예요?"

"인정을 하지 않으려는 것이 아니다. 진 것은 부끄러운 것이 아니라는 뜻일 뿐이다."

"부끄럽지 않다고요? 난 그 오욕으로 평생을 살지도 모르고 더 나쁜 결과를 당할지도 모르잖아요?"

"아니다, 결코 그리 될 수 없는 까닭이 있다. 다만 그것을 받아들이기에는 너무 네가 어린 탓이다."

"그런 말이 어디에 있어요? 어리다고요? 다른 까닭이 있는 것은 아니고요? 그런데 화난 표정은 또 뭐지요?"

"도둑이 제 발 저린 탓이겠지."

"이젠 할 말이 없어서 도둑 타령까지 하나요?"
"승리를 도둑맞은 기분을 알겠니?"
"그렇지 않아요, 잘못은 내게 있었고 우리는 졌어요. 하지만 그것을 받아들이기에는 뭔가 억울하고 슬프다는 거예요."
"그렇게 생각하지 않아도 된다고 하지 않았어? 다만 그것을 네가 인정하지 못하는 것뿐이지. 그래서 그것을 네게 배울 기회를 찾아내었다."
"고마워요. 역시 날 잘 아는 것은 엄마인 것 같아요. 그런데 그 기회란 것이 뭐지요? 아버지와 함께 떠나겠다는 말인가요?"
순애는 혁의 얼굴을 바라보며 자신의 결심을 전하고 싶었다. 그러나 굳은 표정은 둘이 같지 않았다. 이런 기분으로 말을 한다는 것은 감정을 자극할 뿐이었다. 일전에 말한 것처럼 지는 것이 이기는 것이고 귀여운 혁에게 이길 순 없었다.
순애는 시합에 지기는 했지만 결코 졌다는 생각을 하지 않았다. 물론 혁은 아직 받아들이지는 않았지만 전력을 다한 것은 사실이었다. 패배라는 결과는 슬펐지만 자부심은 이를 넘었다. 이겼다고 을씨년스런 짓보다는 고개를 숙이는 것을 알았다. 다만 혁은 고개를 숙이지 않을 뿐이었다.
그것은 혁의 장래와 결부되지 않을 수 없었다. 그런 까닭에 그녀의 고민은 이미 결론을 내리고 있었다. 다만 어린 혁의 가슴은 아직은 좁았다. 하지만 순애는 더욱 고민의 심연을 헤매지 않을 수 없었다. 그녀에게는 오직 혁의 미래만이 있을 뿐이었다.
자신은 이제 껍질이 다 벗겨진 양파일 뿐이었다. 하지만 혁은 그런 사실을 인정하지 않으려 들었다. 하긴 그도 순애의 고통을 모를 정도의 철부지는 아니었다. 그래서 더욱 거칠고 항거하는 것이었다.

"찾아내었다는 말은 거짓말이 아니겠지요? 설마."
"어미는 거짓을 섞지 않는다, 다만 어리석을 뿐이지!"
"어리석다니요?"
"속기를 잘하거든. 네 아버지와는 다른 모습이겠지만."
"그럼, 아버지의 모습은 어떻지요?"
"뭐랄까. 해처럼 밝으니 어둠은 발을 붙이지 못한다고나 할까?"
"흐흐, 나도 그리 될 수 있을까요?"
"쉬운 일은 아니겠지. 그것은 바늘구멍으로 낙타가 나가는 일이니까."
혁은 그 말에 고개를 떨어뜨렸지만, 시합에 진 여운을 쉽게 떨치지 못했다. 하지만 순애의 탓으로 여기던 생각과 영국의 악몽을 대수롭지 않게 여기는 것 같았다.
얼마가지 않아 기학으로부터 긍정적인 답변이 왔다. 학기가 시작되기 전에 준비를 하자는 말이었다. 순애는 그제야 모든 일이 순조롭게 되는 느낌이었다. 이제는 더 나은 발전을 위해서 움츠리는 일만 남은 것이었다. 그녀는 그와의 관계보다 혁의 일이 우선이라는 듯 기학에게 속내를 드러내었다.
"그와 같이 가지 않는 것만으로도 다행이지 않겠어?"
"그곳도 고되고 힘들기는 마찬가지인 걸?"
"미래는 보장되어 있으니까."
"미운 오리는 아니 될지 몰라?"
"설마하니 네가 그렇게 되길 바라고 소개를 한 것은 아니잖아? 사랑하는 마음이 없고서는 어림도 없는 일이니까."
"하여튼 내가 원하는 바는 되었지만, 네 자신을 위한 일은 무작정 기다리라는 말은 아니겠지?"
"그러잖아도 결정을 말하고 싶었어. 그래야 그 사람도 다른 생각을 하지 않겠지."
"다른 생각이라니? 이제와 무슨 면목으로 억지를 부린다는 것이지?"
"그게 네 탓이지 않아?"
"내 탓이라니? 처음 듣는 소리인데?"
"넌 모든 것을 용서하고 사랑하잖니?"
"흐흐, 그 말이었어? 하지만 그것은 끝과 시작이잖아."
며칠 후, 기대하지도 않았던 소식이 낙지로부터 날아왔다. 낙지가 찾아와서 한다는 말이 유학이 서울의 집을 다니러 갔다는 것이었다. 그러며 머지않아 다시 외국으로 갈 계획이라는 것이었다. 순애는 그렇게만 된다면 이제 다리를 뻗고 살 것 같았다. 그가 서울을 다녀온 이후의 기간만 잘 넘기면 될 것 같았다.
그러나 낙지는 그렇게 낙관적인 소식만 전하지는 않았다. 떠나면서 한 유학의 말은 어떠한 대가를 치르더라도 혁을 데리고 가고 싶다는 것이었다. 경기적인 반응을 일으키는 순애를 대신해서 기학을 찾은 것은 이성적으로 판단을 할 인물이었기 때문이란 말이었다. 낙지의 전언을 듣고 순애는 다시 흥분하지 않을 수 없었다. 그녀는 기학과의 타협을 떠올렸다.
'하루라도 빨리 보낼 방법은 없겠어?'
'과정을 내 뜻대로 당길 순 없잖아.'
'그렇다면 어디로 숨겨야겠어. 솔개가 채어가도록 보고만 있을 수 없지 않겠냐고.'
'겁내지 말라고, 싸워 이기는 것이 그보다는 영원하거든.'
'이겨? 방법을 모르겠는데?'
'거짓말이 외삼촌보다 낫다는 말 몰라?'
'알기는 하지만, 거짓말을 하면 가슴부터 떨려서 금방 탄로가 나

버릴 텐데?'
'잠깐, 귀를?'
'아, 그토록 은혜로운 일도 있었네.'
그런 며칠 후, 낙지가 유학의 전령사처럼 마을의 회관을 다시 맴돌았다. 옆에는 외제 차의 상표가 마을을 노려보며 호령하는 것 같았다. 그가 나타났다는 것은 마을의 사람들에게도 좋지 못한 소문을 드러내는 일이어서 그녀로서는 여간 거북한 일이 아니었다. 그래서 가급적이면 한적한 고목의 밑으로 찾아갔다. 생각 같아서는 그에게 소금이라도 뿌리고 싶은 심정이었다. 하지만 유학의 대리인이라는 생각은 우선 감정을 억눌렀다.
"결혼을 서두르겠다고요? 그런데도 아직 고집을 부리는 것은 양보할 마음이 없다는 것이 아닌가요?"
"양보라고 할 것이 있겠어요? 어미의 본능이 있을 뿐이지요."
"아이의 교육도 남다르게 신경을 쓰는 것으로 아는데?"
"지금까지는 우물 안의 개구리였거든요."
"맞아요, 그러니 넓고 큰 세상을 섭렵시키는 것도 나쁘지 않거든요. 더욱이 그분은 이제 남도 아니잖아요. 그리고 오래 살았던 기반도 이제는 바위처럼 견고하고. 그런데도 보내지 않으려한다는 것은 다른 속내가 분명하잖아요?"
"속내라니요?"
"숨기려하지 말아요. 배신한 사랑을 용서하지 못하는 것 아닙니까? 여자의 한은 오뉴월에도 서리가 내린다고 하잖아요."
"아니에요, 그런 것은 다 용서하고 잘살기를 바라고 있어요. 혹만 주고 간다면?"
"흐흐, 저번에도 뜻을 전했잖아요? 정의로운 법이 심판을 내린다고요. 처음은 어머니의 자비처럼 용서하길 권하겠지만 그러지 못한다면 방법은 정해져있지 않겠어요? 명판의 완성을 재판하는 수밖에."

낙지의 말은 한 걸음의 양보도 할 기세가 아니었다. 그것은 순애도 다르지 않았다. 그래서 둘의 충돌은 불가피했으며 촉급을 다투었다. 순애는 긴 한숨을 내쉬지 않을 수 없었다. 그리고 이러한 문제로 낙지와 언쟁을 벌린다는 것도 어불성설이었다.

순애는 이제 유학의 결단을 보고 싶었다. 물론 자신의 의지도 그에게 직접 보일 생각이었다. 순애는 낙지를 여유로운 표정으로 바라보았다. 그러자 낙지의 당황하는 얼굴이 우습기만 했다. 그녀는 낙지에게 유학을 만나서 회담을 하자는 뜻을 전했다. 그러자 한동안 생각을 하던 낙지가 이기적인 말을 내뱉었다.

"직접거래를 하겠다는 뜻이겠지만, 이것만으로도 중개료는 양편이 내야 한다는 것을 모르지 않겠지요?"

"빚도 그렇게 받았는데 아직도 남았어요?"

"내가 뿌린 환락의 덕은 남았거든요."

낙지의 연락을 받은 유학이 만나자고 제한 곳은 시내의 경양식집이었다. 촌의 풍경이 아니라 한동안은 어리둥절했다. 유학은 창가의 자리에 앉아 있다가 그녀를 맞았다. 외국이 아닌 고국의 생활이 그에게 편안하지는 않은 것 같았다. 한시라도 빨리 떠나려는 기색도 역력했다.

"이젠 이곳이 이국인 걸?"

"다행인 것 같아. 다시는 찾지 않아도 될 곳이잖아."

"그럴지도 모르지. 혁만 내게 넘긴다면 말이지."

"애가 무슨 물건인가? 넘기고 인수를 하게?"

"괜한 고집을 부리지 말라는 것이지. 경성의 법률가와도 사전협의를 이미 마쳤고. 자신 있다는 견해를 이미 확인했어. 그러니 혹을 떼어버리고 새 출발을 하는 것이 피차 좋지 않겠어? 그 사람은 전도까지 유망하다지?"
"그래서 그 전도가 밝은 곳으로 혁을 인도할 생각이잖아."
"허허, 장사를 했다면서 그렇게도 몰라? 장사는 손해를 미리 책정하지 않잖아?"
"그런 망발이 어디에 있어? 하긴 사랑을 배신하는 그런 작자들은 상상이나 하겠어? 사랑과 용서의 은혜를?"
"그래, 난 그런 것은 몰라. 그러니 아이를 위해 아니 그대를 위해 아이를 데려갈 생각만 하는 거잖아."
"호호, 그래? 정 그렇게 원한다면 명판의 판결을 다시 벌려보자는 말이겠지?"
"사양하지 않겠어. 애의 어머니는 이제 어떻게 나올지 궁금증도 더하는 걸? 지혜의 왕이 아이를 반으로 나누어 가질래 아니면 양보를 할 거냐고 물었다지?"
"정 원하신다면 즉답을 내리지. 반으로 나누자고. 그래야 정의롭고 공평하지 않겠어?"
"당신, 미쳤어? 그렇게 말하고도 아이의 엄마가 맞아? 흐흐, 아니면 내게 엄포를 놓아 양보를 받아내려는 셈이지?"
"아니. 그 어느 것도 아니거든. 무슨 뜻인지 알겠어?"
순애의 말에 유학은 고개를 갸우뚱거릴 뿐 아무런 대답을 하지 않았다. 그리고 더는 실랑이를 벌이지 않았다. 다만 뭔가 작심한 얼굴로 보아 결단을 내린 것 같았다. 그러나 순애는 그런 각오에도 끔쩍하지 않았다.
다만 더는 그의 입에서 혁의 이야기를 꺼내지 않으리라는 것은 분명했다. 유학과의 타협이 결렬되고 집으로 돌아오자 기학이 집이 보이는 고목의 아래에서 가다리고 있었다. 물론 그녀의 위기를 그대로 방관할 수 없는 탓이었다. 기학은 힘이 빠진 그녀를 고목의 아래 의자에 앉혔다. 순애는 이제 기학만이 그녀의 곁을 지키리라는 확신이 들었다. 그래서 그에게는 작은 사실도 숨길 수 없었다.

"매정한 솔개였지 않겠어? 병아리를 채가려는."

"이제와 그런 집착을 하는 까닭이 뭔지 모르겠군."

"못 먹는 감 찔러나 보자는 게지."

"그렇지는 않을 거야. 그보다는 엉뚱한 생각이 있다는 느낌이 거든."

"철들자 망령이겠지?"

기학은 그녀의 절망에 가부의 대답을 하지 않았다. 신중한 태도를 보이며 고개를 갸웃거렸다. 순애도 너무 감정적으로만 대한 듯 자중했다. 분명 유학의 태도는 진지했다. 그리고 전문적인 법률가까지 면접한 것도 거짓은 아닌 것 같았다. 그렇다면 그의 말대로 조처를 한다면 혁을 강제로 빼앗을지도 모른다는 생각이 들었다.

"그럼 이제 어쩌면 좋지?"

"그래서 그에게 뭐라고 답했어?"

"조금만 더 생각을 하자고만 말했지."

"그럼 이제 그의 대응을 기다려보자고."

그러던 며칠 후 기어이 올 사달이 아침의 해처럼 어둠을 헤치고 유학으로부터 날아들었다. 예전에 만났던 강변에서 기다릴 테니 혁과 함께 나오라는 말이었다. 집을 나서는 가슴은 우울했고 올적에 혁을 데리고 오라는 말은 천근의 쇳덩어리이지 않을 수 없었다. 하긴 마지막으로라도 혁의 얼굴을 보려는 마음을 이해하지 못하는 바는 아니었지만 솔개를 생각하지 않을 수 없었다. 고목에 다다르니 아이들이 숨바꼭질을 즐기고 있었다.

아이들의 모습을 보자 예전의 기억이 되살아나는 것 같았다. 그러나 아이들 속의 혁을 발견하자 그 생각은 안개처럼 사라졌다. 고목의 뒤에서 고개를 내미는 얼굴은 해바라기이지 않을 수 없었다. 그를 보는 것만으로도 그녀는 배도 고프지 않았다. 그녀의 마음을 아는지 모르는지 술래인 경아의 목소리는 청아하기만 했다.

"꼭꼭 숨어라, 머리카락 보인다."

'제발 들키지 않게 잘 숨어야할 텐데.'

"다 숨었어? 그럼 찾으러 간다."

'어쩌지? 혁은 꼬리가 보이는데?'

"꼭꼭 숨어라, 옷자락이 보인다."

술래는 아이들을 찾아 여기저기를 뒤지기 시작했다. 그녀의 눈에 옷자락은 어디로 사라졌던지 보이지 않았다. 차라리 잘 되었다는 생각에 가슴 위의 천근의 쇳덩어리를 내렸다. 운동회를 계기로 순애는 더 이상 공부를 닦달하지 않았다. 그래서 술래잡기를 바라보는 눈길도 여유로웠다.

하지만 강변으로 옮기는 발걸음은 여유로울 수 없었다. 죄인의 사슬처럼 그녀의 발목에 달려 끌려오는 것 같았다. 강변까지는 가까운 거리가 아니었다. 이십여 분은 소요된 것 같았다.

"이제 마음의 준비는 되었지?"

"되었다니? 무슨 말이지?"

"혁을 보내는 일이지."

"그 말은 이미 대답하지 않았어? 그런데 미련이 남은 거야?"

"유감이군. 철새들이 저렇게 이곳을 떠나가는데 아직도 모르겠어?"

"그러나 그쪽은 아니라는 거지. 혁도 내 말에 동의를 했거든."

"그런데 아이는 언제 오지?"

"그것은 말할 수 없어. 솔개가 강제로 빼앗아가려고 하니까."
"음, 그런다고 해결이 났다고 생각해?"
"어쩔 수 없는 방법이지 않겠어?"
"그렇다면 예전처럼 명판을 재개하자 하지 않을 수 없군. 동의하겠지?"
"호호, 좋아. 나도 피하지 않겠다고."
"그런데 왜 이지경이 되었지? 전에는 이렇게 잔인하지 않았잖아."
"그게 다 철새의 탓이 아니겠어?"
"나 때문이라고? 하긴 그럴지도 모르지. 그러나 다음에 또 이런 일이 벌어진다면 그때도 그 사람 때문이라고 말하겠어?"
"그 사람이라고? 그것은 너무 치졸한 말이라서 도저히 대답할 수 없군. 차라리 내게 천녀라고 말하는 게 낫지 않겠어?"
"이제야 알아차린 것 같군."
"하지만 그게 진실은 아니잖아? 그러니 혁만은 안 되지. 내 목숨이 붙어있는 한!"
"나누자고 하지 않았어? 그런데 독차지하겠다고?"
"그러자고 하지 않았잖아. 그게 당신의 뜻이 아니었어? 그런데 이제 그게 잘못이라고 번복하겠다고? 아니 한번만이라도 생각을 하고 사랑이 부활이라는 것만 알아도 그리 할 것은 아니잖아? 그런데 솔개가 기어이 되겠다고?"
"나누자 한 것은 누구의 말이었지? 그러자고 하니 궁지에 몰린 것을 깨닫고 이제는 양보하라고? 그러고도 어미라고 말할 수 있어? 그것이 그림자의 변명이라는 것을 아직도 모르겠어?"
"그래. 적어도 이번만은."
"그만큼 우리의 사랑은 완벽하군."
"아니, 전혀 그렇지 않아. 이젠 너의 얼굴을 보는 것만으로도 역

겨우니까!"
"그러면서 혁을 사랑한다고? 우리의 분신을 봐서도 그리 할 수 없잖아? 그러니 난 온전히 당신의 품으로 돌려줄 수 없다는 게지. 더군다나 혁은 집안의 유일한 혈육이고 거기에 나처럼 둥지를 떠날 때도 되었거든."
유학은 양보의 끝을 갈랐다. 강변은 예전의 모습과 다르지 않았다. 산의 그림자가 수면에 내려앉자 심술궂은 바람이 이를 지워버렸다. 그 위를 어디서 나타났는지 오리 세 마리가 헤엄을 치고 다녔다. 오리는 강물 위로만 만족하지 않았다. 버들이 늘어진 강변까지 다가갔다. 이제 오리도 머지않아 멀리 날아갈 터였다.
순애는 이제 파국의 극정에 더는 사랑과 관용을 말할 수 없었다. 기학의 얼굴이 떠오르며 자신을 용서한 것처럼 유학을 용서하고 이별을 받아들였다. 그녀는 조심스레 말문을 열었다.
"이제는 모든 것을 용서하고 제자리로 돌아갈 것 같아. 그리고 혁을 찾아온 것도 고맙고 거기에 기르겠다는 각오도 고맙지. 하지만 더는 염려하지 말라고. 혁도 먼 이내 길을 떠날 것이고. 하지만 그 길은 철새처럼 추운 북쪽의 길이 아니거든. 더는 힘에 빼앗길 염려도 없지. 모두가 손을 흔들며 반기거든."
"모두가 바라고 반긴다고? 그렇다면 이것 큰일 났는데? 그럼 인형을 만든다는 거야?"
"그게 사는 목적이 아니겠어?"
순애는 영문을 알지 못하겠다는 듯 고개를 갸웃거렸다. 그러나 속으로는 여유로운 미소를 흘렸다. 혁은 결코 그 정도로는 기뻐할 일도 아니었기 때문이었다. 그러나 영문을 알 리 없는 유학은 허둥대기 시작했다.
그는 자신의 결정이 박살났다는 듯 얼굴의 표정이 카멜레온처럼 변했다. 하지만 순애는 그의 행동에 아무런 관심도 주지 않았다. 그녀는 사내와 헤어질 시간이 다가온 듯 서둘렀다. 그녀에게 마지막의 이별을 위해 손까지 내밀었다.

악수의 청에 긴장한 유학은 손을 잡고는 놓지 않았다. 더욱이 얼굴은 잔뜩 주름이 가득 덮었다. 그런 심정을 살핀 그녀는 혼란한 까닭도 묻지 않았다.

이내 강변에 부는 바람에 등 떼밀려 유학과의 영원한 이별을 고했다. 그런데 정작 소동은 집에서 벌어지고 있었다. 돌담을 돌아 열린 대문 틈으로 김씨의 뒷모습이 보였다. 돌아서서 탈을 만지작거리고 있었다. 경주댁을 보내고서 부쩍 집중하는 것이 탈을 써보는 일이었다. 허전함을 달래려는 것으로 생각했으나 오늘은 달랐다. 하지만 그런 행동을 나무랄 생각은 없었다. 유학의 패배를 얻었기 때문이었다.

대문가에 세워둔 오토바이도 눈에 들어왔다. 그간 공헌을 다한 흔적이 곳곳에 남았다. 영광의 상처가 분명했다. 곁에 버려진 안전모도 사정은 다르지 않았다. 김씨는 더는 그녀의 안전을 위해 양보하지 않았다. 열쇠도 회수한지 며칠 되었다. 하지만 그러한 행동은 자신을 위한 부모의 배려라는 것을 모르지 않았다. 순애는 그런 김씨를 놀려주고 싶었다. 슬며시 다가가 무엇을 하고 있냐고 묻자 김씨는 깜짝 놀라며 허둥대었다.

"아무 것도 아니다. 이제는 쓸모가 없어 버리려고."

"그간 애지중지한 정은 어디에 두고요?"

"이젠 쓸모가 없잖아. 네 어미도 없으니 더는 그런 촌극을 벌리지 않아도 되고."

김씨는 그녀의 곁에 있는 오토바이의 안장을 들더니 그 안에다 탈을 넣었다. 마치 쓰레기통에 버리듯이. 순애는 탈을 잡고 빼앗고 싶었으나 그의 행동을 막지 않았다. 헛간을 바라보니 경주댁의 그림자가 보였다. 이제는 자리를 비운지 꽤 오래 되었다. 쓸쓸한 감정은 골도 깊었다. 순애는 허전한 까닭을 이내 알았다. 혁의 자리가 빈 탓이었다. 마당의 김씨에게 행방을 물었다. 그러자 김씨는 뜻밖의 말을 던졌다.

"그자를 만나보지 않았어?"

"그자라면 누구지요? 내가 만나고 온 사람은 떠나갈 철새였어요."

"피자집의 사장이 아니었다고?"

"뭐라고요? 그렇다면 이것 큰일 났어요, 그자는 무슨 짓을 꾸밀지 모르거든요."

"그렇게 보이지 않았다. 얼굴에 웃음이 가득 하던 걸?"

"그자는 돈을 위해서라면 무슨 짓이든지 외면하지 않는 그런 자라고요."

"그럼 이것 큰일 났구나. 애를 볼모로 꿍꿍이를 벌릴 것이 틀림없다. 내가 오토바이를 타고 가보마."

그러나 그 말은 받아들일 수 없었다. 혁이 낙지의 손아귀에 있다면 유학과의 밀약일 것이었다. 그러나 김씨는 그런 사실을 몰랐다. 오토바이를 타려는 김씨의 몸을 밀었다. 김씨도 양보하지 않고 버텼다.

그러나 혁을 찾겠다는 순애의 눈에서는 눈물이 먼저 주르르 흘렀다. 김씨는 눈물을 거부할 수 없다는 듯 열쇠를 넘겨주었다. 혁을 데리고 갈 곳을 떠올려보았다.

공항을 가기 위한 방법은 전철과 승용차가 있었다. 혁이 좋아하는 것은 승용차보다 전철을 더 선호했다. 영국의 차보다 전철은 긴 탓이었다. 혁을 속인 낙지로서는 부득불 그 방법을 선택할 것은 확실했다. 그녀는 가까운 전철역으로 방향을 잡았다. 전철역은 가지 않아도 길은 사진처럼 떠올랐다.
순애는 이제 마음의 여유가 조금도 없었다. 뒤로 내뿜는 연기처럼 오토바이는 속도를 높였고 차들을 앞지르기 시작했다. 신호와 차선을 지켜야하는 차들은 서행을 다투는 것만 같았다. 이에 비해 순애의 오토바이는 거의 무법자에 가까웠다. 차선과 속도를 무제한으로 허용하며 틈을 파지 않을 수 없었다. 혁의 얼굴을 촌각이라도 빨리 보려는 날개이지 않을 수 없었다.
그때 반사경에 낯익은 차의 모습이 보였다. 낯익은 모습은 급한 마음에 긴장을 던졌다. 낙지의 차가 분명했지만 옆의 자리는 사람의 형체를 알 수 없었다. 그런데 오토바이가 고급차의 앞을 달리는 것이 못마땅하였던지 갑자기 가속했다. 순간 추월도 확인하지 못한 순애는 쿵하는 소리를 듣는 것으로 시야는 어둠으로 대체되었다.

25, 철새

"교통사고가 일어났다! 차가 오토바이가 들이받았고 오토바이의 운전자는 하늘로 솟구치는 것을 똑똑히 보았다!"
사고를 목격하고 급브레이크를 잡는 목격자의 차에서 터진 절규이었다. 그 차의 비상 신호를 토대로 차들은 다리의 위에서 속도를 늦추고 정렬되었다. 순식간에 다리의 위는 거대한 주차장을 만들었다.
잠시 후 사이렌을 울리며 구급차가 급하게 달려왔다. 뒤이어 순찰을 돌던 경찰의 차도 조사를 위해 도착했다. 다리위에서 멈춰선 차들은 창을 내리고 참혹한 현장을 보는 자도 있었으나 대부분은 고개를 돌렸다. 찌그러진 오토바이의 형상은 말 그대로 목불인견이었다.

목격자에 의하면 달리던 오토바이의 속도보다 뒤따른 차의 속도가 겁났다. 그래서 피할 순간도 없이 받혔고 오토바이는 난간을 치며 찌그러졌는데 사람은 그 충격으로 허공의 새가 되었다는 말이었다.

구석에 처박힌 오토바이의 몰골이 그의 증언이 그르지 않다고 다시 증언했다. 앞부분은 종이처럼 휘어지고 보호대는 깨어져 여기저기 틈을 갈랐다. 거기에 핸들은 난간에 휘어져 엿처럼 꼬였다. 사고의 흔적은 바닥에도 있었는데 급정지한 흔적이 십여 미터에 달했다.

순찰차에서 내린 경찰은 허리에서 무전기를 꺼내더니 급히 상황을 보고했다. 오토바이와 승용차의 추돌인데 사망이 일어났다는 것이었다. 보고를 하던 경찰은 다시 승용차를 살피기 시작했다.

사고를 낸 승용차에는 운전자가 있었는데 핸들에 엎드리고 있었다. 귀밑으로는 흐르는 피가 보였지만 생명은 지장이 없는 것 같았다. 경찰은 다시 어디론가 무전을 쳤고 운전자는 구급차에 실렸다. 그러데 피해자인 오토바이의 운전자는 흔적도 남지 않아 종적이 묘연했다.

주변을 한동안 더 살피던 경찰은 서로 눈짓을 주고받더니 내막을 알겠다는 듯 고개를 끄덕였다. 그러며 난간에 다가서더니 푸른 입을 넘실거리는 강물을 내려다보았다. 그러나 강물은 아무런 대답을 하지 않았다. 예전의 모습 그대로 바람에 따라 일렁거릴 뿐이었다.

결국 오토바이의 피해자는 사라졌고 증인과 흔적만이 남았다. 경찰의 추정은 그렇게 이어지며 사건의 종결을 정리하는 순서로 이었다.

사고의 마지막 정리는 길을 두 칸이나 차지한 견인차가 맡았다. 또 다른 승용차에서 내린 젊은이도 현장의 사진을 다 찍었다는 신호를 보냈다.

확실한 증거는 사진만이 진실을 토할 것이었다. 다른 길에서는 한 경찰이 막힌 도로의 정체를 풀고 있었다. 그제야 멈추었던 차들은 거북이처럼 꿈틀거렸다.

그때 빛바랜 은색의 승용차가 비상등을 켜고 달려오더니 현장의 장소에 멈춰 섰다. 차문이 조심히 열리고 내리는 사람을 보니 김씨와 기학이었다. 연락을 받고 온 모습이라 얼굴은 창백함 그 자체였다. 다리도 떨렸고 허리도 굽은 모습이 새우와 다르지 않았다.

그런 김씨의 곁에 기학이 있다는 것이 그나마 다행이었다. 김씨는 현장을 이리저리 둘러보다가 낯익은 오토바이로 눈길이 갔다. 연락을 받을 적만 해도 믿지 않았는데 오토바이를 보자 이제는 의심의 여지도 없었다. 넋은 빠지고 전신의 힘마저 마지막까지 소진된 것 같았다. 그는 포장한 바닥에 주저앉는 것을 기학이 겨우 부축해주었다.

다가온 경찰이 김씨를 맞았고 그는 질문과 설명에도 이해를 할 수 없다는 표정만 보였다. 그녀의 오토바이가 뒤를 받쳤다면 왜 앞이 이렇듯 망가졌냐는 것이었다. 곁에서 참지 못한 기학이 충격으로 난간에 찌그러진 것이 아니겠느냐고 말했다.

김씨는 그 말도 믿으려하지 않았다. 차는 오토바이를 보호해야지, 육중한 차가 약한 오토바이의 뒤를 치는 것은 살인이 아니겠냐는 말이었다. 그러자 곁에서 경찰이 그것은 아닌 것 같다고 조심스레 말을 꺼냈다.

급정지를 한 흔적으로 보아 오토바이가 진로를 방해했다는 것이었다. 그러며 이런 경우는 과실을 따져 결과를 정한다는 것이었다.
그 말을 듣는 기학이나 김씨는 어이가 없었다. 사고의 결과는 어쩔 수 없었으나 사람의 목숨과 과실의 결과를 가지고 말한다는 것이 비극이지 않을 수 없었다. 그런데 더 기가 막힌 것은 경찰의 다음 말이었다.
"고의적인 의도는 아닌 것 같아요."
"그것을 어떻게 알 수 있지요? 사고를 보니 저렇게 오토바이를 칠 수 있는 것은 과실이기보다는 의도적인 감정이지 않을 수 없잖아요?"
경찰의 결정을 반박이라도 하듯 기학이 따졌다. 그러나 경찰은 그것은 객관적인 판단이 아니라는 것이었다. 그러며 오토바이와 급정지의 흔적을 손으로 가리켰다. 그는 또 부서진 오토바이의 뒷부분을 지적했다.
기학은 가해자의 차를 살펴보지 않을 수 없었다. 낙지의 승용차는 증거를 다 드러내지 않았다. 조금 긁힌 흔적만 있을 뿐 사고의 차라기에는 너무도 깨끗했다. 이내 그 차는 증거도 다 토하지 않은 채 견인차에 실렸다.
어이가 없어 하늘이 무너지는 것은 김씨뿐이었다. 기학은 아직 경찰이 사건의 진실을 다 밝혀내지 않았다는 듯 이야기를 잇고 있었다.
그러나 김씨의 걱정은 사건의 진실보다, 순애의 행방이 우선이었다. 분명 오토바이가 받힌 것은 사실이고 순애는 운전을 했다. 그렇다면 그녀의 몸이 어딘가에 있어야했는데 사건의 현장에는 피의 흔적이나 그림자도 없었다.
경찰이 지적한 것은 난간을 넘어 강물이 삼켜버린 것이 아니겠냐는 추정뿐이었다. 그 말을 듣는 순간 김씨는 또 한 번의 고문을 당하지 않을 수 없었다. 어둡고 차가운 강물이 그녀를 감추었다면 찾기란 쉽지 않을 것이라는 생각도 들었다. 그것은 사고에 따른 고통보다 더한 충격이지 않을 수 없었다.

기학은 가해자의 상태를 확인하고 사건의 내막을 알아보지 않을 수 없었다. 그것만이 순애와 김씨에게 다할 수 있는 사랑이고 보답이라 여겼다

가해자를 묻자 경찰은 피를 흘리는지라 가까운 전담의 병원으로 이송을 마쳤고 응급실을 가보라는 것이었다. 경찰이 알려준 병원은 다리의 끝에서 오백여 미터에 자리한 곳에 있었다.

김씨도 기학의 제의에 동조했고 이내 기학의 승용차에 기어올랐다. 그런데 병원으로 향하는 기학의 얼굴이 밝지 않았다. 그것은 얼마 전 가해자가 그를 찾았을 때 들었던 황당무계한 말이 떠올라서였다. 그때 기학은 낙지가 그를 놀리려고 던진 희롱으로만 여겼었다. 그는 첫마디부터 진실은 존재하지 않았다.

'결혼을 결심한 동기가 존경스럽지 않겠어요?'

'축하하는 말로는 고삼이군요.'

'그래서 다시 한 번 더 물어보는데 정녕 그 사실을 알고도 용서할 수 있다는 말이요?'

'그런 망발은 강도의 사건도 포함하겠지요?'

처음은 낙지의 심술정도로만 생각했었다. 그러나 진심은 그것이 아니었다. 깊은 계곡의 고민을 당기고 늘리는 짓이었다.

'그른 말은 아니지요. 그러니 확인해보자는 거지요.'

'불안하나요?'

'그보다는 존경을 넘어 성스럽기까지 하거든요.'

순간 기학은 긴장하지 않을 수 없었다. 순애의 사랑을 시샘하다는 것보다 그에게 가하는 폭력이 크지 않을 수 없었다. 그러나 낙

지에게 같은 폭력을 휘두를 수 없었다, 그러자 낙지는 빙그레 웃으며 그 말에 자신도 용기를 얻었다는 말이었다. 그러며 깍듯이 정중한 예의를 다하며 고개까지 숙였다.

물론 시장에서 장사치로 살다보니 그의 의혹은 쓰레기이지 않을 수 없었다. 다만 순애의 사랑을 그렇게 매도하는 것을 기학으로서는 참을 수 없었다.

하지만 낙지도 실수를 인정한다면 변화는 어렵지 않은 일이었다. 그것은 순애나 누구도 다르지 않았다. 낙지라고 다를 까닭도 없었다. 그것은 경주댁이 그에게 몸소 보인 미소란 생각이었다.

그때 현장을 떠날 수 없다는 듯 김씨의 절규가 터졌다.

"우리 순애가 저 차가운 물속에 잠긴 것 같지 않나?"

"곧 찾아낼 거예요."

"저 강물 속에는 반드시 있다는 말이지?"

"네. 조금만 기다리면 안식을 취할 것이지요. 그러기 전에 우리는 가해자를 만나 그녀가 날아간 방향이라도 물어봐야하지 않겠어요?"

"그래. 책임까지 회피하지는 않겠지?"

"그럼요, 그자는 일을 같이 한 적도 있잖아요."

"그러고 보면 산다는 게 꼭 숨바꼭질을 하는 것 같지 않나? 이제야 그것을 느끼는 것이 유감이지만. 난 아직도 탄동을 그리워하면서도 외면하려고만 했으니 말이야. 이제는 숨바꼭질을 끝내는 때도 되었다는 생각이 들어. 이제 순애가 술래가 되었잖아?"

"술래요?"

기학은 순간, 숨었다가 들킨 순애의 허탈해하는 얼굴을 떠올려보았다. 그러나 그녀의 모습은 그것으로 끝이었다. 눈앞에 다리의 끝을 알리는 이정표가 나타났기 때문이었다. 그는 그곳에서 우회전을 하여 넓은 길로 접어들었다. 넓은 도로에는 수많은 차들이 물이 흐르듯 움직였다. 곁의 김씨도 현장을 떠나자 기분이 조금은 가라앉은 것 같았다.

도로에는 소방서의 구조대가 요란한 소리를 내며 다리를 향하고 있었다. 그들은 잠수를 하려는지 커다란 보트가 실렸다. 어두운 강물이 그들의 시선을 쉽게 허락할 것 같지 않았다.

속도를 조금 더 내어 달리니 병원을 알리는 입간판이 보였다. 병원의 입구에는 또 다른 구급차가 요란한 소리를 내며 막 도착하고 있었다. 기학은 차를 주차장에 세우고 김씨를 부축하여 응급실을 찾았다.

응급실에 들어서는 순간, 낙지의 모습이 환영처럼 드러났는데 붕대를 감은 모습이었다. 예상은 그르지 않았다. 응급처치를 마친 그는 머리를 붕대로 감은 채 구석에 있었는데 생명에는 지장이 없었다. 곁에서 낙지를 본 김씨는 표정이 굳어지며 혼잣말처럼 지껄였다.

"혁은 곁에 없잖아?"

"그게 무슨 말이지요? 혁을 납치라도 했다는 말인가요?"

"애를 볼모로 삼았다고 그렇게 놀라 달려갔단 말일세."

순간 김씨는 허탈한 감정을 주체할 수 없다는 듯 자리에 주저앉았다. 다시 일어나려는 힘도 없는 것 같았다. 기학은 침상의 곁에 의자를 내밀었다. 그는 겨우 몸의 자세를 유지할 수 있었다.

기학은 낙지에게 다가서며 작은 목소리로 속삭였다. 그가 눈을 붕대로 가리고 있었던 탓이었다.

"내 목소리를 기억하겠어요? 일전에 찾아온 적도 있잖아요."

"아, 기억은 선명하지요. 그런데 여기를 어떻게 알고 왔어요?"

"일전에 한 말도 있었고 또 이번의 사건도 석연치 않은 점이 있어서요.”
“석연치가 않다고요? 그럼 내막이라도 있다는 거요?”
기학은 증거라도 찾으려는 듯 낙지의 얼굴을 살폈다. 붕대는 그러나 기대를 불가능으로 만들었다. 그는 의자에 앉은 김씨를 바라보았다. 그를 바라보는 모습이 측은하지 않을 수 없었다.
순간 기학은 사고의 정황을 떠올렸다. 달려가는 그녀의 오토바이를 그가 발견하지 못하리란 가정은 성립할 수 없었다. 그는 과속을 했더라도 달리는 오토바이를 보았다면 반듯이 추돌하리란 법은 없었다. 분명 과속을 더한 것은 그였다. 그런데 왜 추돌을 피하지 않았느냐는 수수께끼였다.
“좋아요, 당신의 변명은 그렇다고 치고 순애가 사라진 모습은 보지 못했어요?”
“……”
“그 침묵을 이해할 수가 없군요. 메뚜기가 튕겨져 허공으로 날아도 보이는 법인데 사람을 보지 못했다고요? 그런 침묵을 믿으라는 거요?”
“눈을 붕대로 감았다고 말을 함부로 하지 말아요. 그래서 물어보겠는데 혼자 온 것은 아니겠지요?”
“그래요. 노인도 저기 앉아 있잖아요.”
“그렇다면, 잘되었군요. 비밀은 보장이 되는 것이니까.”
“지금 무슨 말을 하는 거요? 단순한 사람은 아니라는 것을 모르지는 않았지만.”
“우리는 공범이잖소.”
“뭐라고요? 순애를 죽인 것도 모자라 이젠 물귀신작전까지 쓰겠다는 말이요?”
그러자 낙지는 잠시 말을 멈추더니 목소리를 더욱 낮추었다. 응급실의 많은 사람들도 그러한 태도는 다르지 않았다. 상대를 배려하려는 그러한 모습은 두 사람의 대화를 가능케 만들었다.
"물론 추돌을 일으킨 것은 내차가 한 것이 분명하지만, 그런 짓을 하게 만든 까닭은 당신이라는 점이지요. 그 때 내게 한 말을 잊었어요?"
"어둠이 기억을 가렸군요."
"흐흐, 어둠은 이내 사라지게 될 거요. 이심전심이란 그런 거잖아요?"
"뭐라고요? 이 악당 같으니라고."
"아, 흥분하지 말아요. 저 분이 보고 있다고 하지 않았어요? 그때 모든 짓을 용서할 수 있다는 말은 내게 희망과 절망을 동시에 주었거든요."
"그것은 혼자의 오판이고 아집이란 것을 왜 모르지요? 진정한 사랑은 용서라는 것은 변함이 없지만 이러한 짓은 아니란 말이요. 그런데도 공범이라고요?"
"그럼요. 그 생각은 이후도 유효하거든."
"정말이지 당신의 실체가 궁금하지 않을 수 없군요. 악마인가요? 아니면 토우인가요?"
"토우라고요? 흐흐, 그 말이 잘 어울릴 것 같아요."
김씨와 떨어져 있다는 것이 그나마 다행이었다. 김씨는 의자에 앉아있는 표정도 절망뿐이라는 표정이었다. 사내와의 이야기가 쉽지 않은 것을 안 기학은 타협을 내지 않을 수 없었다.
"순애까지 진실을 모르진 않을 겁니다. 그리고 그녀는 결코 차가운 물속에 누워있을 사람도 아니거든요. 결코 죽을 사람이 아니라는 말이지요."
"흐흐, 나도 그렇게 생각하지요. 하지만 나는 그녀보다는 이제 당신을 더 좋아하고 믿는다는 사실이지요."
"나는 그럴 생각이 전혀 없는 데도요?"
"그렇지 않아요, 그녀와 난 오월의 동주였지만 당신은 나와 악어와 악어새잖아요."
"그럼 그녀와 난 무슨 관계가 되나요?"
"눈을 가린 사람은 내가 아니었군요. 사실 눈을 가렸지만 환영을 생각했는데 당신은 도망을 치는군요. 하지만 그 짓은 눈도 모자라 귀까지 막는 짓이란 사실을 왜 모르나요?"
"그래요. 이제야 내 심장을 가시가 찌르는 아픔을 느끼겠어요. 그런데 당신과 나만 그런 게 아니라 우리를 지켜보는 어둠의 굴에서 나온 사람도 그러하지 않겠어요?"
"더군다나 우리의 거래를 모르니 침묵은 은혜롭고요."
기학은 어이가 없어 속으로 웃으며 발뺌으로 일관하는 사내가 가증스럽다는 듯 눈길을 창가로 돌렸다. 멀리 다리에서는 아직도 자맥질을 지속하고 있었다. 그러나 아무런 소득이 없었던지 군중들은 자리를 떠나고 있었다.
기학은 순애를 생각하는 것만으로는 죄책감이 들었다. 지금껏 그녀를 사랑한다고 했지만 그것은 진정이지 않았다. 그러고 보면 낙지의 말이 그르지 않았다. 기학은 그제야 눈앞의 어둠이 걷히는 것 같았다.
순애의 웃는 얼굴은 강물에 일렁거리는 파도에 이내 숨어버렸다. 이제 숨을 쉰다는 것과 그렇지 않은 것이 같은 곳이었다. 어둠의 모습은 노인의 출현으로 깨졌다. 그런데 낙지의 질문은 귀까지 뚫었다.
"노인의 손이 잡은 것은 없나요?"
"지팡이는 있는데."

"다른 것은?"

"뭘 말이요?"

반문에 기학의 눈길도 가늘게 움직였다. 환영에 찌든 낙지의 손이 가볍게 떨렸고 자세도 일그러졌다. 둘의 거리가 없었다는 것이 그나마 다행이었다. 기학은 잠시 손을 잡았다가 참을 수 없다는 듯 말을 이었다.

"당신에게 무엇이 두렵단 말이요?"

"그것이 그러니까 확신할 수 없지만 수레를 끄는 백마에 탄 애가 보이지 않겠어요?"

기학은 자신의 귀를 의심하지 않을 수 없었다. 평안한 얼굴의 김씨는 그들의 대화를 더는 상관하지 않겠다는 듯 눈도 감았다. 무엇인지 깊은 생각을 하는 것 같았다. 기학은 얼른 낙지의 귀에 대고 속삭였다.

"그 말을 믿으라고 하는 거요?"

"불신은 자유이겠지만 노인의 출현이 그렇잖아요. 누구나 아는 수레는 바퀴가 둘이겠지만 물론 그 수레를 어설피 타다 이렇게 처박히고 이런 꼴이 되었지만 노인은 지팡이에 애가 있잖아요."

"쓰러질 염려는 없군요."

"흐흐, 나보다 우월하단 생각이 착각이었군요. 아직도 있으되 없으며 없는 것이 아닌 탈을 벗지 않았어요. 그렇지 않다면 어찌 저렇듯 평안한 까닭을 모르냐고요."

기학은 다시 침묵으로 빠져들었다. 한 치도 양보를 하지 않는 모습이 줄다리기이지 않을 수 없었다. 하지만 결코 낙지의 말을 핍박할 수 없었다. 낙지도 순애를 사랑한다고 생각했을 것이었다. 그런데 그 모습이 결코 사랑이지 않았다. 그런데 그가 다르다고 매도하는 것을 인정할 수 없었다.

그는 자리에서 일어서며 낙지에게 최후통첩을 던졌다.

"당신의 환영을 이 자리에서 까발리지 못하는 게 유감이지 않을 수 없군요. 더군다나 저지른 죄악도 용서받지 못하겠지만 용서는 결코 나 같은 인간이 하는 일이 아니란 사실이지요. 그런데 그것을 믿는다고 또 다른 범죄까지 저지른 짓은 지고한 사람만 죽였단 말이요."

"과연 그녀는 죽었을까요?"

"그게 무슨 말이요?"

"애꾸의 딸이었고 또 애꾸가 되지 않았겠어요?"

낙지도 기학의 질책에 승복하지 않았다. 그는 자신의 행위에 확신을 가지고 있었다. 그것은 또 그의 생각과 다르지 않다고 생각할 터였다. 기학은 자리에서 일어나 김씨의 곁으로 다가갔다. 자신의 이런 모습을 순애가 어찌 바라볼지도 생각하지 않을 수 없었다.

사고의 현장을 다시 확인하자는 노인의 말에 따르지 않을 수 없었다. 노인의 몸은 아직도 열병을 겪는 듯 사시나무처럼 떨고 있었다. 기학은 차를 몰고 현장으로 다시 달렸다.

기학은 노인의 열병을 식혀주려는 듯 현장의 난간으로 부축했다. 현장에 구석에는 아직도 찌그러진 오토바이는 그대로 있었다. 김씨는 잠시 다리의 난간을 잡고 아쉬움을 수면에 쏟아 부었다. 강의 수면은 물결에 일렁거리고 있었다. 고층 아파트의 긴 그림자도 드리웠다가 바람에 이내 지워졌다. 이번에는 먼 산 그림자가 희미하게 나타났다.

"그 자가 범행을 순순히 인정하던가?"

"아직은. 그런데 더 큰 문제는 다른 사람들도 단순한 교통사고라고 단정을 하니 뒤집을 수 없단 사실이에요."

"그렇지 않다는 것을 자네는 알잖아?"
"네, 하지만."
"하지만 뭔가?"
그렇게 말을 던지고는 기학의 얼굴을 바라보는 것이었다. 그런데 그 모습이 순애의 죽음과 부재를 결코 받아들일 수 없다는 눈빛이었다. 기학도 강의 수면을 바라보았다. 하지만 죽음은 인정하지 않을 수 없었다. 그런 기학을 김씨는 다가와 손을 잡았다. 이제는 흥분이 조금은 진정이 된 것 같았다. 한동안 기학의 손을 잡고 있더니 말을 꺼내었다.
"이 지경에 순애는 어찌 이곳을 떠날 런지?"
"도리가 없잖아요?"
"방도가 없는 것은 아니잖아."
"가해자도 자신의 잘못이 아니라고 하거든요. 아니 누구나 다 그렇게 여기며 기록까지도 그렇게 매듭짓지 않겠어요?"
"그럼, 이 애비를 용서하지 않겠지?"
"대답은 어른이 아닌 순애가 하지 않겠어요?"
"왜 그렇게 생각을 하지?"
"순애는 부친을 누구보다 사랑했거든요. 그런데 저는 결코 그렇지 못하잖아요."
기학은 얼떨한 말을 하고는 대답을 참는 김씨의 표정을 바라보았다. 그러며 아직도 답답한 속을 털어버리지 못한 자신을 책망했다. 그런데 김씨는 무슨 생각을 했던지 갑자기 환한 표정을 지었다. 그것은 그가 탈춤을 출 때 쓰던 탈의 얼굴과 다르지 않은 표정이었다. 기학은 의아하게 생각하지 않을 수 없었다. 그는 조용히 말을 이었다.
"순애도 이것만은 받아들이겠지."

"뭘요?"
"탈! 그리고 그 애도 탈이 필요하다고 할 것 같지 않나? 아직 한 번도 그런 적은 없었지만. 그러면 자네도 이번에 탈을 한 번 써보지 않겠나?"
"아니요, 싫어요!"
"왜지?"
"마음이 내키지 않아요."
기학은 자신도 모르게 걸음을 물러서지 않을 수 없었다. 그것은 진심이었다. 우선 파안대소하는 얼굴이 분위기와 어울리지 않았고, 순애가 쓴다는 사실에 두려움까지 겹쳤다. 그러자 김씨는 잡고 있는 손을 꼭 쥐면서 말을 이었다.
"두려워하지 말게. 그것이 얼마나 부질없는 것이라는 것을 모르지는 않잖아? 두렵다는 마음이 이미 자네를 포로로 만들었으니까. 언제까지 그렇게 두려워하며 살 수 없지 않겠어?"
"그러하지 않을 수라도 있어요?"
"그럼, 있고말고. 그것은 모두가 하나라는 사실을 아는 순간이지 않을까?"
"순간이라는 말은 맞지 않아요, 영원이라면 몰라도."
기학은 힘을 주어 또박또박하게 말했다. 그러자 김씨는 그 말에 동의를 하기는커녕 비웃는 듯 너털웃음을 터트렸다. 그렇게 한동안 웃고는 말을 이었다.
"고맙군, 그렇게라도 말을 해 준다는 것이. 하지만 내가 미친 것처럼 웃지 않을 수 없는 것도 또한 속일 수 없는 사실이니 그처럼 그런 생각도 버리게 영원이라는 오만을."
"그럼 너무 무상하지 않겠어요?"
"아직 점심을 거른 탓이지."

"점심이라고요? 네, 아직은 먹지 않았지만."
김씨는 기학의 대답에 아랑곳하지 않고 휘청거리는 걸음으로 오토바이로 다가갔다. 그는 아직 성한 부분인 안장의 뚜껑을 열더니 넣어둔 탈을 꺼내었다.
김씨는 그것을 들고는 한동안 보기도 하고 얼굴에 대어보기도 했다. 그는 얼굴에 쓴 탈을 떼었고 얼굴은 그 미소를 그대로 닮아있었다. 그는 난간으로 걸어가더니 탈을 강으로 던지려는 듯 팔을 뒤로 돌렸다. 순간 기학은 안타까움에 고함을 치지 않을 수 없었다.
"잠깐만?"
그러자 행동을 잠시 멈춘 김씨는 기학을 돌아보며, 속내를 털었다.
"이제는 자네나 나에게 소용도 없잖아? 그러니 멀리 가는 그 애에게나 주어야지. 멀리 그곳에 가보면 이곳의 생각이 어떠했는지 알 것이고 그럼 그 철새를 대하는 얼굴은 면목이 없지 않겠어? 탈이라도 쓰라는 말이지."
"어떻게 그것을 알았어요?
"우리는 모두 하나이라 말하지 않았어? 사랑도 삶도 죽음까지도. 그런데 난 굴속을 떠날 때 이런 마음이지 않았지. 그래서 둘만을 생각하고 철새가 되었지만 그동안 허무를 지울 수 없었거든. 그런데 돌아온 철새를 보고서야 난 알았지. 더군다나 등과 머리에 새깃털을 붙인 모습을 보니 말이야. 그가 저 먼 곳에서 살면서 순애를 얼마나 사랑하는지를. 그것을 안다면 순애도 그곳을 달려가지 않겠느냐고."
말을 마친 김씨는 잡았던 탈을 힘껏 강으로 던졌다. 탈은 허공을 한 바퀴 곡예를 부리더니 수면에 닿았다. 그러나 잠시 강물 위에

떠 있다 이내 어두운 그림자를 안고 물속으로 가라앉았다. 그런데 물위를 헤엄치던 고니가 무엇을 찾으려는지 이내 다가와 잠수를 마다하지 않았다. 꼬리를 치켜세우고 들어간 이후 한동안은 물결만이 일렁거렸다. 그러나 그것도 오래지 않아 다시 머리를 내민 고니는 힘차게 창공으로 솟구치더니 어디를 가는지 멀리 날아가 버렸다.

끝.

맺음말

금강경에 과거심도 불가득 현재심, 미래심도 불가득이라고 했다. 1987년은 시대적으로나 개인적으로나 잊을 수 없는 해였다. 해뜨는 새벽에 어둠의 굴속을 찾는 걸음이 지금 생각하면 고생이나 우연만은 아닌 듯싶다.

광부의 딸은 삼십 년 전의 그때의 일이다. 이를 지나고 보니 그때의 일을 있었다고 해야 하나 아니면 없었다고 해야 하는 지 점심으로 되돌아본다.

그간의 세월이 덧없는 까닭이다. 삼십 육년의 세월이 물처럼 흘러갔으니 말이다. 얼굴과 머리도 이젠 탈색을 한 말년이 되었다. 그래서 더욱 그 시절의 기록이 와 닿는 까닭일 것이다.

물론 모습은 많이 변했지만 마음만은 그렇지 않는 것도 누구나 다르지 않을 것이다. 하지만 거역할 수 없는 것은 자연의 섭리가 아닌가? 예전의 성인부터 미래의 필부까지 나음도 모자람도 없는 평등이고 자유이다. 다만 그렇지 못한 것은 마음의 과욕일 뿐이다.

그러나 과욕도 미워만 할 일만은 아니다. 사랑을 좋아하는 것도 집착이고 어둠을 싫어하는 것도 또한 다르지 않다. 어느 것으로 나누는 변별만을 따르기 때문이라면 이젠 그마저도 내려놓을 시간이 된 것 같다. 그러니 그것을 얻거나 잃거나 하는 사안이 아니라면 하나일 뿐이다.

과거심과 현재심은 이어진 하나이며 미래심도 다르지 않은 까닭이다. 흘러간 세월은 사라진 게 아니라 멀어졌을 뿐이다. 그래서 다시 당겨보는 일은 천년미소이다.

부록

광부의 딸

1

샛별이 눈을 깜박거리는 새벽에 스산한 찬바람을 가르며 어둠 속으로 가는 나의 아버지는 광부여요.

탄광의 막장 끝에서 석탄을 캐는 분이지요. 그렇기에 자랑할 직위에 있는 것도 아니고 또 전수할만한 기술이 있는 것도 아니에요. 태백 탄전지대에서 흔히 보는 검은 탄을 얼굴에 묻힌 많은 광부들 중의 한 사람이지요. 하지만 난 누구든지 나에게 '너의 아버지는 뭣 하는 분이냐'하고 묻는다면 또렷하고 자신 있는 말로 '석탄 캐는 광부이지요.'하고 대답할 거예요.

그러나 이곳 아이들은 대부분 그렇지 못해요. 왜냐하면 아버지가 선택한 광부라는 직업 때문이지요. 그래서 아이들은 어떤 잘못이나 한 듯 가슴을 오그리고 지내지요.

나의 친구들이 제일 걱정으로 여기는 게 뭔지 아세요? 어디 열차라도 타고 갈 때 누가 자신에게 이런 질문을 던질까 하는 거예요.

'너의 아버지는 무얼 하시지?'

그러면 아이들은 아무 대답도 하지 못해요. 그저 이마에 땀만 송알송알 맺히죠.

지난 여름방학 때 일이었어요. 제천에 나가서 국어사전을 사가지고 돌아오는 열차 속에서였어요. 그때 난 창가에 앉아서 창밖으로 지나가는 청아한 산의 모습을 바라보고 있었어요. 바로 나의 앞자리에는 등산복 차림으로 여행하는 삼십 전후의 두 남자가 있었어요. 간간이 들리는 그들의 이야기는 그들이 가본 산의 인상이었어요.

"설악산은 누가 봐도 깔끔한 신사야."

"은밀한 촌색시 같은 지리산이 더 좋지."

그리고 이번에 가는 태백산에 대한 기대를 말했어요. 그렇게 얘기하는 걸로 봐 등산을 좋아하는 서울사람들 같았어요.

그때 열차는 함백을 지나가는 순간이었어요. 한 남자가 창밖을 가리키며 물었어요.

"저 집들은 무엇 하는 것이지?"

그러자 앞좌석의 깔끔한 남자가 이렇게 대답하잖아요.

"산중에 돼지우리가 많기도 하군."

앞에 앉았던 나는 나도 모르게 얼굴이 홍당무가 되고 말았어요. 그들이 가리키는 곳은 광부들이 거주하는 사택이었거든요.

하지만 난 그때, 그것은 돼지우리가 아니라 어려운 조건에서 석탄을 캐는 광부들의 보금자리라고 말하지 못했어요.

나의 친구들을 그렇게 만드는 것은 사람들이 광부를 보는 인식 때문인 것 같아요.

보름 전의 일이었어요.

내가 아는 농협에 근무하는 이웃집 언니가 있거든요. 언니는 나이가 차서 이곳저곳에서 중매가 들어왔대요. 그런데 이상하게도 언니는 한사코 싫다는 거예요. 내가 생각하기에 못생긴 남자라 그런 줄 알았어요. 그런데 이번에는 미남 총각이 청혼을 했대요. 들리는 소문에는 광업소에서 신임 받는 감독이래요. 그래서 철없는 내가 반가운 듯이 말했어요.

"어머 언니, 이제 시집 좋은데 가겠다."

"얘, 그런 험담마라. 옛날은 감독한테 시집가는 걸 바랐겠지만 지금은 달라졌다. 탄광쟁이한테 시집가느니 평생 혼자 살겠다."

"감독인데?"

"너는 어리니까 아직 몰라. 광산쟁이는 벼랑 끝에 선 사람이다."

"벼랑 끝?"

"여자란 꽃이야. 고운 장미는 화원에 탐스럽게 피어 있지 않던?"

광부들이 벼랑 끝에 서 있다는 말은 사실인가 봐요. 지난 여름방학 때 경로당에 청소를 하러 다니다가 광산에서 평생을 보낸 할아버지를 알았는데요. 나이보다 십년이나 늙어 보이는 그 할아버지도 그러더라고요.

"광산 생활 삼년만 하면 규폐병에 걸려."

"규폐가 뭔데요?"

"숨 쉬는 것을 불가능하게 만드는 병이지."

"왜 그런 병에 걸려요?"

할아버지의 얘기로는 굴속은 눈에 보이는 굵은 먼지와 눈에 보이지도 않는 미세한 먼지들이 가득 차 있다는 거예요. 그것은 탄가루나 돌가루로 광부들이 호흡을 할 때마다 허파의 폐포에 박혀 호흡의 작용을 못하게 만든다는 거예요.

병이 심하여 병원에서 엑스레이를 찍어보면 온통 불에 그슬린 숯처럼 검정뿐이래요. 그래서 심하면 인공적으로 호흡을 하여야 목숨을 유지할 수 있다는 거예요. 그것은 너무도 무서운 사실이었어요.

"할아버지는? 그리고 우리 아버지는?"

“아직은 기력이 조금 있기에. 하지만 난 벌써부터 숨쉬기가 불편한 걸.”
“미래가 끝이야.”
“광산일 하면 남는 것은 죽음의 병뿐.”
“남들보다 십년 이상은 더 못살지.”
몸에 병이 드는 것을 알고도 울며 겨자 먹기로 살아야하는 광부의 가정은 그래서 차가운 공기가 그렇게 도는가 봐요. 며칠 전 빨래터에서 보았던 일이에요. 중년의 두 여자가 빨래하다 말고 서서 이삿짐을 싣고 가는 차를 손으로 가리키더군요.
“순이네는 좋겠다. 이제 아파트에 살게 되서.”
“흥, 그까짓 것 부러울 게 없지.”
“난 평생소원이 도시에서처럼 그런 아파트에 살고 싶은 걸.”
“복지 아파트는 그것과 다른 규폐자 수용소야.”
이때 열 살쯤 뵈는 그 여자의 아들이 뛰어오며 소리쳤어요.
“엄마, 술 취한 아빠가 오래.”
“x새끼, 돈도 못 버는 주제에 밤낮 술독에 처박혀 사니!”
나는 소스라치게 놀랐어요. 남편에게 순종하지 않을지언정 그럴 수가. 그 여자가 간 뒤 남은 여자에게 궁금한 것을 물었어요.
“규폐자 수용소라니요?”
그러자 그 여자는 까르르 웃음을 터트리며, 그 여자가 아파트에 못가니까 하는 시샘의 말이라는 거예요.
그런 것을 보면 머릿속은 어두운 색이 되어요. 더욱이 학교를 갔다 올 때 사북의 거리를 보면 그런 암울은 더욱 깊어가요. 사북의 역에 발을 디디고 주위를 보면 굴뚝 속에 서 있는 것이 아닌가 하고 느껴지거든요.
굳게 뻗은 선로 위에는 탄을 실은 화차가 검은 마귀처럼 몸을 엎드려있고, 빈 화차에 탄을 채우기 위해 선탄장에서 탄을 내리면 그 먼지는 온천지를 대번에 검게 만들거든요. 그 먼지는 방탄망을 뚫고나와 시내 곳곳을 날지요. 그렇기에 햇빛에 빨래를 말릴 수 없는 것은 물론 꽁꽁 걸어 닫은 방안까지 침입하여 하루에도 두세 번 청소를 하지 않으면 눈길이 닿는 곳마다 소복이 쌓이는 거예요.

그러한 형편이고 보니 이곳 사람과 외지 사람을 금방 구별하는 방법이 있어요. 그 사람이 흰옷을 입었는지 아닌지를 보면 아는 거예요. 이곳 사람은 흰옷을 아예 입을 생각을 않거든요.

그래도 날씨가 청명하면 조금 나아요. 혹시 비라도 내려 봐요. 마누라 없이는 살아도 장화 없이는 못산대요. 온통 검은 물이 삶은 논 같거든요. 그러하니 냇가의 물은 사시사철 먹물이에요.

지난여름에 보았는데요. 냇물에는 생명 있는 것이라곤 올챙이 한 마리도 없었어요. 정화되지 않은 검은 물이 생명을 삼킨 거예요. 그래서 부끄러운 얘기지만 이곳 유치원생들은 그림을 그리는데 냇물과 야산은 검은 크레용을 쓴대요. 푸르렀던 산허리까지 쌓여있는 폐석더미가 아이들의 푸른 산 마음까지 물들여 놓은 것이에요.

여중생인 내가 이런 지경인데 광부들은 어떻겠어요. 어깨에 힘이 없고 걸음걸이가 풀이 죽어있는 것을 보면 안다고요. 그들도 높은 장벽을 넘을 수 없다는 것을요. 그래서 술이라도 취하면 이렇게 혼자 중얼거린다니까요.

"다섯 살 아들이 대학을 나오면?"

"다 가난한 게 죄여."

"왜 이다지 인생이 허무할까?"

그러다가 화가 나면 이곳을 떠나면 되지 하죠. 하지만 그것조차 그리 쉽지는 않은가 봐요. 그들이 유일하게 믿고 있는 것은 강한 몸에서 나오는 노동력뿐이니까요. 그래서 그런지 광부들은 유달리 불나비처럼 밤을 좋아한대요. 밤이 되면 수족관 안의 금붕어처럼 그렇게 생동하는 걸요.

아름다운 수초 사이를 춤추기도 하고 녹슨 물레방아를 돌리기도 한대요. 그럴 때는 백운산 기슭의 얼음도 녹일 사랑이 타오른대요. 그런데 광부들의 사랑은 이상해요. 도저히 평범한 생각으로는 쉽게 납득이 가질 않는 걸요.

"순이 엄마는 하숙집 총각과 눈길이 맞았다는군."

"술집에서 야간일 했어."

"고스톱에 살림 망했어."

2

어둠을 캐는 광부의 하루 일과는 다섯 시 반부터 시작되어요. 우리 집도 그 때가 되면 엄마는 어김없이 일어나 아버지의 출근 준비를 시작하죠. 나는 그 시간이면 하루도 거르지 않고 하여야하는 일이 있기 때문이어요. 아버지의 무사를 위한 기도를 해야 하니까요.

'성모님, 오늘도 아빠를 보호해 주세요.'

그런 기도는 지난해 봄, 아버지가 막장에서 다리를 다쳤을 때부터였어요. 막장에서 굴러 내리는 돌에 다리를 부딪쳤는데 골절이 되었대요. 그때 병상에서 아파하는 아버지보다 곁에서 간호하는 내가 너무도 고통스러워 견딜 수 없었어요.

그래서 나는 항상 위험이 도사린 막장에서 안전히 아버지를 지켜드리는 방법으로 기도를 생각했어요. 그래서 주일에 성당에 나갔어요. 성당에는 유치원생들이 많이 놀고 있었어요. 그런 그들이 공부를 하기 전에 짧은 기도를 하는 것을 듣고 난 깜짝 놀랐어요.

'성모님 우리 아빠를 보호해 주세요.'

단, 이 말이 그들의 기도 전부였어요. 나는 그들의 기도가 정말 영험이 있을 거라는 생각이 들었어요. 어떠한 위험이 있다 하여도 그들의 소망을 꺾을 수는 없을 테니까요. 나도 그때부터 그들 중의 한 사람이 되었어요.

기도를 하면 왜 그렇게 마음이 밝아오는지 모르겠어요. 어둡고 초라한 방안이 따듯하게 느껴지고 출근하려고 일어서는 아버지의 누런 얼굴에 생기가 이는 걸요. 그러면 어머니는 준비한 도시락을 내오고 나는 검정 비닐 가방에 넣어 아버지의 손에 들려드리죠.

그러면서 우리 모녀는 언제부터인지는 알 수는 없지만 서로 금하는 규칙이 있어요. 아버지가 갈 길을 미리 건너지르지 않고 또 아버지의 마음에 그림자를 드리우지 않는 거예요. 그것은 분별력 있는 광부의 집이라면 다 마찬가지겠지만요.

그러면 아버지는 침착한 목소리로 '갔다 오마.' 하는 말을 뒤로 한 채 어둠속으로 걸어가요. 엄마와 내가 아버지가 보이지 않을 때까지 지켜보고 있다는 것을 돌아보지도 않은 채 말이어요.

그렇게 아침을 지나고 나면 기다려지는 것은 아버지가 퇴근하는 오후 다섯 시에요. 그 때가 하루 중 제일 기쁜 때이거든요.

마음속으로 '오늘도 나의 기도는?' 하고 아버지를 찾는 거예요. 그 눈망울은 샛별보다 더 초롱 하지요. 통근 버스에 많은 아저씨들이 있어도 나는 신기한 영감으로 아버지를 금방 찾아낼 수 있어요.

그리고 아버지가 버스에서 내리면 어린애처럼 "아빠!" 하며 깡충깡충 뛰어가죠. 그리고 아버지의 때 묻은 도시락 가방을 받아들죠.

그러면 아버지는 '왜 나와 있어? 추운데.' 하지요. 하지만 난 그 때 미소 짓는 아버지의 얼굴이 그렇게 좋을 수가 없어요. 손이라도 잡으면 가장 행복한 마음이 통하는 것 같거든요. 그러면 난 가만히 속으로 다시 한 번 기도를 하지요.

'성모님, 오늘도 고맙습니다. 이렇게 아빠 손잡고 같이 갈 수 있게 해 주셔서.'

그러나 그러한 모습은 나에게만 있는 것은 아니에요. 많은 광부의 아이들이 그래요. 그들도 전자오락실이다, 공놀이다, 줄넘기다 하며 놀다가도 그 때가 되면 모두들 모여서 그렇게 돌아가거든요. 아이들의 타는 듯한 볼의 빨간 혈색과 같은 기쁨을 가득 안고서. 아버지와 같이 오면서 나는 그날 궁금했던 것을 묻기도 하지요.

"아빠, 오늘 무슨 생각했어요?"

"식구들이 건강히 잘 있는가 하는 거지."

"딸을 생각 더 했어요? 엄마를 더 생각했어요?"

"공주 생각이지."

"피, 거짓말!"

그러다보면 어느새 집 앞에 다다르죠. 그러면 어머니는 어김없이 부엌 문가에 서 있어요. 아버지는 그것을 알고도 아무 말도 안 해요. 어떤 때는 못 본 척 방으로 들어가기도 하지요. 하지만 어머니는 화내는 법이 없어요. 내가 오히려 심통이 나서 서 있으면 이렇게 나를 달래죠.

"내 아버지 성질이 본래 저렇단다."

하지만 난 알아요. 딸 앞에서 엄마 손목을 잡기가 아버지는 부끄러운가 봐요.

그러고 나면 어머니는 미리 준비한 저녁상을 내오지요. 어떤 때는 구수한 청국장 내음이 방안을 가득 메우거든요. 그럴 때 아버지는 코끝을 실룩거리며 어머니 칭찬을 하지요.

"네 어머니 청국장 솜씨는 알아줘야한다."

그렇게 시작된 식사 중에도 아버지와의 대화는 계속 이어지지요.

"아빠! 사람들이 광부를 천시해요."

"어려운 조건의 일이니까."

"그러면 대우도 잘해주고 사람들의 그릇된 생각도 변해야 하잖아요?"

"많이 그렇게 된 걸."

"그렇지 않은 것 같아요."

"그렇던? 겉에 입은 검고 남루한 옷 때문에 그럴까? 아니면 얼굴에 묻은 검은 탄 때문에 그럴까? 옷만 보고 사람까지 그렇게 생각들 한다면 너는 그러지 않으면 되지."

"모두 싫어하는 옷이라면 벗어버리면 되잖아요."

그땐 아버지는 아무 말도 안 해요.

하지만 오늘은 그간 곪은 데가 터지는 순간이 되고 말았어요. 사실 그건 일이 그제 낮부터 울화가 쌓였거든요. 왜냐하면 학교에서 아버지들의 직업 분포를 조사하는 데서 그랬어요. 다른 애들은 공무원이다, 경찰이다. 상업이다 하고 자랑스러운 듯 손을 드는데 나는 억지로 손을 들었거든요. 그런 저기압 상태로 퇴근하는 아버지와 같이 집으로 돌아오는데 이웃집 아저씨가 거나히 취해서 아버지를 놀리잖아요.

"사람 사는 낙이 뭔가?"

"두더지 같이 일만 하다 죽어봐, 인생만 불쌍하지."

"탄가루만 보고 사니 세상의 화려한 멋을 알아야지."

그래서 저녁을 마치기가 무섭게 아버지에게 따지듯 물었어요.

"집안에 이름을 낸 분은 안 계신가요?"
"…"
"우리 집에 대대로 내려오는 가훈은 뭐여요?"
"…"
"큰아버지와 친척들은 왜 이곳에 안 오지요?"
아버지는 아무 말도 않고 담배만 길게 빨고 있었어요. 듣다 못한 엄마가 곁에서 상을 치우다가 버럭 성을 내었어요.
"형제가 있으면 뭣해! 발길을 멈춘 지가 오년이 되는데."
"왜 이곳에 안 오죠?"
"돈이라도 필요해 봐라. 광산이 아니라 더한 데까지 찾아오던 사람들이 자기들이 잘살고 너의 아버지가 광부라고 얼굴도 안 내미는 걸."
"아빠. 우리 이곳을 버리고 고향으로 가요."
"…"
"고향은 어디애요?"
"이곳이 아니고는 갈 곳이 없구나."
침통한 듯 한마디 하는 말에 나는 그만 울음이 터지고 말았어요.
"이곳이 싫어요. 그리고 광부의 딸이라는 것도 싫구요. 싫어! 싫어요. 아빠가! 아빠가 싫단 말이에요."
어머니도 화가 난 듯 돌아앉아 버렸고 아버지의 굳은 얼굴에는 보기에도 민망한 검은 빛이 나타났어요. 그리고 그것을 이기려는 듯 잠시 노력을 하는 것 같았어요. 그러다가는 어떤 결심이 선 듯 표정을 굳히더니 작은 목소리로 침착하게 말했어요.
"광부의 딸이라고 부끄럽게 생각하지 않아도 된다."
"예?"
"언젠가는 할 얘기다만……"

"그만 두구려."
어머니가 참견했어요.
"숨겨 놓은 것이 있어요?"
"이제는 그럴 필요가 없겠다."
나는 눈물이 그렁한 눈으로 아버지의 얼굴을 바라보았어요. 그러나 그것은 기쁜 것이 아니라는 것을 직감할 수 있었어요. 아버지의 얼굴이 어둠의 빛이기 때문이었어요.
"너는 본래 내 딸이 아니다."
순간 나는 정문의 일침을 당한 듯이 움찔 했어요.그리고 정신을 가다듬고 모기만한 목소리로 겨우 말했어요.
"이젠 아버지가 아니라고요?"
곁에 묵묵한 엄마를 돌아봤어요. 그러나 엄마는 말없이 고개를 돌려 창문을 쳐다보고 있었어요. 창밖에는 겨울바람이 윙윙 소리를 내며 지나갔어요.
"거짓말, 거짓말, 나를 속이려는 거죠?"
"이제는 너도 진실을 알아야한다. 그러나 그것은 아픈 과거를 들추려는 것이 아니라 오늘을 더 꿋꿋하고 진실 되게 자라야 한다는 말이다."
아버지는 자리에서 일어나 벽에 걸린 액자 중에서 빛이 누렇게 변한 사진을 한 장 내 앞에 내밀었어요.
"너의 부모님이다."
"……"
사진이 눈물에 어른거려 볼 수 없었어요. 그저 눈물만 방바닥에 떨어지는 것을 느낄 뿐 아무런 생각이 떠오르질 않았어요. 그러는 중에도 아버지의 말은 계속 이어졌어요.
"네 아버지는 …… 이 세상 분이 아니다. 그리고 네 어머니는 어딘지 모르지만 살아있다는 얘기는 들었어도 이제는 알 수가 없구나. 소식이 끊어진지 십년이 되는 걸."

3

아버지는 내가 까맣게 몰랐던 과거를 말했어요.

"그러니까 십년 전에 섣달 끝 무렵 어느 날이었다. 그날은 어찌나 눈이 많이 왔던지 집들은 간곳없고 오직 눈 계단만이 줄지은 날이었다. 너의 아버지는 양손에 가방을 들고 있었고 어머니는 너를 업은 채 주인을 불렀다. 웬 일인가하고 내가 나가보니 얼굴에 추위와 굶주림이 쓰여 있더구나.

나는 방으로 들어오라 해서 점심으로 먹던 수제비죽을 내놓았다. 네 아버지와 어머니는 어찌나 시장했던지 체면 불구하고 마파람에 게 눈 감추듯 먹더구나. 그리고 얼마가 지나 기력이 돌아오자 찾아온 내력을 말하더구나. 하도 오래된 일이라 자세한 기억은 없다만 내가 얼른 보기에도 오지산간에 올 사람들이 아니었다.

네 아버지의 얘기로는 처음에는 직장 생활을 하다가 그만 두고 장사에 손을 대었다고 하더라. 처음 얼마 동안은 장사도 잘 되고 돈도 모여서 재미를 붙였는데 하루아침에 내리막을 탔다고 하더라. 한번 일이 뒤틀리는 조짐이 있자 거래처에서 부도가 연달아 터지고 설상가상으로 네 어머니가 하던 계 놀이에서 거액을 날렸다더라. 놀란 어머니는 기절해 병원에서 의식을 되찾았고, 아버지는 세간을 정리해 모든 것을 청산하고 나자 남은 것이라곤 세 사람뿐이었데. 그렇다고 고향으로 갈 면목도 없고 해서 궁리한 끝에 재기를 다짐하며 이곳에 왔다고 하더라. 그러면서 탄광 일을 할 수 있게 도와 달라 하지 않겠니?
그러나 내가 보기에는 광부의 일은 할 수 없을 것 같았다. 그래서 다른 일을 찾는 게 어떠냐고 했다. 너의 아버지는 고개를 가로 젓더구나. 아직은 젊고 각오도 되어 있으니 해보겠다는 거야. 곁에 있던 네 어머니도 고생을 참겠다고 하더라. 그렇다면 일해 보도록 내가 돕겠다고 했다. 그때도 광부는 천시 직업이라 일손이 모자라는 형편이었거든.
네 아버지는 나의 권유대로 동원광산에 가서 수속을 밟았다. 그 결과 다음날부터 일하게 되었는데 우연하게도 내가 일하는 곳이 아니었겠냐? 네 아버지는 안심을 하는 눈치였다. 위험하고 어두운 막장에서 그래도 아는 사람과 같이 있다는 것이 그렇긴 했겠지.
다음날, 나는 네 아버지와 같이 출근을 했다. 안전등을 켜고 오리 정도의 갱도를 걸어가서 작업배치를 받았다. 그제야 네 아버지는 자신이 광산에 있다는 것을 실감하는 눈치였다. 네 아버지는 하단에서 일을 하고 난 막장에 올라가 탄을 캤다. 그렇게 얼마를 일하다가 잠시 쉬는데 네 아버지가 이마에 땀을 흘리며 막장에 갑자기 나타나지 않았겠니?
'웬일이요?'
'이곳에서 화석이 나온다고 해서요.'
'화석은 뭣하게요?'
'친구가 서울에서 생물 교사인데 보내 줄려고요. 생물의 진화와 그 시대를 보여주는 귀중한 자료가 아니겠어요?'
'흔한 고사리 잎인 걸요?'
'그것은 몇 억만 년 전의 것이니까요.'
내가 화석 부스러기가 여기저기 널려있는 막장을 가리키자 그리로 가더구나. 그리고 주위의 돌을 유심히 들여다보더니 신기한 듯 소리를 지르지 않겠니?

'아주 선명한 거예요. 사진 찍힌 듯한 이 잎새를 좀 봐요. 줄기며 잎맥이 다 있잖아요. 수많은 세월이 흘렀어도 마치 살아있는 것 같아요.'

'죽은 것이 아니군요.'

'살아 있는 듯 하다는 거요.'

그리고 무슨 생각에서인지 나를 유심히 보더니 엉뚱한 질문을 했다.

'하나님을 믿어요?'

'믿지는 않지만 그 분이 계시다는 확신은 가지고 있어요.'

'어째서요?'

'간단히 화석을 보아도 그렇잖아요. 그 세월 동안 이렇게 진실을 가질 수 있는 것은 그 분의 힘이 아니겠어요?'

그러자 네 아버지는 빙그레 미소를 지으며 한마디 했다.

'하나님이 능력을 보이심이라.'

너의 아버지는 다시 화석을 줍기 시작했다. 조각난 것을 서로 맞추어보기도 하고 큰 돌은 깨보기도 했다. 그렇게 얼마의 시간이 흘렀을 때 난 이상한 소리에 뒤를 돌아보았다.

막장에 시시각각 무서운 변고가 일어나고 있었다. 그러니까 막장에서 이십여 미터 후방에 하반이 솟은 곳에 인형쉬가 쓰러지며 쏟아져 내리는 탄에 의해 출구가 먹혀버렸다. 눈 깜짝할 사이에 벌어진 일이라 꼼짝없이 갇힌 신세가 되고 말았다.

네 아버지는 얼굴이 사색이 되어 떨기 시작했다. 어둠의 공포에 숨조차 쉴 여유가 없는 듯이 보였다. 나는 막장의 변고가 촌각의 여유도 없이 조여드는 올가미처럼 보였다. 왠지 살 가망이 없다는 예감도 들었다.

'이제 어떻게 되어요?'

네 아버지는 푸른 입술이 떨리며 겨우 말하는 소리에 나는 어떻게 해야 한다는 결론을 내렸다. 손에 들었던 화석이 파르르 떨리며 그것을 땅에 떨어뜨리는 네 아버지보다 난 어둠에 익어 있으니까 말이다. 네 아버지를 등 뒤에 세우고 주변 조치를 잠시 하고 나서 다시 네 아버지를 보았다.

'죽음 속을 어떻게 나가죠?'

안절부절 어쩔 줄 모르며 눈에는 눈물이 그렁그렁 맺히기까지 했다.

'앞은 막장이고 뒤는 막혔어요. 우선 마음을 진정해요.'

'이판에 진정하게 되었어요? 이젠 죽음뿐이잖아요. 한 걸음 뒤로 물러설 수 없는 절벽의 끝이란 말이요.'

'광부는 언제나 그 끝을 캐지요.'

'막장을 뚫고 나간단 말이요? 아니면 죽음을 초월한다는 말인가요?'

성을 내며 따지는 듯한 네 아버지의 눈은 충혈 되어 있었다. 그것으로 봐서 제 정신을 잃어가고 있었다. 이번에는 내가 말을 꺼내었다.

'하나님을 믿지 않아요?'

'믿건 믿지 않건 이 지경에 무슨 소용이 있소?'

'나는 이제야 믿음이 마음에 차는군요.'

'살아날 수 있단 말이요?'

'죽을 수도 있지요. 하지만 그 죽는다는 것이 오히려 사는 것이 될 수 있지도 않소?'

'죽은 화석 말이요? 아니 산화석의 믿음이겠죠. 하하! 그러나 난 싫소. 살고 싶어요. 살고 싶단 말이요.'

그런 너의 아버지는 질식해오는 어둠에 항의도 하지 못했다.
하지만 난 그때 어둠이 불안하지 않았다. 빛 아래 살아온 어제와 같을 뿐이었다. 마치 농부들이 평생 흙을 만지면서 그 흙이 자신의 살이라 느끼는 것처럼 말이다. 나에게 다가오는 어둠은 곧 그것이었다.
이내 서로 말이 없었다. 희미한 불빛에 둘은 돌처럼 굳어 가기만 했다. 그렇게 긴 침묵이 또 있을까? 피곤과 굶주림과 죽음의 공포 사십 팔 시간이었다. 이제는 의식마저 희미해지는 것을 느꼈다.
'살고 싶어요.'
마른 입술이 움직이며 하는 네 아버지의 말이었다. 그때 난 희미하게 도끼 소리를 들었다.
'소리가 들려요. 구조되는 것 같아요.'
'산다고요?'
네 아버지의 눈에 생기가 일며 한줄기 눈물이 흘러내렸다. 나는 떨리는 네 아버지의 손을 굳게 잡았다. 그러자 네 아버지도 나의 손을 쥐더구나. 그러나 아직도 떨림은 여전 하였다.
그 뒤부터, 네 아버지는 광산 일을 집어치웠다. 두 번 다시 굴속은 가기 싫다는 거야. 그렇게 되니 생활의 궁핍이 펴질 수 있겠니? 너의 어머니 작은 힘으로는 더 이상 견디기 힘들었다. 그래 그런지 어느 날인가 너를 남겨놓고 가출했다. 그때부터 너는 이 어머니의 손에서 자랐다."
"그 분은 요?"
나는 모기만한 목소리로 겨우 물었어요.
"생활이 깨어지고 가정이 깨어지고 그러니 마음인들 온전하겠니? 차츰 어디서 돈이 생기던지 술을 마시기 시작했다. 그러던 중 눈이 많이 내렸던 어느 날 새벽, 도사골 아래 있는 철교 밑에서 숨진 시체로 발견되었다.”

4

도무지 믿기 어려운 말이에요. 아닌 밤중에 홍두깨라더니 이게 웬 날벼락이에요. 존재한다는 의미가 부정되는 듯했어요. 그래서 지난밤엔 뜬 눈으로 날을 새고 말았어요. 머리도 아프고 그 머릿속은 진공이었어요. 그래서 아침에 출근하는 아버지를 위하여 기도도 하지 못했어요.

그렇게 온종일 자리에 누워 있어야했어요. 그래서 애가 탄 것은 어머니였어요.

“어디가 아프니? 약 지어 올까?”

그래도 꼼짝도 않는 나를 흔들며 다시 말했어요.

“무얼 먹어야지. 종일 굶었다.”

하지만 그 지경에 입맛인들 있겠어요. 된서리 맞은 배춧잎처럼 풀죽어 있기만 할 뿐이었어요. 그러면서 속으로 말했어요.

(검은 옷을 벗어 던지지 않느냐고?)

(광부의 아빠가 싫다고?)

나는 누운 채 책상에 우두커니 앉아 나를 지켜보는 탁상시계를 봤어요. 다섯 시 이분 전이었어요. 아버지가 버스에서 내릴 시간이에요. 멀리서 버스의 소리가 들려왔어요. 나는 멀리서 버스의 소리만 들어도 아버지가 탄 버스인지 아닌지를 알 수 있어요.

(어서 일어나 마중을 가야지.)

그런데 이게 웬일이어요. 마음은 재촉을 하는데 몸은 장승처럼 꼼짝을 않으니. 무엇이 나를 그렇게 분리시켜 버렸는지 알 수 없는 일이었어요.
얼마의 시간이 흐른 뒤 아버지의 목소리가 들렸어요.
"얘는 어디 갔나?"
"몸살기가 있어요."
문을 열고 들어서는 아버지의 모습 속엔 딸의 걱정이 가득하였어요. 하지만 그것이 이제 나에게 부담이 되지 뭐여요.
(기도도 않고 마중도 안 나간 딸인데…)
아버지는 나의 머리맡에 앉더니 굳은살이 박인 손을 머리에 얹었어요. 그러자 이상한 변화가 일어났어요. 차가운 기운이 끓듯 하는 머릿속을 시원하게 만들었어요. 그것은 신묘한 통치였어요. 그처럼 혼란과 허무 속에 머릿속이 갑자기 안정되는 것이 말이어요. 그렇게 처방을 하고 난 아버지는 나직이 말했어요.
"나무는 모진 추위에도 견디는 거다. 눈 속에서 꽃눈이 움트는 것을 알지 못하니? 그 나무에게 추위는 되레 고마운 거지."
"딸이 아니잖아요."
눈물이 솟아오르는 것을 억지로 참으며 퉁명스럽게 말했어요. 그러자 아버지는 나의 손을 잡으며 말을 이었어요.
"낳은 것이 부모이면 기르는 것도 부모가 아니니? 다만 아버지가 광부라고 부끄러워하지 말라는 거다."
"그런 것은 아무 것도 아니잖아요."
오늘은 주일이어서 성당에 나갔어요. 그래 성모님 앞에서 기도했어요.
'성모님 어리석은 소녀를 용서해주시고 가족을 위해 오늘도 애쓰는 아빠를 언제나 지켜 주세요.' 하며 지난 일을 다 참회했어요. 그러나 마음은 전처럼 밝지 않았어요. 금방 눈이라도 쏟을 것 같은 하늘이 화내는 것 같았어요. 성당에서 미사가 진행되는 중에도 마음은 걱정이었어요. 그러나 미사가 끝났을 때 나는 그런 마음은 한낱 기우에 지나지 않음을 알았어요. 미사가 진행되는 중에 내린 눈이 이제는 함박눈으로 변해 내리잖아요. 눈은 신의 축복이고 소녀의 꿈이니까요. 소녀의 순수한 마음이 환성을 질렀어요.

'눈이 와요!'

제일 먼저 정원에 나와 나뭇가지에 하얗게 쌓여있는 눈을 보았어요. 그것은 나뭇가지마다 하얗게 핀 꽃이었어요. 그 꽃들 저 멀리 나무들도 하얗게 머리를 장식하고 있었어요.

미사를 끝낸 사람들도 다 같이 흰 눈을 반기었어요.

"눈꽃이 이렇게 곱기도 할까?"

"천사의 머리에 꽂은 목화 꽃 같지?"

나는 쌓인 눈 위에 작은 발자국을 찍어 보았어요. 발목까지 빠지는 곳이 사슴 발자국같이 보였어요. 그리고 그 발끝에서 나는 소리가 마음의 창을 열어젖혔어요.

(눈길을 끝없이 걷고 싶은걸.)

나는 눈길을 걷기로 했어요. 그냥 둘까 하고 생각이 들긴 했어도 이 아름다운 모습을 간직하는 것이 좋을 것 같아서요.

그렇게 얼마를 걸었을까요. 길가에 옹기종기 모여서서 수군거리는 같은 학교의 사내애들이 손가락질을 하는 것을 보고 번득 정신이 돌아왔어요. 난 혼자서 멀리 눈길을 걸어왔고 이곳은 학교에서 나오는 길과 도로가 합하는 곳으로 변두리라는 것을 알았어요.

"야, 눈 오는 날 기분 내는데?"

"사랑에 실패한 모습인가?"

"아냐, 짝사랑하는 모습일 거야."

하지만 그런 얘기에 나는 기분이 상하지 않아요. 장어들의 농담 정도는 소녀들의 퇴치 방법이 있거든요.

"흥!"

그렇게 내가 저희들의 희롱에 눈도 깜짝 않고 길거리를 되돌아가려하자 오히려 애가 탄 것은 그들이었어요. 그들은 길가에 쌓인 눈을 뭉쳐 나를 향해 던졌어요. 내심 장어들의 행동이 못마땅하였으나 얼른 피하면 되지 하는 생각으로 걸음을 재촉하는데 일이 터지고 말았어요. 몇 개중 두 개가 나의 엉덩이와 다리를 적중시켰잖아요. 차갑고 칼날 같은 미움이 온몸에 퍼졌어요.

나는 돌아서며 그들을 향해 고함을 꽥 질렀어요.

"니들, 오늘 나하고 부부 싸움할 용기가 있음 나와!"

그러자 그 말에 장어들은 나서지는 못한 채 깔깔거리며 화가 난 나의 모습이 보기 좋다는 듯 수군거리잖아요.

"오늘 장가가게 됐는데…"

나는 더 이상 참을 수 없었어요. 맨손으로 눈을 뭉쳤어요. 차가운 눈의 냉기가 연약한 손끝을 얼렸지만 개의치 않았어요. 뭉친 눈을 장어들을 향해 힘껏 던졌어요. 그러나 연약한 소녀의 팔매질이 멀리 나가겠어요? 그것은 오히려 장어들의 흥을 돋우는 일이 되고 말았어요.

"힘이 모자라나봐."

"엄마 젖을 더 먹고 와야겠는데?"

정말 소녀의 귀한 체면까지 희롱하는 말이었어요. 그냥 좋게 말해서 엄포만 놓고 물러서려했던 마음을 장어들은 어처구니없게 만들잖아요. 하지만 여자라 해서 눈덩이를 멀리 던질 수 없겠어요?

나는 다시 눈을 뭉쳤어요. 그리고 장어들을 향해 힘껏 던졌어요. 이번에는 진짜 장어들이 맞으라 하고요. 눈덩이는 총알처럼 날아가더니 퍽 하는 소리를 내며 한 사람을 쓰러뜨렸어요. 나는 겁에 질려 눈을 감았어요.

(알 수 없는 게 사람의 마음이라더니…)

눈덩이를 던지기 전에는 귀찮은 장어들이 맞아 퍼렇게 멍이나 들어라 하는 마음이 막상 내가 던진 눈덩이에 사람이 맞고 보니 그런 마음은 간곳없고 겁과 미안함만 일어나니 말이어요.

(던지지 말아야했어.)

하고 후회를 했어요. 맞은 사람에게 못된 짓을 한 것이니까요. 사과를 하기로 마음을 먹었어요. 그래서 쓰러진 사람의 앞으로 갔어요. 그런데 일어나는 사람을 보고 아연실색했어요.

눈덩이를 맞은 사람은 장어가 아니고 아버지였기 때문이었어요.

"인석아 넌 적과 친구도 구별치 못하니?"

그제야 장어들이 도망친 이유를 알았어요. 내가 다시 눈을 뭉쳐 던질 때 그들이 도망친 것은 눈덩이가 무서워 도망친 것이 아니라 딴 길에서 나오는 아버지를 보았기 때문이었어요.

순간 나는 미안함과 장어들에 대한 분함에 범벅이 되어 울음이 터져 나오고 말았어요. 그러자 아버지는 붉게 언 나의 손을 꼭 쥐어 주었어요. 따뜻한 체온이 손끝에서 떨리며 전해오고 있었어요.

"눈싸움을 해도 무장을 해야지."

아버지는 호주머니에서 빨간 털장갑을 꺼내어 주었어요. 나는 눈물이 그렁한 눈으로 기뻐 소리쳤어요.

"아빠! 너무 예뻐요."

"끼어보렴. 맞는지 모르겠다."

"맞아요. 꼭"

나는 장갑을 낀 두 손을 언 볼에 대고 활짝 미소를 띠었어요.

"아빠?"

"왜?"

"그냥 아빠가 좋아요."

"녀석 철없긴."

나는 아버지의 굵고 바위 같은 손을 빨간 장갑을 낀 손으로 잡았어요. 아버지는 어리광부리는 딸의 모습에 그저 무거운 미소를 잠시 보일 뿐이었어요. 하지만 난 알아요. 아버지는 그렇게 밝게 즐거움을 표시하지 않는다는 것을요.

"하얀 눈이 사북에 내리면 새 세계 같아요. 축복받은 풍성한 거리가 되거든요."

"그렇다고 검은 거리가 달라지니?"

"하얀 것은 하나님의 사랑이니까요."

"그것은 사랑이 아닌 편애가 아닐까? 사랑이란 동등한 거니까."

나는 검은 지옥을 생각하며 말했어요.

"검은 것이 사랑이라고요?"

그러자 아버지는 대답대신 미소를 잠시 자어 보였어요. 나는 아버지의 손을 놓으며 백설이 광야를 이룬 학교의 운동장으로 뛰어 들어갔어요. 발자국 하나도 없는 운동장은 나를 반겨주었어요.

아버지도 뒤따라오며 나의 뛰는 모습에 자신의 젊은 시절을 되살리기라도 하는 듯한 모습을 보였어요.

"아빠 눈싸움 할까?"

"그래."

"사정보지 않기에요."

"그래."

나는 빨간 장갑을 낀 손으로 눈을 떠가지고 아버지한테 던졌어요. 그래서 잠시 후엔 아버지의 어깨나 다리에는 눈이 하얗게 쌓였어요. 아버지도 허리를 굽혀 눈을 뭉쳐 던져 왔어요. 그러나 난 이리저리 피하며 다시 아버지한테 눈을 던졌어요. 하얀 눈이 머리까지 쌓여 설인이 된 듯이 보였어요. 아버지는 그래도 꼼짝 않는 눈 속에 바위였어요.

이번에는 아버지가 움직이며 말했어요.

"이번에는 내 차례다."

그 기세가 어찌나 겁나는지요. 황야를 휩쓰는 회오리의 기세였어요. 나는 이리저리 눈 속을 도망치는 토끼가 되었어요. 그러나 아버지는 단념치 않았어요. 나는 학교 운동장을 거의 밟아대듯 피했어요. 그래도 아버지는 공격의 고삐를 늦추지 않았어요.

나는 이제 다리와 호흡이 거칠게 되어 아버지의 공격 권외를 필요로 하였어요. 소녀가 백기를 들지 않기 위해서는 그것이 유일한 방법이니까요. 그래서 나는 아버지가 쫓아올 수 없는 곳을 찾았어요.

얼른 눈에 띄는 것이 학교의 동산이었어요. 봄에는 나무도 심고 꽃도 심는 곳이나 지금은 눈에 묻혀 왕릉처럼 보일 뿐이었어요.

나는 고지를 향해 힘을 다해 뛰어 올랐어요. 그제야 아버지는 따라오는 것을 단념하고 아래에서 바라보지 않겠어요?

그러나 그 눈빛은 포기가 아니라 걱정 그것이었어요. 나는 그것을 보는 순간 이것이 만용이라는 것을 알았어요. 그리고 몇 걸음 못 옮겨 발이 미끄러지며 눈구덩이 속으로 비명도 지르지 못한 채 떨어지고 말았어요.

그리고 희미한 무아지경으로 빠져들었어요.

5

혼미한 의식으로 나는 신기한 곳에 서 있었어요. 그곳은 어둠과 빛이 공존하는 세계였어요. 내가 서 있는 이쪽 반은 어둠속이고 그 반대쪽은 대낮같이 밝은 그림 같은 곳이었어요. 빛이 내리는 중앙으로 수정 같은 물이 흐르고 그 양옆에는 과실수들이 가득하였어요. 나무들마다 열매가 탐스럽게 달려있고 그 주변에는 많은 꽃들이 있어 낙원처럼 보였어요.

어둠의 이곳은 그와는 대조적이에요. 빛의 여광 때문에 희미하게 보일 뿐이지만 모습은 알 수 있어요. 추위를 느끼는 듯 몸을 스산히 떠는 여자도 있고 입술이 타는지 혀로 입술을 적시는 사람도 있었어요. 이리저리 몸을 제멋대로 하고 있는 무리도 보였는데 그들은 한결같이 고통스런 표정들이었어요.

나는 이곳이 하도 신기하여 몸을 떠는 여자에게 나직이 말을 건넸어요.

'이곳은 어디에요?'

'어둠이 끝이 없는 곳.'

'그럼 불행한 사람들이군요.'

'다 사필귀정이야.'

'이제는 진실을 아는 데도요?'

'사랑이 없는 걸.'

긴 한숨을 쉬며 여자는 어둠속을 멍히 바라보았어요.

이때 멀리서 나팔 소리가 들려왔어요. 어둠속의 사람들 모두 그 소리가 나는 곳으로 시선을 옮겼어요. 빛이 내리는 중앙에 천사가 구름을 입고 하늘에서 내려오는데 그 모습이 너무도 아름다웠어요.

머리에는 무지개가 내리고 그 얼굴은 해같이 빛나고 그 살결은 우유같이 희었어요. 천사는 한 손에 책과 한 손에 나팔을 들고 큰 소리로 외쳤어요.

'하나님의 큰잔치에 모여라!'

그 음성은 어둠의 속까지 똑똑하게 들렸어요. 나는 가슴이 설레옴을 느꼈어요. 그러나 주위의 사람들은 기뻐하기는커녕 어둠속을 보며 허무한 표정만 짓고 있었어요. 나는 여자에게 다가서며 말했어요.

'하나님의 축제에 가요.'

'이곳 사람은 갈 수 없는 걸.'

'왜요?'

'하나님의 법이지.'

'그래도 난 가고 싶은 걸요?'

'그럼 이곳에서 우리를 빛으로 보낼 수 있는 친구를 기다리자. 그것이 유일한 방법이니까.'

'그 사람은 누구에요? 그리고 어떻게 저 곳에 갈 수 있게 하죠?'

'넌 하나님의 인을 아니?'

'하나님의 인?'

'나도 전해들은 이야기인데…'

하며 여자는 전해들은 이야기를 했어요.

'옛날 해 돋는 언덕에서 천사들이 하나님의 인을 가지고 하나님의 사랑을 표시한 일이 있었는데, 사람들은 인을 맞고서야 하나님 사랑의 참뜻을 알았지. 그것은 어둠도 하나님의 은혜라는 거지. 그러면 어둠의 사람도 그의 사랑이고. 그래서 그들은 네 천사들의 해를 입지 않은 나뭇잎, 풀, 새, 물고기에 맞은 인을 옮겼고. 하나님 앞에 올 때 그것을 가지고 오도록 말이야. 그것은 하나님의 사랑을 알면 어둠 속에서라도 알아볼 수 있다는 거야.'

'그것을 찾아요.'

'어둠 때문에 보이지 않는 걸? 그래서 그것을 찾을 수 있는 친구를 기다리는 거지.'

'그 사람은 예수님인가요?'

'누구인지는 몰라. 다만 어둠에 희망을 실현할 수 있는 사람이라는 것만 알지.'

'축제가 시작되나 봐요.'

나는 안타까운 마음으로 어둠의 속을 바라보았어요. 어둠은 어떠한 형체도 가리고 절망만 내뱉을 뿐이었어요.

'무엇을 찾니?'

귀 익은 목소리만 들어도 그 사람이 누구인지 알 수 있어요. 아버지였어요.

'하나님의 인요.'

'잔치에 가고 싶니?'

'네. 그런데 어둠 때문에 절망이에요.'

'내겐 어둠이 가능인 걸.'

나는 나의 귀를 의심하였어요. 의혹어린 눈빛으로 어둠 속의 아버지를 보았어요. 그러나 어둠 속에 형체도 없는 아버지를 보고는 절망을 다시 맛보았어요.

(어둠은 불가능인 걸.)

이때 아버지의 목소리가 가까이서 들려왔어요.

'이것이다.'

어둠속에 사람들이 웅성대며 아버지의 주변에 모였어요. 그리고 어둠에서 희미하게 보이는 검은 물체를 보고 한마디씩 했어요.

'찾았다!'

'하나님의 인이야!'

'우리의 친구!'

나는 아버지의 손에서 그것을 받아들고 자세히 보았어요. 그리고 깜짝 놀랐어요. 그것은 검은 돌에 나뭇잎이 나타난 화석 그것이었으니까요.

(화석이 하나님의 인이라고?)

혼잣말을 되뇌는 순간이었어요. 그때 하늘로부터 한 줄기 빛의 기둥이 내리박혔어요. 그런데 그 빛이 얼마나 찬란한지 눈을 뜰 수 없었어요.

'이리로 오라!'

하는 소리가 들리는 동시에 아름다운 노래 소리와 환성이 주변에서 터졌어요.

'자 춤을 추어요.'

나는 그 말에 손을 잡으려 양 손을 내밀었어요. 그리고 손잡은 사람들과 춤을 추려고 감았던 눈을 떴어요.

그러자 백설에 반사된 현란한 햇살이 눈 안에 가득 들어왔어요. 난 그제야 잃었던 의식을 되찾을 수 있었어요. 동산에서 미끄러져 눈구덩이에 떨어졌던 기억이 되살아나며 아버지의 품안에 안겨 있는 나를 보았어요.

아버지는 눈을 감은 채 꼼짝도 않았어요. 그 얼굴은 추위에 얼어 푸른빛이 돌았고 눈가에는 눈물자국이 고드름처럼 빛나고 있었어요. 나는 얼굴에 겸연쩍은 미소를 살며시 지으며 속삭였어요.

"아버지!"

그제야 아버지는 눈을 뜨며 말했어요.

"어두운 집이라도 가야지."

"아녜요, 아녜요. 이젠 어둠을 사랑하는 빛을 전하는 집인 걸요."

그 말에 아버지는 어안이 벙벙하더니 이윽고 미소를 지으며 안은 팔을 꼬옥 조여 왔어요.

끝.

1987, 정묘년 단오일.